Les voisins du 9

FELICITY EVERETT

Les voisins du 9

roman

Traduit de l'anglais (Royaume-Uni) par
MARIE LAUZERAL

HarperCollins

Titre original:
THE PEOPLE AT NUMBER 9

Ce livre est publié avec l'aimable autorisation de HarperCollins Publishers, Limited, UK.

© 2017, Felicity Everett.
© 2018, HarperCollins France pour la traduction française.

HARPERCOLLINS FRANCE
83-85, boulevard Vincent-Auriol, 75646 PARIS CEDEX 13
Tél.: 01 42 16 63 63

www.harpercollins.fr

ISBN 979-1-0339-0221-8

Mais moi je ne suis plus moi
et ma maison n'est plus mienne.

« Romance Somnanbule »,
Federico Garcia-Lorca

1

Le regard de Sara glissa vers la fenêtre. Il faisait nuit à présent et le mur de la maison d'en face lui renvoyait le reflet de sa propre image projeté tel un hologramme. Les rideaux y étaient à moitié tirés, mais on pouvait entrevoir la lueur bleutée de la télévision. Gavin devait être vautré dans un fauteuil Eames avec un verre de vin rouge, Lou se prélassant pieds nus sur le canapé. Sans doute étaient-ils en train de regarder un vieux film ou une émission quelconque. Sara n'avait aucun mal à imaginer la scène : le petit tapis élimé devant la cheminée, les effluves de pinot noir mêlés à ceux du feu de bois. Même après tout ce qui s'était passé, elle continuait d'éprouver de la fascination.

Depuis leur point de vue privilégié, la maison de Carol était un vrai bocal à poissons rouges, stores relevés, toutes lumières allumées. Il y avait déjà beaucoup d'invités à l'intérieur et d'autres gens arrivaient encore. Sara espérait qu'ils avaient remarqué. Elle espérait qu'ils souffraient d'en être exclus, mais c'était peu probable. De nouveau, son regard se posa sur son propre reflet, son visage fantomatique et flou sur la surface luisante de la vitre.

*
* *

Dix-huit mois plus tôt...

La première fois qu'elle vit leur voiture, Sara la crut bonne pour la casse, tellement elle détonnait au milieu de toutes les Volkswagen et autres monospaces. Ils l'avaient garée à moitié sur le trottoir et les roues avant étaient toutes de travers. Une vieille Humber rouge et gris avec un enjoliveur en moins, un tas de babioles au pied de la place passager et un siège bébé à l'arrière. Les jours suivants, elle la revit pourtant plusieurs fois, pas toujours aussi mal garée, mais jamais à plus de dix mètres de chez elle.

Un jour où elle bavardait avec Carol devant chez elle après la sortie d'école, celle-ci sembla soudain distraite.

— Regarde, c'est notre nouvelle voisine, murmura-t-elle en indiquant d'un signe de tête la maison d'en face.

Sara jeta un œil machinalement. Vêtue d'un bleu de travail et coiffée d'un foulard, telle Rosie la Riveteuse[1], la voisine poussait avec peine une brouette remplie de gravats le long de son allée.

— Elle nous a vues, chuchota Carol. Souris, dis-lui bonjour.

Sara fit un geste de la main, gênée d'avoir l'air si hautaine et peu accueillante. La femme répondit d'un sourire crispé.

Elle habitait la maison mitoyenne de celle de Sara. Baies vitrées, porches en stuc et pignons escarpés étaient identiques en tout point, mais, tandis que la maison de Sara respirait la respectabilité bourgeoise, le numéro 9 était un vrai taudis :

---

1. Icône de la culture populaire américaine, symbole du travail des femmes dans l'industrie de l'armement durant la Seconde Guerre mondiale.

peinture écaillée, huisseries pourries, gouttières délabrées. Heureusement, elle était en pleins travaux et, même si cela causait du bruit et de la poussière, cette rénovation était la bienvenue. Tout comme les voisins eux-mêmes.

Sans plus attendre, Sara quitta son amie et traversa la rue pour rentrer s'occuper des garçons.

— Sacré boulot on dirait ! lança-t-elle à la voisine en ouvrant le portillon.

Celle-ci poussa la brouette jusqu'à la rue, la fit monter sur un plan incliné et en déversa le contenu dans une benne. Puis elle fit marche arrière et redescendit la brouette sur le trottoir, avant de la lâcher et d'étendre les bras devant elle comme si elle allait jouer sur un piano imaginaire. Sara comprit alors qu'elle lui montrait comme ses bras tremblaient après cet effort.

— Eh bien, dites donc ! s'exclama Sara.

— Oui, hein ? répondit la voisine en lui tendant la main après l'avoir essuyée sur son pantalon. Bonjour, moi, c'est Lou.

— Enchantée. Sara.

Saaa-ra. Les syllabes de son prénom s'étiraient comme de la guimauve et en disaient long sur son enfance choyée et privilégiée. Ce n'était pas la première fois qu'elle aurait souhaité s'appeler autrement.

— Et j'ai un peu honte, je dois dire, ajouta-t-elle.

— Pourquoi ça ?

— Eh bien, vous êtes là depuis combien ? Une semaine ?

— Deux.

— Hmmm… et je ne suis même pas venue vous saluer ! J'ai eu plusieurs fois l'intention de le faire, mais vous aviez l'air si occupée.

Voilà qu'elle passait pour une vraie concierge à présent !

— Oh, mais c'est plutôt à moi de m'excuser ! Nous n'avons

pas vu le jour. Les travaux devaient être finis avant notre emménagement, mais vous savez ce que c'est, dit-elle en haussant les épaules.

— Bien sûr, fit Sara.

— En plus, au moment où l'on pensait avoir touché le fond, les types qui devaient transporter les œuvres de Gavin se sont plantés et on a dû les entreposer dans une maison en chantier, alors qu'il y en a au moins pour un million !

— En effet ! fit Sara qui ne trouva rien d'autre à répondre.

— Enfin bon, reprit Lou en retournant à sa brouette, on va bien trouver une solution…

— Passez à la maison plus tard si vous voulez, proposa Sara sans réfléchir. Je suis toute seule avec les enfants.

Lou entra et avec elle une bouffée de parfum frais et raffiné. Ses cheveux étaient humides et elle avait enfilé un jean et un chemisier brodé. Il y avait chez elle quelque chose d'animal, comme une méfiance qui donnait envie de la rassurer. Elle n'avait amené qu'un seul de ses enfants, à l'allure angélique, aux cheveux d'un blond presque blanc et longs jusqu'aux épaules.

— Sara, je vous présente Dash.

— Bonjour, Dash, dit Sara.

L'enfant lui répondit d'un sourire solaire, mais légèrement étrange.

— Patrick ! Caleb ! appela-t-elle.

Les sons stridents et métalliques de la Xbox ne cessèrent pas pour autant et elle se tourna, l'air gêné, vers Lou.

— Il vaut sans doute mieux qu'elle aille directement les retrouver. Ils sont plutôt timides.

— Qu'*il* aille, la corrigea Lou.

— Oh ! je suis désolée, dit Sara, confuse. C'est les cheveux… je pensais…

— Il s'appelle Dashiell en fait, comme Dashiell Hammett.

— Oui, bien sûr. Je ne sais pas comment j'ai pu… Tu es un garçon, Dash, évidemment! Désolée. C'est juste à cause de tes…

— Ses cheveux, oui. Certaines personnes se trompent.

Devant l'indifférence totale de Lou, qui n'avait pas l'air de lui en vouloir le moins du monde, Sara se sentit encore plus mal. Les garçons finirent par apparaître : Patrick, le plus jeune, glissant sur ses chaussettes, suivi par Caleb et son allure nonchalante de préado.

— Je vous présente Dashiell, leur dit Sara, les joues encore cramoisies. C'est notre voisin. Dashiell, voici mes fils, Caleb et Patrick.

Elle conduisit Lou dans la cuisine. C'était la plus jolie pièce, la seule qui reflétait vraiment son goût. Neil avait voulu faire des économies sur l'équipement mais, encouragée par Carol, Sara n'avait pas lésiné, allant jusqu'à dénicher des carreaux d'artisan à poser autour de l'Aga rouge cerise, et choisissant avec le plus grand soin la teinte du parquet. Dix-huit mois plus tard, en dépit de quelques bosses sur le plan de travail en alu brossé et d'éraflures sur les portes de placard, la pièce était toujours aussi chaleureuse et harmonieuse. Même là, avec l'évier plein de vaisselle et les boîtes à lunch dégoûtantes des garçons sur la table, on avait l'impression d'une pièce qui vivait, et aucunement d'un endroit sale. Sara était si habituée à accepter les compliments avec modestie qu'elle fut surprise que Lou n'en fasse aucun. Au lieu de cela, la visiteuse observa la pièce d'un regard circulaire, puis fit de nouveau face à Sara, un sourire indéchiffrable aux lèvres.

— Eh bien, dit Sara, qu'est-ce que je vous sers ?

Elle allait entamer sa liste de tisanes en tout genre lorsque Lou haussa les épaules et déclara que, du rouge ou du blanc, ça lui était égal. Elles furent bientôt installées à table, une bouteille de shiraz posée au milieu des vestiges du repas.

Tandis que Lou avalait son vin comme du jus de fruits et ne tarissait pas d'éloges sur la vitalité du quartier, Sara l'observait. Elle n'était pas vraiment belle. Chacun de ses traits était légèrement imparfait : les yeux trop éloignés l'un de l'autre, le nez un tantinet trop large. Pourtant, elle avait réussi à tirer parti de ces défauts : un trait d'eye-liner, un anneau d'argent discret dans une narine, si bien qu'on ne se posait plus la question. Ses cheveux maintenant presque secs formaient une tignasse toute frisée qu'elle rejetait en arrière en parlant, comme si ce poids l'encombrait.

En constatant que ses enfants ne venaient pas à l'école de Cranmer Road, Sara en avait déduit qu'ils étaient inscrits dans une école privée, mais Lou démentit.

— Nous préférons attendre la prochaine rentrée, plutôt que de les inscrire pour si peu de temps, lui expliqua-t-elle. L'école où ils allaient avant était minuscule et la pédagogie très différente. Enfin, si on peut parler de pédagogie…

Elle éclata de rire et secoua la tête.

— Où était-ce ? demanda Sara.

— Oh, vous ne le saviez pas ? On habitait en Espagne, dans un petit village dans la montagne, pas très loin de Loja.

— Le rêve, déclara Sara.

— C'est vrai, répondit Lou avec un soupir pensif. Je regrette bien, mais Dash rentre en sixième en septembre, alors il fallait prendre une décision.

Ils n'avaient pas forcément pris la bonne, se dit Sara. Elle connaissait bien des parents dans le coin qui, devant la médiocrité et la pénurie de places dans les collèges publics de leur secteur, auraient opté pour une cabane en pleine montagne et un gardien de chèvres pour enseignant.

— J'adorerais vivre à l'étranger, dit-elle. Mais le métier de Neil n'est pas exportable.

— Bah, on trouve toujours de bonnes raisons de ne pas faire les choses, dit Lou en saisissant une mèche de ses cheveux élastiques, qu'elle examina avant de la relâcher. Il faut plutôt chercher les bonnes raisons de les faire.

— Tout à fait d'accord. J'ai juste un peu de mal à me décider, j'imagine. C'est un sacré pas à franchir, non ? Et puis j'aurais peur de ne pas m'intégrer.

— Ah ça, murmura Lou.

— Ça a été si difficile ? demanda Sara, inquiète.

— Oui et non. Les Espagnols sont très directs. S'ils ne vous aiment pas, ils vous le disent en face et leurs enfants jettent des cailloux sur les vôtres.

Sidérée, Sara ne répondit rien et posa les mains sur ses joues.

— C'est dur, je sais, poursuivit Lou. Mais c'est mieux que cette horrible manie qu'ont les Anglais de ne rien laisser paraître et de vous faire sentir que vous avez tout faux. Et puis, le bon côté de la chose, c'est que, si vous arrivez à les amadouer, vous vous en faites des amis pour la vie.

— Et comment s'y prend-on ?

— En travaillant dur, en se rendant utile… et en disant à ses enfants de renvoyer des cailloux.

— Sérieux ?

— Mais oui. Ça s'est arrêté du jour au lendemain, répondit Lou sans sourciller. Dieu merci, parce que ce premier hiver a été *vraiment* difficile. Dans un tel environnement, on ne peut pas vivre pour soi. On fait du troc. Du genre : tu récoltes mes olives, je répare ton générateur.

— C'est génial, dit Sara.

— Oui. Quand ça marche, il n'y a pas de meilleur système. Tout le monde se serre les coudes. Il y a un vrai sens du partage. Si on a trop, on donne, ce qui fait qu'on ne gâche rien.

— Comme dans une communauté.

Songeuse, Sara contempla par la fenêtre les barrières serrées qui, à perte de vue, séparaient chaque jardin de celui du voisin dans leur petite enclave. En se tournant de nouveau vers Lou, elle fut surprise de la voir presser le doigt contre son nez afin de retenir ses larmes.

— Lou ?

— Désolée. Je ne sais pas ce qui m'a pris, répondit celle-ci d'une voix tremblante, en inspirant profondément.

Gênée, Sara préféra ne rien dire, mais se réjouit de sentir sa voisine sur le point de se confier à elle.

— Nous avons vécu quatre années et demie merveilleuses à Riofrio. Nous nous sommes fait de très très bons amis. Des amis à la vie à la mort.

— J'ai comme l'impression qu'il y a un « mais »…

Lou but une gorgée de vin et se ressaisit.

— C'était vraiment un malentendu. Pas un tribunal en Espagne n'aurait statué en leur faveur…

— Un tribunal ?

— Oh, rien de grave, honnêtement. Comme je le disais, juste un malentendu. Si on avait eu de l'argent, on aurait pu le prouver.

Sara fronça les sourcils et se pencha en avant sur sa chaise pour encourager ses confidences.

Lou lui raconta que Dolores et Miguel Fernandez avaient une petite propriété un peu plus bas sur la colline, avec quelques moutons et un verger. Miguel avait aidé Gavin à faire l'installation électrique dans son atelier, et elle et son mari donnaient un coup de main au moment de la récolte. De bons rapports de voisinage jusque-là, mais les Fernandez se mirent dans l'idée d'élever des truites. L'appât du gain, selon Lou, parce qu'ils n'avaient pas besoin de ça.

Seulement il y avait des subventions et puis sur le papier ça avait l'air bien.

— C'est typique des Espagnols : ils se foutent bien de préserver le paysage et tant pis pour l'écosystème. Si ça peut rapporter un peu de fric, ils foncent. Le plus ironique, ajouta-t-elle en serrant les bras autour d'elle et en fixant le plafond pour refouler ses larmes, c'est que Gavin les a aidés à creuser les bassins. Il a bossé comme un dingue, alors qu'il était censé préparer son exposition pour la Biennale de Venise.

Il n'avait pas fallu plus d'une semaine pour s'apercevoir que c'était un désastre. Le ronflement perpétuel des pompes donnait à Lou des migraines, et ils ne savaient que faire des truites qu'on leur apportait. (Sûrement pas les manger en tout cas, vu l'odeur qu'elles dégageaient !) Les bassins gâchaient le paysage. Pourtant, ils ne dirent rien parce que les Fernandez étaient des amis et qu'il fallait en tenir compte.

— Et puis un week-end, raconta-t-elle avec un geste d'enfant désemparé, tous les poissons sont morts, et ils ont accusé Gavin.

Sara secoua la tête.

— Je sais, c'est fou, mais ils ont prétendu que c'était à cause de la poussière dans son atelier.

— La poussière ?

— Le gypse, il y en a dans le plâtre de Paris. Mais vous n'avez jamais vu les œuvres de Gavin, si ?

Sara hocha la tête avec l'air de s'excuser.

— Eh bien, nous en utilisons depuis des années. Bref, il avait passé le sol de son atelier au jet et ils ont prétendu que l'eau avait ruisselé le long de la montagne et contaminé leurs bassins.

— Sans blague !

— Quand bien même la ferme d'à côté utilisait je ne sais quoi pour son colza. Quand bien même Miguel était alcoolique et avait pu verser je ne sais quel produit chimique dans l'eau. Nous étions les derniers arrivés, alors c'était notre faute, voilà tout !

Son poing se serra brusquement sur la toile cirée et une larme coula sur sa joue. Émue, Sara sentit sa gorge se nouer. Elle posa la main sur celle de Lou, puis se ravisa et alla chercher la boîte de mouchoirs en papier.

— Merci, dit Lou en se mouchant bruyamment.

Elle croisa le regard de Sara et lui adressa un sourire forcé.

— En tout cas, dit Sara après un bref silence, moi, je ne peux que les remercier.

Lou eut l'air surprise.

— Ces Fernandez dont vous me parlez. Sans eux et leurs stupides truites, vous ne seriez pas ici aujourd'hui. Nous ne serions pas voisines.

— C'est vrai, fit Lou avec un pauvre sourire.

On sonna à la porte et Sara regarda sa montre.

— Mince ! La guitare.

À cet instant, le charme fut rompu. Lou n'était plus qu'une voisine qu'elle connaissait à peine, sa cuisine ressemblait à un champ de bataille et Caleb n'avait pas joué son morceau une seule fois dans la semaine. Elle fila dans le couloir et fit entrer le professeur. Tout en s'excusant platement pour le désordre, elle remarqua la lueur d'intérêt dans ses yeux lorsqu'il croisa Lou. C'était le genre de regard qu'elle-même ne suscitait jamais, pas exactement sexuel, même s'il y avait un peu de ça, mais complice. Un regard qui signifiait qu'ils appartenaient au même monde, dont Sara était exclue. Sans avoir l'air d'y prêter attention, Lou s'arrangea malgré tout pour indiquer à la fois qu'elle avait compris et qu'elle gardait ses distances. Sara sentit une pointe de jalousie.

Sur le pas de la porte, les deux femmes ouvrirent la bouche au même instant.

— Je ne peux pas te dire à quel point…

— Je suis vraiment contente que tu…

Elles éclatèrent de rire et Sara laissa Lou parler, mais celle-ci haussa les épaules, ne sachant plus quoi dire.

— Merci, finit-elle par dire, et toutes les deux rirent, soulagées.

Lou était arrivée au portillon lorsqu'elle se retourna soudain, comme si une idée avait surgi dans son esprit.

— On a invité quelques personnes samedi. Juste une petite fête pour pendre la crémaillère. Pourquoi ne viendriez-vous pas ?

2

Une fois les garçons couchés, ils sortirent dans la lueur des réverbères, qui passait d'un rose tendre à un orangé plus acide. La silhouette étroite et haute des maisons jumelles de style victorien se découpait dans le ciel bleu nuit, telles des nonnes en plein conciliabule. Toutes n'avaient pas encore été touchées par la force mortifère de l'embourgeoisement. Pour chaque arbuste soigneusement taillé, on comptait une antenne parabolique, pour chaque véranda chic, un porche en PVC. La maison de Gav et Lou restait encore inclassable. La benne dehors livrait bien quelques indices : un affreux pare-feu années 1950, un mannequin de vitrine nu, mais c'était trop tôt pour en déduire quelle sorte de gens ils étaient.

— Ça alors ! s'exclama Neil à mi-voix, tandis qu'ils attendaient en vain devant la porte d'entrée qu'on vienne leur ouvrir. Mais pourquoi tu t'es crue obligée d'apporter du Moët ?

— C'est la seule qui nous restait, répondit Sara en haussant les épaules.

Elle avait fait exprès plus tôt dans la soirée de déboucher la dernière bouteille de Soave, en partie pour se détendre, mais aussi pour s'assurer qu'il ne leur resterait plus que du Moët. À vrai dire, elle savait que Neil l'avait rangée tout au fond du frigo avec l'espoir d'avoir bientôt quelque chose à fêter. Il fomentait un coup d'État au sein du directoire de l'association de logements sociaux où il travaillait et était presque sûr, lui avait-il confié pendant le dîner l'autre soir, les yeux brillants d'excitation en broyant sa salade avec avidité, qu'il avait suffisamment de gens de son côté désormais pour virer le directeur financier. Ce qui supprimerait le dernier obstacle entre lui et le poste de président qu'il convoitait depuis longtemps. Elle l'avait regardé sans plus rien voir en lui de l'étudiant idéaliste et modeste dont elle était tombée amoureuse.

Si à l'époque elle lui avait dit qu'un jour il achèterait une bouteille de Moët pour trinquer à son accession à un conseil d'administration, n'importe lequel, il se serait moqué d'elle. Pourtant, c'était bien ça : il avait tout du capitaliste décontracté, dans sa chemise Paul Smith et ses Camper. Certes il pouvait toujours se justifier en avançant l'argument de l'immobilier social, mais il lui semblait à elle que ces derniers temps il s'agissait surtout de valoriser son ego. Il avait commencé chez Haven Immobilier en jean et chemise ouverte. Peu à peu, la cravate avait remplacé le jean (« les locataires apprécient la cravate », disait-il). Après un bref épisode en pantalon de toile et pull sans manches, l'ère du costume s'était annoncée. Quelles qu'elles soient, les « parties intéressées » aimaient bien les costumes. Pourtant, si l'on grattait un peu cette surface policée, l'idéaliste demeurait toujours là, à défendre les justes causes, à se battre pour les opprimés. Non, son Neil n'était pas un cynique.

Elle tenta de pousser la porte, qui s'ouvrit.
— J'imagine qu'on peut entrer, dit-elle.
Ils ne savaient pas du tout quel serait le genre de la soirée. Toute la journée, elle avait tendu l'oreille et essayé de voir, mais il ne s'était pas passé grand-chose. Visiblement personne ne s'était réveillé avant le milieu de l'après-midi,

ce qui était un véritable exploit pour une famille avec de jeunes enfants un week-end d'été. Puis, à l'heure où tout le monde ralentit le rythme, ils s'étaient soudain mis à s'agiter. Depuis son poste d'observation dans la cuisine, elle avait vu Gavin élaguer ses tilleuls au fond du jardin avec une simple scie apparemment, vu comme il transpirait. Il devait faire plus de trente et, comme depuis le début de l'été, l'air était très humide. Leur clôture était trop haute et la haie pas assez bien taillée pour qu'elle puisse apercevoir les enfants, mais elle les entendait crier joyeusement. Une musique forte s'échappait des fenêtres, des airs un peu kitsch des années 1970, peut-être du Supertramp, mais Lou baissait le volume de temps en temps et Sara l'entendait appeler, d'une voix plaintive et stridente qui parvenait à couvrir le crissement de la scie.

— Gaaav ?

Il s'arrêtait alors et lui faisait face, le visage radieux et le souffle court, et elle lui posait une question sans importance, plus, semblait-il, pour se prouver qu'elle pouvait tout se permettre que parce qu'elle avait vraiment besoin de sa réponse.

À 18 heures, il était toujours perché dans le troisième et dernier arbre, à tenter de venir à bout du morceau d'écorce qui rattachait encore la dernière grosse branche au tronc. Si elle avait vu Neil perché ainsi un jour où ils attendaient des amis, même à la bonne franquette, ça l'aurait rendue folle, c'était certain.

Elle avait hésité à prendre une baby-sitter puis avait renoncé, ne sachant pas vraiment en quoi consisterait la soirée. Elle s'était dit qu'elle irait jeter un œil une fois que suffisamment d'invités seraient arrivés. Restait à choisir sa tenue mais, vu la façon dont leurs hôtes prenaient les choses, elle déduisit que ce serait plutôt décontracté. À 20 heures, elle était douchée et avait opté pour un compromis : un jean 7 For All Mankind et une blouse en soie, avec des sandales sophistiquées, qu'elle avait changées contre des Birkenstock en voyant la réaction de Neil. En revanche, si elle s'était contentée de fixer son T-shirt Coldplay, même avec toute la réprobation du monde, il ne se serait rendu compte de rien, et elle avait donc fini par lui dire le plus gentiment possible d'en mettre un autre.

Il n'y avait personne dans l'entrée. Des photophores posés sur chaque marche de l'escalier projetaient des ombres vacillantes sur le mur.

— Ils n'ont pas peur de mettre le feu, dis donc, murmura Neil.

Des entrailles de la maison montait le rythme étouffé d'une musique forte. De la pièce à côté leur parvenaient indistinctement les voix des invités et Sara se sentit nerveuse tout à coup. Elle jeta un œil dans le salon : un homme vêtu d'un costume de lin froissé était assis sur un canapé en cuir de style scandinave, en train de rouler un joint au-dessus d'une pochette de disque. On se serait cru en 1979. Curieusement, la pièce était à la fois vide et très désordonnée. Ici et là sur les murs étaient accrochées des œuvres d'art. Dans un renfoncement, des livres étaient empilés du sol au plafond. Dans un autre, un lampadaire chromé à tête d'hydre surplombait un fauteuil Eames défoncé. Au-dessus de la cheminée, entre les bois d'une tête de cerf pendait une guirlande de lampions. Il flottait dans l'air un mélange de parfums d'herbe et de curry et une légère odeur de moisi, ce qui laissait penser que l'éternel problème d'humidité de cette maison n'était toujours pas réglé. Dans un autre coin obscur de la pièce, Sara avisa un homme coiffé d'un chapeau à bord étroit et une femme dans un accoutrement des années 1950, des cannettes de

Red Stripe à la main. Sara esquissa un sourire dans leur direction avant de se retrancher derrière la porte.

— On essaye la cuisine ? suggéra-t-elle à Neil en haussant les épaules.

La lumière crue les éblouit. La pièce était aussi bondée et bruyante que le salon était vide et silencieux. Rien que le niveau sonore les aurait déjà fait fuir, ce que, devant ce mur humain impénétrable, Sara envisagea pendant quelques secondes. Aucun de ces gens n'était du coin. On les aurait plutôt dits tout droit sortis d'une galerie branchée de New York. Un mélange de septuagénaires en jean moulant, de jeunots en tweed, d'intellectuels d'extrême gauche, de filles aux yeux noircis de khôl, de dandys qui se pavanaient et de punks repoussants. Instinctivement, Sara s'empara de la main de son mari et se fraya un chemin dans la foule, jusqu'à rejoindre un endroit sûr, près de la table de la cuisine. Neil s'apprêtait à poser sa bouteille de Moët, mais Sara l'en dissuada du regard.

Aucun effort n'avait été fait pour décorer la cuisine ni créer une atmosphère particulière. Ce n'était rien de plus qu'un abreuvoir et, pour autant que Sara s'en souvenait, rien n'avait changé depuis que la maison avait été mise en vente. Peut-être Lou et Gavin avaient-ils investi tout leur argent dans la rénovation du sous-sol ou peut-être, les années 1970 étant de nouveau à la mode, considéraient-ils les carreaux marron fleuris et les placards en mélamine jaune comme un must.

— Oh, du champagne ! Allez, allez, sabre-le, Neil !

— Ah, bonsoir, Carol, fit Sara avec une froideur qui l'étonna elle-même.

Carol portait une de ses robes portefeuilles de chez Boden, avec des boucles d'oreilles, des collants et un vernis à ongles vert jade parfaitement assorti. Ses cheveux courts et roux étaient impeccables. On aurait dit un professeur d'économie domestique égaré dans un club de jazz, et Sara eut soudain honte d'elle. C'était pourtant une fille super, vraiment, loyale, les pieds sur terre, intelligente et gentille, aussi partante pour écouter vos confidences que pour un déjeuner sur le pouce. Des confidences, il y en avait eu depuis toutes ces années, et des larmes aussi ! Elle animait un club de lecture et organisait des dîners sympas. Il arrivait que la liste des invités soit la même d'une fois sur l'autre et que la conversation ait tendance à se répéter, mais son hospitalité était toujours plus que généreuse. Malgré tout, ce soir, elle détonnait.

Tandis que Sara lui versait sans enthousiasme un verre de champagne, Carol y allait de ses commentaires petits-bourgeois.

— Qu'est-ce que tu dirais, toi ? Cette cuisine, vintage, ou juste vieille ?

— J'en sais trop rien, répondit Sara qui tentait d'écouter une conversation sur le rap et la misogynie, sauf qu'avec Carol qui jacassait d'un côté et Neil et Simon qui discutaient foot de l'autre, c'était impossible.

— J'imaginais que tout serait dernier cri ici, poursuivit Carol. Tu te rends compte, depuis le temps que les ouvriers sont ici ! Tout ça pour ça !

— Ils ont construit un atelier, Carol.

— Ah oui, j'oubliais, c'est un artiste.

Elle dit cela en affichant un air moqueur avant de détourner son regard vers tous ces spécimens humains piercés de toutes parts.

— Tu connais ces gens, toi ? demanda-t-elle.

Sara secoua la tête. Le truc justement, c'est qu'elle aurait bien aimé les connaître, et que, si Carol la collait de la sorte, ça ne serait pas possible. La foule commençait à se disperser un peu, tandis que les invités finissaient leurs verres et se dirigeaient vers le jardin. Carol se pencha pour partager sa dernière observation.

— Non, là, désolée, lui dit Sara en posant la main sur son bras, mais il faut vraiment que j'aille aux toilettes.

En descendant les marches jusqu'au jardin, elle comprit enfin pourquoi on avait passé tant de temps à tailler les arbres. Au fond était dressée une tente remplie de coussins et de kilims. La lueur des lanternes en papier invitait à venir voir à l'intérieur, où l'on pouvait présenter ses respects à Lou et Gavin. Ceux-là avaient l'art de la mise en scène ! Sara se dit que c'était sûrement le coin détente et se demanda comment allait tourner la soirée. De plus en plus de pétards probablement, sans parler d'autres substances peut-être ? Que ferait-elle si on lui proposait de la cocaïne ? Elle dirait non sans doute. D'abord à cause des enfants, et puis parce qu'elle s'y prendrait certainement comme un manche et aurait l'air bête.

Tandis que leurs hôtes restaient invisibles, de plus en plus d'invités se massaient sur la pelouse, un verre ou une cigarette à la main, balançant la tête en mesure sur du trip-hop. La plupart avaient l'air de se connaître. Ce doit être comme ça d'être un fantôme, se dit Sara tout en flottant d'un groupe à l'autre, sans pénétrer dans aucun, un sourire plein d'espoir aux lèvres, mais sans jamais trouver le courage de se présenter. Certains croisèrent son regard, lui rendirent parfois son sourire et lui firent même de la place dans le cercle, mais les conversations étaient trop brillantes, fluides et animées pour qu'elle puisse s'immiscer. C'était comme de tenter de remonter un torrent à contre-courant. Quel soulagement alors de tomber sur une vague connaissance qui habitait à quelques rues de là et avait visiblement rencontré Lou dans un cours d'initiation à l'art! Sauf qu'elle ne lui parla que du découpage des zones scolaires. Au bout de vingt minutes passées à hocher la tête en souriant, à se dandiner d'un pied sur l'autre et à faire tourner son verre entre ses doigts, Sara en eut assez. Elle s'excusa et se faufilait parmi la foule en direction de la maison lorsqu'elle se trouva nez à nez avec le maître des lieux.

— Je vous ressers? proposa-t-il en penchant une bouteille de vin vers son verre.

— Merci, dit-elle. Vous êtes Gavin, n'est-ce pas?

— Je suis démasqué!

Il remplit son verre et fit mine de s'éloigner.

— Au fait, je suis votre voisine, se hâta-t-elle d'ajouter.

— Aaaaah! fit-il alors en se retournant pour reprendre la conversation avec un intérêt sincère. Donc, c'est *vous*, Sara!

3

Gavin s'excusa de s'être montré si sauvage ces derniers temps et lui expliqua qu'il était comme un chien qui tourne en rond dans sa panière, sauf que dans son cas la panière était son atelier, et qu'à défaut d'être « taillé dans la roche vive celui-ci avait été creusé dans la glaise de Londres ». Il désigna le sous-sol, dont l'entrée était toujours fermée par une bâche. Sara fut soulagée car de près Gavin n'était pas si beau que cela. Il avait une paupière à moitié baissée, ce qui lui conférait un air assez peu recommandable, et un profil correct mis à part ses dents légèrement en avant. Il parlait avec un petit accent campagnard du nord de l'Angleterre, qui donnait un ton vaguement moqueur à tout ce qu'il disait et provoquait une certaine malice dans les reparties de Sara. Elle refusait de croire, lui dit-elle, qu'il ait vraiment transformé son sous-sol en atelier, mais pensait plutôt que c'était un de ces centres d'entraînement secrets si prisés par les oligarques de Chelsea. Ce à quoi il répondit qu'il serait ravi de lui prouver le contraire, mais pas ce soir parce qu'il ne voulait pas que n'importe qui, et en disant cela il fit un signe de tête en direction de ses invités de plus en plus bruyants, vienne s'y balader. Sara se sentit un peu émoustillée par ce compliment voilé.

— Et vous, Sara, que faites-vous dans la vie ? lui demanda-t-il au bout de quelques instants.

— Je suis rédactrice publicitaire.

— Super la publicité ! Ça doit être marrant.

— Oh, pas pour une grosse agence genre Saatchi, non, se dépêcha-t-elle de préciser. En fait, ça n'a rien de très marrant, non. De la pub interne pour des boîtes en général. Ou pour les consommateurs…

Il hocha la tête et se détourna, cherchant sûrement parmi les invités dans le jardin quelqu'un de plus intéressant avec qui parler.

— Du coup, j'écris, s'empressa-t-elle d'ajouter. Juste pour moi, en fait.

— Ah, bravo ! répondit-il en lui faisant de nouveau face. Quel genre de choses ?

— Des nouvelles, de temps en temps un poème. J'ai démarré un roman, mais je ne l'ai pas terminé.

— Vous devriez en parler avec Lou.

— Ah bon ? fit Sara sans conviction.

— Mais oui, insista-t-il. Elle vous donnerait des conseils. Enfin, ça dépend de ce que c'est, bien sûr.

— Lou est écrivain ?

— Scénariste.

— De films ?

— Oui. Elle est sur un court en ce moment. Un concept génial.

— Elle ne m'en a pas parlé…

— Ça ne m'étonne pas. Elle est très modeste, ma femme. Du style à bosser comme une dingue dans son coin pour refaire surface un jour avec un truc époustouflant. Vous voyez le genre.

— Je crois, oui…, murmura Sara, désemparée.

Elle venait juste de se faire à l'idée que Lou était à la fois experte en style, mère modèle et muse, et visiblement il fallait ajouter à cela créatrice géniale.

— Bon, eh bien…, fit Gavin tout en cherchant du regard d'autres verres à remplir.

Sara sentit une soudaine urgence à le retenir.

— Que pensez-vous du cinéma espagnol ? lança-t-elle.

Il eut l'air surpris.

— Je n'y connais pas grand-chose, admit-il. J'aime bien Almodóvar, mais ce n'est pas très consistant.

— Je vois ce que vous voulez dire, répondit-elle, avec l'espoir de ne pas être obligée d'en dire plus. Et ça ne vous énerve pas de voir comme ils bâclent le sous-titrage ? ajouta-t-elle en levant les yeux au ciel, exaspérée. Je vous assure que j'ai vu quelques films français…

— Vous parlez français ? fit-il, l'air impressionné.

— Je me débrouille, lança-t-elle négligemment.

— *Ce qui expliquerait le mystère subtil de votre allure*[1], dit Gavin, avec un accent tout à fait convenable et un clin d'œil malicieux.

— Euh, oui… enfin, disons que j'ai pris français au bac. Je suis un peu rouillée, dit-elle d'un ton dépité.

Ils se turent quelques secondes puis éclatèrent de rire.

— Super ! s'exclama Gavin en secouant la tête. J'adore !

— On s'amuse bien par ici ? demanda alors Neil en les rejoignant.

— Tiens, te voilà ! dit Sara en tâchant de ne pas avoir l'air contrariée. Gavin, je vous présente Neil, mon mari.

Les deux hommes se serrèrent la main.

— Il est 10 h 30, dit Neil à Sara, d'un air entendu.

— Pardonnez-moi, fit Gavin en posant la main sur l'épaule de Neil, mais s'il est aussi tard il faut que j'aille donner un coup de main à mon épouse pour le dîner. Ravi d'avoir fait votre connaissance, Sara.

Il s'éloigna, sans cesser de secouer la tête en souriant.

— Tu ne penses pas qu'il est temps qu'on y aille, demanda Neil.

— Pourquoi ?

---

1. En français dans le texte.

— Eh bien, d'abord, parce qu'on a laissé les garçons tout seuls.

— Va voir si tu es inquiet.

— Tu t'amuses tant que ça ? fit-il, étonné.

— Oui, figure-toi, depuis que je ne suis plus scotchée dans la cuisine avec Carol et Simon.

— Ils sont partis, répondit Neil, vu que personne ne leur adressait la parole…

Sara se sentit légèrement coupable.

— Attends, j'y vais, moi, jeter un œil aux garçons. Et pendant ce temps essaye de faire un effort. C'est nos nouveaux voisins, quand même.

Il jeta un regard sceptique en direction des différents groupes, ces femmes magnifiques à l'allure de mannequins, ces hommes au look si recherché.

— OK, fit-il sans conviction.

Il leva bravement son verre devant elle et elle ressentit une bouffée d'amour pour lui. Cela lui rappela le jour où elle avait pour la première fois laissé Patrick à l'école, et ce sourire courageux qu'il avait eu, qui se transformerait en moue tremblotante dès qu'elle aurait tourné les talons. Neil avait beau être pressenti pour devenir président de Haven Immobilier, ils savaient tous les deux que cela ne l'aiderait pas beaucoup ce soir.

Les garçons allaient très bien. Patrick ronflait légèrement, un voile de sueur sur sa lèvre supérieure. Quand il dormait, il avait de nouveau l'air d'un bébé, lui qui faisait tant d'efforts pour se donner une allure de gros dur. Elle baissa sa couette et caressa ses cheveux de la main.

Caleb lisait *Harry Potter* dans son lit, les paupières lourdes.

— C'est bien votre fête ? demanda-t-il.

— Pas mal.

— Vous faites du bruit.

C'était vrai. À cet instant, ils passaient de la musique

hispanique. Et on sentait le rythme de la salsa faire vibrer les murs de brique. Tout de même, ils ne manquaient pas de culot d'imposer ça à tout le quartier alors qu'ils venaient juste d'emménager. Le voisinage comptait de nombreuses familles avec enfants. C'était peut-être justement pour ça qu'ils avaient été invités, pour éviter qu'ils se plaignent du bruit.

— Je vais leur dire de baisser un peu, dit-elle.

Elle se pencha pour embrasser son fils, mais il tira la couette sur lui pour l'en empêcher. Elle sourit tristement et se releva.

— Bonne nuit, maman, lui dit-il tandis qu'elle descendait.

— Bonne nuit, répondit-elle à voix basse.

La porte des voisins était fermée, et Sara appuya de toutes ses forces sur la sonnette tout en sachant qu'il n'y avait aucune chance pour qu'elle se fasse entendre. Elle remarqua alors que le portillon vers le jardin était ouvert et se faufila à l'intérieur tandis que la musique cessait brusquement. Elle crut un instant qu'elle était revenue pile au moment où la fête prenait fin, mais quelque chose dans l'atmosphère lui fit sentir le contraire. Les invités formaient un cercle sur la pelouse. Elle se fraya un passage parmi eux et aperçut alors Lou et Gavin debout au milieu, le visage de Lou penché avec soumission contre l'épaule de Gavin. Elle se dit d'abord qu'ils avaient dû se disputer puis vit un guitariste assis sur un tabouret devant le chapiteau. Tout le monde attendait avec impatience la suite. Par trois fois, le musicien tapa sur son instrument, et le son produit fit oublier l'absence d'ampli. Puis il fit monter du tréfonds de sa poitrine un gémissement aigu et se mit à chanter les premières mesures d'un tango tout en commençant à jouer. Sara sentit monter en elle une vague gêne tandis que Lou et Gavin s'enlaçaient à hauteur des épaules et se mettaient à danser joue contre joue. La virtuosité du musicien et la passion des danseurs eurent vite raison de sa résistance. Elle était subjuguée par le spectacle du couple sur cette piste de danse improvisée, le jeu complexe de leurs pas en avant puis en arrière, la robe rouge et sophistiquée de Lou enveloppant les cuisses de Gavin dans leurs allées et venues. La foule autour tapait dans ses mains, non pour les applaudir, mais pour encourager leur audace, les mener vers quelque chose de défendu et dangereux. Sans avoir la maîtrise et la fluidité de danseurs professionnels, ils possédaient une qualité qui faisait oublier toute gêne et toute réserve chez les spectateurs : ils dansaient avec passion. Lorsque leurs regards se croisaient, que leurs joues et leurs cuisses se rejoignaient, ou qu'ils fermaient les yeux et rejetaient le menton en arrière, l'attraction sexuelle entre eux était évidente. On avait l'impression d'assister à un cataclysme, comme un accident de voiture au ralenti, du métal pulvérisé et des corps en miettes, un spectacle que l'on n'aurait pas dû regarder, mais dont on était incapable de détacher les yeux. Sara était profondément troublée, et labourait le sol de ses talons.

La danse se termina, une jambe de Lou posée sur la hanche de Gavin, et l'autre allongée derrière, dans une posture d'abandon, et le public manifesta aussitôt son admiration en applaudissant et en sifflant. Lou éclata de rire, passa son autre jambe autour de la taille de Gavin et il se mit à la faire tournoyer, métamorphosant soudain la femme fatale en enfant joueuse. Sara applaudit et sourit comme les autres, mais au fond quelque chose la perturbait.

Elle alla chercher à boire et tomba sur Neil, enfoncé dans un pouf sous le chapiteau. Gêné, il se releva en la voyant arriver.

— C'était dingue, pas vrai ? dit-il mollement avec un sourire niais, qui en disait long sur ce qu'il avait fumé.

— Oui, très impressionnant, répondit-elle.

— T'as vu le type ? Dément la vitesse à laquelle il bouge les doigts !

— Tu dois être le seul à avoir regardé le guitariste.

— Je pourrais lui demander de donner des cours à Caleb.

— Il ne voudra sûrement pas. Et il ne parle sans doute même pas anglais.

— En tout cas, je vais voir s'il a un CD qu'on peut lui acheter. C'est sûr qu'il en a un, vu son niveau.

— Ne fais pas ça, dit-elle.

— Pourquoi pas ?

— C'est gênant.

Il eut l'air un peu vexé, et elle glissa sa main dans la sienne. Il avait la paume moite.

La musique avait repris.

— Viens danser avec moi, dit Neil en l'attirant à lui doucement par le cou.

— Je croyais que tu voulais partir, répondit-elle.

— Juste une danse.

Le morceau n'était pas bon : pas assez rapide pour danser tout seul, mais pas assez lent non plus pour un slow à deux. Ils se mirent donc à tourner maladroitement, ses mains à lui posées sur ses hanches, et les siennes d'abord sur ses épaules puis sur ses coudes pour tenter de donner un peu de rythme. Heureusement, la plupart des gens étaient partis se resservir à boire, ce qui fait qu'il n'y avait avec eux sur la pelouse qu'une femme toute fluette qui dansait bizarrement en remuant les poignets à toute vitesse, et une fillette en pyjama affublée d'une paire d'ailes de fée.

Le morceau se termina et Sara déposa un baiser sur les lèvres de son mari tout en ôtant les mains de ses hanches.

— OK, du coup, on va dire au revoir ? dit celui-ci en regardant autour de lui, l'œil vague.

— Je te rejoins, répondit-elle.

*\
* *

Elle resta à la fête une heure de plus, mais se sentit en dehors du coup. De nombreuses personnes lui adressèrent des sourires niais sans lui proposer de joint pour autant. Elle dansa sans jamais entrer dans les cercles qui s'ouvraient poliment pour lui faire une place. Un homme ébaucha un mouvement d'épaules pour l'inviter à s'éclater avec lui sur un morceau de Steely Dan mais, même après s'être enfilé une bouteille entière de vin dans la soirée, elle ne s'en sentit pas capable et se réfugia dans la cuisine. Elle resta là un moment, à manger des bouts de rôti maison sans penser à rien, puis elle réalisa que Gavin et Lou devaient être allés se coucher et qu'elle ferait bien de rentrer chez elle.

4

Debout devant la fenêtre de sa chambre, Sara regardait le quartier s'éveiller. Elle vit le type de la maison mitoyenne à la façade crépie qui promenait son gros chien jusqu'à la maison avec les stores à lamelles et le laissait lever la patte contre le laurier en pot avant de rebrousser chemin. Elle vit Marlene du numéro 12 caler son ample derrière dans sa Ford Ka avant de prendre la direction du Kingdom Hall[1]. Elle vit un homme à moitié endormi descendre les marches d'une maison tout juste rénovée avec une poussette double puis se diriger vers le parc. Elle vit la porte de Carol s'ouvrir…

— Tiens, où est-ce qu'elle va? murmura-t-elle.

Un grognement lui répondit de sous la couette.

Sara regarda son amie traverser la rue, une enveloppe à la main.

— Ça alors! Elle va pas quand même pas… mais si! Elle leur dépose un petit mot de remerciement.

Neil s'assit à grand-peine dans son lit.

— Non mais t'y crois? s'exclama Sara en se tournant vers lui, hilare.

— C'est ça, les bonnes manières…, rétorqua-t-il en haussant les épaules.

— Non mais attends, tu m'as dit toi-même qu'ils ne s'étaient pas amusés du tout! protesta Sara.

Une pile d'oreillers derrière lui et une expression bienveil-

---

1. Lieu de culte des Témoins de Jéhovah.

lante sur le visage, Neil ressemblait à l'un des personnages
du mont Rushmore.

— C'est peut-être autre chose, dit-il.

— Mais qu'est-ce que ça pourrait être d'autre ? répliqua
Sara d'un ton vif.

— Une carte d'anniversaire ? suggéra-t-il négligemment
en attrapant son téléphone.

— Tu rigoles ! Ils se connaissent à peine.

En même temps, elle n'aimait pas l'idée que Carol puisse
la devancer. Jusqu'ici, elle avait toujours été la première.
Tout ce que Carol savait à propos de Lou et Gavin, elle
le savait parce que Sara le lui avait dit : le sexe et l'âge des
enfants, le déménagement d'Espagne, l'activité artistique
de Gavin, toutes ces miettes qu'elle lui avait données, non
sans une certaine satisfaction, en gardant pour elle les
confidences sur l'histoire des truites et les larmes. Ridicule
d'imaginer que ces deux femmes aient noué des liens. Elles
n'avaient rien en commun.

— Comment ça s'est fini hier après mon départ au fait ?

Il ne leva pas les yeux de son téléphone, et posa la question d'une voix distraite, mais elle savait qu'il était curieux
de la réponse.

— Oh, il ne s'est pas passé grand-chose, répondit-elle en
retournant dans le lit et en tirant sur elle la couette. Gavin
et Lou ont disparu. J'ai parlé à deux ou trois personnes, j'ai
dansé et puis je suis rentrée.

— Ils ont disparu où ça ?

— Ils sont allés se coucher, j'imagine, dit-elle, avec une
pruderie qui la surprit elle-même.

— Tu veux dire, au lit ?

— Tu les as vus comme moi. Quand ils dansaient, on
avait l'impression d'assister à des préliminaires.

— Ah bon ?

Il avait l'air à la fois choqué et ravi comme un écolier
émoustillé.

— C'est un peu exagéré, non, pendant leur fête…, poursuivit Sara à mi-voix.

Il haussa les épaules.

— C'était peut-être plus fort qu'eux.

Ils restèrent un moment là sans rien dire. Au bruit de la télé des enfants en bas s'ajoutait le raffut d'un tailleur de haies dehors. Neil retourna à son téléphone, mais une certaine tension sexuelle demeurait entre eux. Ils avaient ce créneau habituel du dimanche matin et, à la fébrilité avec laquelle il faisait dérouler les résultats de foot, elle devina que son mari était excité. Elle aussi d'ailleurs, mais elle ne pouvait se sortir de la tête Lou, Gavin et leur tango ridicule. Elle avait la gueule de bois et envie de faire l'amour tout en étant contrariée. Elle poussa un soupir agacé et laissa tomber sa main sur la couette. Avec l'air de ne pas y toucher, Neil saisit son poignet et commença à le caresser doucement, tout en faisant mine d'être intéressé par le foot. C'était une caresse des plus insignifiantes et légères, mais elle n'était pas dupe : il ne retenait pas un mot de ce qu'il était en train de lire. Elle ferma les yeux et tenta de trouver ça agréable, mais elle ne cessait de penser à la soirée, cette atmosphère étrange et cette musique, le comportement singulier des invités. Neil lui caressait maintenant le cou et glissait la main sous le drap, dans un travail d'approche méticuleux. Elle pencha la tête en arrière, tentant de se laisser aller au plaisir, mais n'y parvint pas. Elle gémissait et ondulait, lui prenait les mains pour les guider, mais sans cesse revenait dans son esprit la vision de Lou et Gavin, nus cette fois, dans une posture sans équivoque, le visage déformé par la jouissance. Horrifiée, elle chassa cette image de sa tête, tout en sentant son propre plaisir monter. Le désir de son mari se faisait plus pressant contre sa cuisse. Elle n'allait pas le décevoir en se censurant de la sorte. Elle s'autorisa donc à suivre son fantasme et se retrouva là-bas, dans leur chambre, le soir de la fête, à les regarder faire sauvagement l'amour, comme des chiens, à même le sol, en sueur, gémissant et hurlant. Elle jouit en même temps qu'eux.

Elle rouvrit les yeux et tout rentra dans l'ordre : on était dimanche et elle était dans sa chambre. Il y avait tout de même cette palpitation persistante contre sa jambe et le regard embrumé de son mari. Elle lui toucha l'épaule et, tel un chien à qui on donne la permission exceptionnelle de grimper sur le canapé, il se hissa sur elle. Il était à deux doigts de jouir lui aussi lorsque la porte de la chambre s'ouvrit brusquement. Furieuse, Sara tourna la tête, prête à en découdre avec celui de ses fils qui avait oublié de frapper avant d'entrer. Au lieu de cela, elle se trouva face à face avec une étrange petite fille aux yeux bleus, portant des couches, et dont elle reconnut soudain les boucles blondes et le regard pénétrant.

— Eh bien, voilà qui était… intéressant, annonça Sara d'un ton désinvolte en rentrant chez elle quinze minutes plus tard et en fermant du pied la porte.

Pas de réponse. Elle suivit donc l'odeur alléchante du petit déjeuner en préparation dans la cuisine et se posta dans l'encadrement de la porte, les bras croisés.

— Ils ne s'étaient même pas rendu compte de son absence ! dit-elle.

Neil continua à faire frire ses œufs.

— Ils ne savaient pas du tout qu'elle était ici. Non mais c'est choquant ! Pauvre minouche, elle n'a pas trois ans ! Tu ne devineras jamais comment elle s'appelle.

Il n'essaya même pas.

— Zuley. C'est le diminutif de Zuleika, lui dit-elle en

s'adressant à son dos obstinément tourné. Je n'arrive pas à savoir si j'aime ou pas.

— On pourrait peut-être retourner au lit du coup ?

— Je me demande où ils sont allés chercher un nom pareil...

— Dans *Le Livre des prénoms à la con prétentieux* ?

— Elle a dû s'inspirer de Dash et Arlo[1]. Ou alors elle s'en foutait complètement. On ne peut pas dire que ce soit très accueillant pour les enfants chez eux en tout cas. Tu verrais ça : des mecs bizarres avachis partout sur les canapés, des cendriers qui débordent, des bouteilles vides... Dieu sait ce qu'elle a dû s'enfiler !

Malgré tout, on percevait une certaine admiration dans sa voix.

— Enfin bon, ajouta-t-elle sans pouvoir refréner un petit sourire, le résultat, c'est qu'on est invités pour le dîner tout à l'heure.

— Tu veux bien mettre la table ?

Son *coitus interruptus* semblait avoir frappé Ncil de surdité sélective.

Elle mit de côté le journal du dimanche, disposa des assiettes et des couverts sur la table et appela les garçons qu'elle avait l'habitude de garder. Ils firent irruption dans la pièce dans un déferlement de testostérone, se bousculant pour la place la meilleure, l'assiette la plus remplie, le verre le plus haut. Dash s'avéra vainqueur toutes catégories et arracha des mains de son jeune frère la sauce tomate, dont il inonda son assiette, avant que celui-ci n'ait eu le temps de protester.

— Euh... c'est chacun son tour dans cette maison, le reprit Sara avec fermeté, avant d'être désarmée par le sourire

---

1. Personnages d'un dessin animé pour enfants.

qu'elle connaissait bien, à la fois solaire et insondable, bien plus glaçant que s'il l'avait défiée.

Il était très beau, aucun doute là-dessus, avec un charme tranquille et troublant. Elle se demandait toutefois comment elle avait pu le prendre pour une fille. Rien désormais, dans son physique ni dans son comportement, ne la faisait plus douter qu'il appartînt à la caste des mâles alpha. Arlo, au contraire, avait tout de la petite victime. Frêle et le menton fuyant, il avait les yeux un peu rouges de sa mère, sans en avoir l'intelligence, et les lèvres minces de son père, sans son humour salvateur. C'était ce genre d'enfant pour qui, même si l'on intervient pour interdire aux autres de lui jeter du sable ou de le frapper, on ne peut s'empêcher de ressentir une envie inavouable de le frapper un peu plus. Du coup, elle n'en fut que plus touchée et honteuse de voir, longtemps après que les plus grands eurent quitté la pièce, Patrick prendre place à côté de cet « ami » dont il n'avait pas spécialement recherché la compagnie, et bavarder joyeusement avec lui tandis qu'Arlo tentait de coincer le dernier haricot dans son assiette.

— Alors, ça va être super sympa, non ? demanda Sara à Neil une fois qu'ils se retrouvèrent seuls et qu'elle se fut mise à charger le lave-vaisselle. Ce dîner ce soir, juste tous les quatre ?

— On y était déjà pas plus tard qu'hier, lui fit remarquer Neil.

— Oui, au milieu de cinquante personnes.

— Je ne vois juste pas l'intérêt de se précipiter.

— On ne se *précipite* pas, mais il n'y a pas non plus de raison de ne pas y aller. Sauf si on *préfère* refuser.

— Sauf que tu leur as déjà dit oui.

— Pas vraiment, non. J'ai dit que j'allais te demander.

— C'est sympa. Du coup, si on dit non, c'est moi qui passe pour le rabat-joie.

Sara confirma sans rien dire.

Avec un soupir, Neil retourna à la tâche qui consistait à récurer la poêle où étaient accrochés des restes d'œufs frits.

— Neil, c'est des gens sympas et intéressants et qui veulent que l'on soit amis. Alors, malgré tous mes efforts, je ne vois vraiment pas ce qu'il y a de mal à cela.

Résigné, il haussa les épaules. C'était un homme simple, aimable, curieux et direct. Il s'était constitué une carapace virile qu'il assumait plutôt bien dans l'ensemble. Lorsqu'il recevait un coup de téléphone pro à la maison (ce qui arrivait rarement), il était impossible de dire s'il s'adressait à sa secrétaire ou bien au président. C'était ça, plus que l'amélioration récente du taux de satisfaction des locataires ou même le nombre de réalisations achevées depuis qu'il avait été embauché, qui expliquait qu'il soit sur la liste des prétendants au poste de direction. Le mauvais côté de ce souci instinctif et très louable d'égalitarisme était, de l'avis de sa femme, qu'il avait du mal à admettre que certaines personnes étaient juste exceptionnelles.

— 23 heures, au plus tard, OK ? murmura t-il à Sara au moment où ils s'apprêtaient pour la seconde fois en vingt-quatre heures à sonner chez leurs voisins. Sa-luuut ! s'exclama-t-il lorsque Lou ouvrit, comme s'il était plus que ravi de se trouver là.

Il tendit à leur hôtesse une bouteille de vin et l'embrassa sur les deux joues, ce que Sara jugea un peu excessif.

— J'ai apporté le dessert, dit Sara en s'adressant à son tour à Lou. Je me suis dit qu'avec tout le ménage que vous aviez à faire… Oh ! rien d'exceptionnel, juste des figues cuites et du mascarpone.

— Ah ? Eh bien, merci alors !

Lou eut l'air un peu surprise et vaguement amusée. À dire vrai, elle ne semblait pas avoir fait beaucoup de ménage. La maison était à peine en moins piteux état que lorsque Sara y avait ramené Zuley le matin : des bouteilles vides entassées dans des cageots devant la porte et des sacs-poubelle pleins alignés à côté. Au pied de l'escalier traînaient une serviette mouillée et un tas de Lego. On gelait dans la cuisine et il y flottait une odeur de tabac froid. Aucun fumet savoureux, aucun bouquet d'herbes fraîches ni aucun livre de recettes pour laisser espérer un bon dîner. À part le soin que Lou avait mis à se préparer, on aurait pu penser qu'ils s'étaient trompés de soir. Sauf qu'elle était ravissante. On aurait dit un bel animal marin avec ses cheveux luisants plaqués en arrière et ses yeux soulignés de khôl ; elle était vêtue d'une blouse en mousseline de soie et d'un jean. Elle avait ce truc pour trouver exactement ce qui lui allait, avait remarqué Sara non sans envie.

Elle les fit entrer et ils s'assirent avec précaution sur des chaises dégoûtantes autour de la table de la cuisine où traînaient des bouts de pizza entamés et des éclaboussures de jus de fruits.

— J'ouvre ça, demanda Lou en désignant leur bouteille de vin, ou bien vous avez envie de quelques bulles ?

Elle ouvrit en grand le frigo et en sortit une bouteille de Krug à moitié pleine.

— Une fête où il reste de quoi boire ? lança Neil. C'est qu'on doit vieillir alors !

— Ou bien qu'on se range, répondit Lou avec un sourire mystérieux.

Elle remplit des verres et les leur fit passer.

En la regardant s'affairer dans la cuisine sur un air de John Coltrane, ses pieds nus collant sur le lino poisseux, Sara était à la fois écœurée par toute cette crasse et intriguée par l'indifférence de Lou. Comment cela pouvait-il bien être de vivre comme cela ? De s'habiller comme on en avait envie, de manger à n'importe quelle heure, et d'inviter des gens sur un coup de tête ? Finalement, cette décontraction insouciante avait son charme, et c'était l'exact opposé des « dîners à la fortune du pot » ultra-chorégraphiés de Carol. Lou avoua de bonne grâce qu'elle était nulle quand il s'agissait de recevoir. Elle ajouta avec désinvolture qu'elle avait même une fois servi du porc pas assez cuit à Javier Bardem, ce qui lui avait valu d'attraper des vers. Là encore, Sara ne sut que répondre.

Lorsque Gavin fit son apparition dans la cuisine, à 20 h 5, vêtu d'une chemise en lin froissé couleur jacinthe, la nuit était tombée et Lou avait métamorphosé la pièce. Elle avait débarrassé la table et placé dessus un vase d'anémones ainsi qu'une grosse bougie ambre. Tout autour, elle avait disposé des petits plats de terre pleins d'olives et d'artichauts avec une planche à pain et une miche croustillante. Il suffit à Gavin de baisser les stores et de leur resservir du vin pour que se profile la promesse d'une soirée très agréable. On se serait cru dans une péniche ou une caravane de gitans, ou en tout cas quelque chose à mi-chemin entre une maison et un véhicule, dans lequel tous les quatre embarquaient pour un voyage. Désormais, la décontraction avec laquelle Sara et Neil avaient été reçus leur faisait plutôt l'effet d'un accueil magnifique. Gavin enlaça sa femme et l'embrassa dans le cou, engloutit la moitié de son verre de vin et changea la musique, avant de se mettre en cuisine.

*\
* *

Tandis que les bougies se consumaient et que l'alcool leur déliait la langue, Sara cessa de se préoccuper du choix de sa tenue et de cette sale manie qu'avait Neil de sucer ses doigts après chaque olive, et elle se détendit tout à fait. La soirée prit un ton relax et intime. Elle s'entendit même avouer avec un petit rire qu'elle avait été intimidée lorsqu'elle avait découvert ses nouveaux voisins.

— Intimidée par nous ? demanda Lou, un peu fâchée. Mais pourquoi donc ?

— Oh, eh bien, votre voiture, votre façon de vous habiller, répondit Sara. La tête de cerf au-dessus de votre cheminée !…

— C'est Beryl, répondit Lou avec dédain. Impossible de se laisser intimider par Beryl. Elle louche et elle a la gale. Quant à la Humber, je ne sais toujours pas comment elle a atterri chez nous…

— Damien n'en voulait plus, lui rappela Gavin. Et on se croyait pleins aux as…

— Ah oui, voilà ! s'écria Lou. Tu venais de remporter le prix Tennent pour une sculpture. Alors vous voyez, c'est du hasard. Quoi qu'il en soit, chère madame, ajouta-t-elle en se penchant et en transperçant Sara du regard, laissez-moi vous dire que la réciproque est vraie. Le premier jour où tu m'as parlé, tu te souviens ?

Sara se souvenait.

— J'étais dans mes petits souliers !

Lou se tourna alors vers Neil et Gavin, comme pour chercher leur encouragement.

— Devant cette femme super chic, impeccablement habillée ! Moi, je n'avais l'air de rien dans ma tenue de travail dégueulasse et comment s'appelle-t-elle déjà ? *Carol*, qui me scrutait du regard depuis l'autre côté de la rue. J'avais l'impression de passer une audition. Et là tu m'as invitée à prendre un verre et, alors, je me suis dit : *Yes !*

Ne sachant pas comment réagir, Sara rougit de plaisir et se mit à jouer avec une miette du bout du doigt.

— Bon, protesta alors Gavin. Puisqu'il semblerait que personne n'a l'intention de me dire combien je suis merveilleux, je ferais mieux de servir le dîner, moi !

Ils éclatèrent de rire. Il avait le chic pour mettre les gens à l'aise, avait remarqué Sara. Elle avait imaginé les artistes comme des êtres torturés et introvertis, mais il n'était ni l'un ni l'autre. On ne pouvait pas parler de charme chez lui car il n'y avait aucun artifice, aucun effet de sortilège. Il était juste bien dans sa peau et vous faisait sentir bien dans la vôtre. Il s'affairait dans la cuisine, chantonnant et s'arrêtant de temps à autre pour faire une remarque en passant, et leur servit finalement un tagine d'agneau qui embaumait, sans plus de chichis que si ça avaient été des haricots sur des toasts. Lorsqu'il finit par s'asseoir, il commença à questionner Neil sur son travail, avec une curiosité apparemment sincère, sans se mettre en avant, ni lui ni ses opinions.

— Je trouve formidable ce que font les gens comme toi, déclara-t-il, admiratif, en secouant la tête.

— Oh, je ne suis pas non plus Mère Teresa, protesta Neil, entre deux bouchées. Ce que nous faisons est important et j'y crois à cent pour cent, ne te méprends pas, mais je suis plutôt bien payé pour ça. Et si tu entendais les reproches que me font certains anarchistes parmi les associations de locataires, tu me prendrais pour ce dingue de Rachman...

— Rachman ? fit Lou en embrochant un morceau d'agneau sur sa fourchette.

— C'était un propriétaire notoire dans les années 1950. Son nom est devenu synonyme de corruption et de taudis. J'ai fait ma thèse sur l'influence qu'il a eue sur la loi contre les logements à locataires multiples. Assez fascinant d'ailleurs.

— Neil, comment peux-tu toi-même qualifier ta thèse de fascinante ? lui reprocha Sara à mi-voix.

— Non, je veux dire que c'était un *sujet* fascinant.

— Alors, comme ça, vous êtes docteur ! dit Gav. Très

impressionnant. Je n'aurais jamais eu l'endurance de réaliser un truc pareil.

— Oui, on en bave un peu, admit Neil. Mais enfin je ne pense pas non plus qu'on sorte du ventre de sa mère tout prêt à manier le pinceau.

— Pas faux non plus. D'ailleurs, s'il ne s'était agi que de ma mère, j'en serais sorti avec une hotte de maçon.

Et il ajouta avec un accent du Lancashire : « Apprends donc un métier, mon fils, si tu veux de quoi remplir le frigo. »

— Mais c'est ce que tu fais, tout en étant artiste ! répliqua Sara. Tes parents doivent sûrement être fiers.

— Qu'en penses-tu, Lou ? demanda-t-il à sa femme avec un sourire triste. Ils sont fiers ?

— Comment le savoir ? répondit-elle froidement.

— Ça met Lou hors d'elle. À dire vrai, ils ne comprennent pas bien. Si j'étais médecin ou avocat, je suis sûr qu'ils seraient contents, mais la vision que ma mère a de la peinture, c'est celle d'un cheval au galop le long de la mer, alors...

— Elle sait très bien que tu as réussi, dit Lou entre ses dents. Ça ne la tuerait pas de te le dire.

— Je m'en fiche, répondit Gav en haussant les épaules. J'ai toujours eu le second rôle derrière Paula de toute façon.

— C'est ta sœur ? Que fait-elle ? demanda Sara.

— Elle est juste institutrice, intervint Lou, mais si on écoute sa mère on pourrait croire qu'elle a marché sur l'eau.

Elle se mit alors à imiter sa belle-mère d'un ton sarcastique.

— *Notre Paula anime une réunion sur le multiculturalisme. Notre Paula emmène les enfants voir des sculptures dans un parc.* Tu crois qu'elle dirait aussi que justement une des œuvres de Gavin se trouve dans ce parc ? Il ne lui viendrait pas à l'idée d'arrêter un peu de jouer au bingo et d'aller y jeter un œil elle-même.

— Loulou, lui dit son mari en posant la main sur son bras, c'est pas grave !

Elle avait les larmes aux yeux.

— Ce n'est pas très juste en effet, dit Sara.

— D'un certain côté, elle n'a pas tort, corrigea Gavin. Je veux dire, les artistes ne sont pas très utiles, si ? Les gens n'ont pas vraiment besoin de l'art.

— Mais enfin, Gavin ! s'exclama Lou, excédée. Je déteste quand tu te rabaisses comme ça. Tu es un artiste contemporain qui compte, exposé dans une galerie reconnue.

— Je sais, répondit Gavin en riant, et je me demande sans arrêt à quel moment ils vont me démasquer.

— Comment ça ? fit Neil.

— Enfin bon, honnêtement, qu'est-ce que je fais ? Je bidouille, c'est tout, comme ces gosses à qui ma sœur enseigne. J'expose en trois dimensions ce que j'ai dans le ventre. Je bricole avec des bouts de vieux trucs jusqu'à ce que ça ressemble à quelque chose que j'aime ou bien que je redoute et puis je les expose, et bizarrement ça plaît.

— À certains, ajouta Lou.

— Bien, dit Neil en vidant son verre avant de le reposer sur la table d'un air décidé. Sara est trop timide pour poser la question, alors c'est moi : quand aura-t-on le droit de jeter un œil à ton atelier ?

— Neil ! s'exclama Sara, outrée.

Gavin eut l'air surpris.

— Vous ne l'avez pas encore vu ? Ah, mais non, bien sûr ! C'était Stephan et Yuki. Venez, alors !

Il frappa sur ses cuisses avant de se lever. Sara repensa à leur plaisanterie de la veille sur les oligarques de Chelsea, qu'il avait l'air d'avoir oubliée.

Malgré tout, elle ne se sentait pas tout à fait bien en se levant, avec difficulté, pour le suivre. Elle aurait préféré être à son maximum pour l'occasion, et pas étourdie par l'alcool. Tout en tanguant vers l'escalier en colimaçon qui conduisait à l'atelier, elle tenta de se rappeler les quelques commentaires lus sur Google lorsqu'elle avait fait sa recherche sur lui, mais la seule expression qui lui revenait était : « formalisme spastique », et elle ne se voyait vraiment pas la recaser. Lou s'essuya les mains et s'avança pour les accompagner, mais Gav se tourna vers elle avec un air de regret.

— Tu ne penses pas que l'un de nous devrait rester en haut au cas où Zuley se réveille ?

— Ah, d'accord, répondit-elle avec un petit sourire avant de s'en retourner à la cuisine.

Sara s'efforça de chasser de son esprit l'idée folle qu'elle avait d'une certaine manière pris la place de Lou, car celle-ci passait sûrement son temps à monter et à descendre cet escalier et n'attendait pas d'y être invitée par son mari.

Ses scrupules furent bientôt remplacés par l'étonnement et la fascination au moment où ils arrivèrent non pas dans l'atelier pittoresque et désordonné qu'elle avait imaginé, mais dans un espace nu et très éclairé, qui faisait davantage penser à une morgue. On voyait tout de suite qu'ils avaient dépensé beaucoup d'argent là-dedans, entre les suspensions de pro en tungstène, les rigoles de chaque côté du sol en béton, le tuyau enroulé contre le mur et les éviers en inox rutilants. Il y avait aussi des rouleaux de filet, et des rangées de seaux tachés de peinture blanche, et au centre de la pièce un grand plan de travail en zinc sur lequel était posée la seule preuve de ce qu'on pouvait appeler, à condition d'être généreux, une tentative de création. Sara s'approcha pour y voir de plus près. Elle distingua une forme humaine rudimentaire composée d'un filet métallique qui surgissait ici et là d'une couche de fibre de plâtre étalée à la va-vite. Cela lui rappela, à la fois par la taille réduite – à peu près les deux tiers d'une taille humaine – et par la posture torturée, ces corps pétrifiés et tordus de douleur qu'elle avait vus dans les ruines de Pompéi.

— Seigneur! s'exclama-t-elle.

— J'imagine que ce n'est pas terminé, dit Neil avec l'espoir que la réponse serait positive.

Gavin sourit, narquois.

— Et si je te disais que si?

— Je répondrais que je ne connais pas grand-chose à l'art, mais que je vois quand on se fout de moi, lui rétorqua Neil d'un ton affable.

Sara lui lança un regard inquiet, mais Gavin riait.

— Et tu aurais raison, dit-il. Viens plutôt voir ça.

Il les fit passer derrière une porte battante, dans un espace trois fois plus grand que le précédent. Neil poussa un sifflement discret.

— Ce que j'ai du mal à comprendre, dit-il plus tard, alors qu'assis dans leur lit ils discutaient de leurs nouveaux amis avec l'enthousiasme de deux anthropologues qui viennent de tomber sur une tribu oubliée, c'est la taille du truc. Je me doutais que c'était grand, vu tous les travaux de décaissement et le bruit, mais je n'imaginais pas à ce point. Rien que la plomberie, ça a dû coûter…

Il ferma un œil, mais il ne lui fallut pas bien longtemps car c'était sa spécialité.

— Quatre ou cinq mille, sans parler du transformateur qu'il leur faut pour ces lumières. Je suis bien content de ne pas avoir à payer ses factures!

— C'est sûr, reprit Sara, mais ce qui me frappe, c'est le contraste. Cet espace qui ressemble à un chantier et, quand tu vois le produit fini, c'est si émouvant, si *humain*.

— C'est vrai, admit Neil, sans trop y croire.

— Tu n'as pas aimé ?

— Si, si, c'est juste que je ne comprends pas… À l'évidence, c'est un artisan accompli… mais, sur certains trucs, les finitions étaient… bâclées.

— Oh, je pense que c'est fait exprès, dit Sara, parce que d'autres étaient vraiment très soignées, très méticuleuses. Je crois que celles recouvertes de cette espèce de miroir en mosaïque étaient délibérément brisées et abîmées d'une certaine façon. Tu ne crois pas ?

Il haussa les épaules.

— Ça me dépasse, mais je lui tire mon chapeau. Il est courageux et il ne doute de rien ! Emprunter comme ils ont dû le faire, alors que tu sais que tu as quatre personnes à charge…

— Lou travaille, objecta Sara.

— Oui, enfin, dans le cinéma. Dépenser tout cet argent pour équiper son atelier comme si c'était un hôpital privé, tout ça pour…

Il haussa de nouveau les épaules.

— Pour un truc tellement spécial, tellement confidentiel. Je veux dire, comment sait-il que les gens vont l'acheter ?

— Oh mais si, ils achètent ! J'ai vu sur Internet qu'il était dans le top cinquante des artistes vivants dont on collectionne les œuvres.

— Non mais comprends-moi bien, dit Neil, j'ai été impressionné. Je ne suis juste pas sûr d'avoir tout compris.

— Ah, moi si. Je pense surtout qu'il est obsédé par l'idée de la mort. Et je pense que son œuvre a beaucoup à voir avec le sacré et le profane. Je veux dire, tous ces corps qui souffrent, ces corps émaciés, je pense que c'est en référence à Auschwitz ou quelque chose de ce genre. Et puis il y a ceux avec les ailes, des anges sûrement, mais peut-être des anges déchus parce qu'il s'en dégage une sorte de morbidité, de disgrâce. Mon préféré, celui qui m'a vraiment parlé, c'est celui avec tous les petits jouets collés dessus et recouverts de chaux. Tu l'as vu ? On avait l'impression d'un corps malade, jusqu'à ce qu'on s'approche et qu'on voie vraiment le détail. Celui-là, à mon avis, parlait de l'enfance, et de la manière dont nous sommes tous conditionnés et meurtris par nos premières expériences. En fait, je le trouve très courageux.

— O-kaaaaay, fit Neil.

5

C'était la rentrée scolaire et Sara avait promis à Gavin de lui expliquer comment tout ça marchait. C'était lui qui s'occupait des accompagnements apparemment. Durant l'été, ils avaient sympathisé et pourtant, en le voyant apparaître devant sa porte si tôt en ce matin frisquet de septembre, elle ne savait pas du tout comment engager la conversation.

— Bonjour, dit-elle. Il ne pleut pas, si ?

Il fronça les sourcils, tendit la main et scruta le ciel sans nuages.

— Non, je pense que ça ira.

Sara fit sortir Patrick et Caleb de la maison, faisant mine de vérifier leurs boîtes à lunch pour masquer sa gêne, puis elle rejoignit tout le monde derrière la poussette de Zuley.

Il aurait pu faire doux, mais l'été semblait bel et bien avoir déserté leur rue. Les haies de troènes étaient déjà poussiéreuses et les arbres donnaient l'impression de vouloir renoncer à leur feuillage. Sur la pelouse devant les immeubles de la ville étaient éparpillées quelques ordures. Ici et là on voyait un coffre de toit, pas encore démonté, souvenir des vacances à Carcassonne ou en Cornouailles, mais pour tous ces gens qui partaient travailler, écouteurs dans les oreilles et tête baissée, les vacances étaient déjà de l'histoire ancienne.

*
* *

Seul Gavin avait toujours l'air d'être en été avec son short en toile et ses tongs. Sara jetait de temps en temps un coup d'œil vers lui tout en marchant. Elle aimait la façon dont il faisait rire Zuley en donnant des à-coups à la poussette, ou dont il accordait à ses fils la permission de courir devant sans crainte, mais n'avait qu'un mot à dire pour les faire revenir. Il ne passait peut-être pas beaucoup de temps avec ses enfants, mais il tenait bien son rôle, sans doute mieux que Lou. Quand on ne le connaissait pas, on pouvait imaginer qu'il était un de ces pères qui travaillent à leur compte, webdesigner ou journaliste. Elle gardait précieusement le secret de son talent exceptionnel.

— Alors vous n'êtes pas partis finalement ? lui demanda-t-il. Quel dommage !

— Non, soupira Sara. Neil voulait que je parte avec les enfants, mais si c'était pour passer mes vacances à travailler, non merci. On est restés ici et je les ai emmenés se baigner, visiter des musées, des trucs comme ça. On a perdu l'acompte de notre location, mais, bon, ce n'est pas la fin du monde.

Elle s'était montrée moins accommodante quand Neil lui avait annoncé qu'il ne pouvait en définitive pas partir dans le Dorset. Il y avait eu un cafouillage au bureau sur l'organisation des congés. Il n'y était pour rien mais, s'il voulait envoyer un message positif et augmenter ses chances d'obtenir cette promotion, il fallait qu'il reste à la barre.

— Mais, vous, j'ai l'impression que vous vous êtes régalés, dit-elle d'un ton mélancolique.

— Oui. C'était super de revoir les vieux copains.

Ils tournèrent au bout de la rue, passèrent devant l'arrêt de bus où des écoliers en uniforme trop grand pour eux attendaient le 108, tels des agneaux en route pour l'abattoir.

— Vous étiez où déjà ?

Elle le savait parfaitement : chez Tom et Rhiannon, dans le Lake District. Elle avait eu le récit complet de l'ascension de Helvellyn, du bain de minuit, des marshmallows grillés. Elle était parvenue à masquer sa jalousie, avait souri et acquiescé, entièrement d'accord avec Lou : il fallait vraiment qu'ils y retournent tous les six un de ces jours, parce que Tom et Rhiannon avaient l'air adorables.

— Dans le Lake District, répondit Gavin sans conviction. Il a fait un temps dégueulasse.

Elle l'aurait embrassé de dire ça.

— Neil est toujours en course pour sa promotion ? lui demanda-t-il tandis qu'ils attendaient au feu.

— On dirait que oui, admit-elle, gênée.

Que pouvait bien signifier ce mot pour Gavin ? Son succès à lui se mesurait à la manière dont son travail vous faisait dresser les cheveux sur la tête, et ouvrir les yeux.

Ils firent traverser les enfants et accélérèrent devant le kiosque à journaux, ignorant les demandes de bonbons.

— Un homme brillant, ton mari, dit Gav.

Sara le regarda, incrédule.

— Non, c'est vrai. Je l'admire, insista Gavin. Son intégrité, son entêtement… je ne trouve pas le bon mot.

Elle fit une moue sceptique.

— Il s'implique vraiment dans les choses : son travail, sa famille, la communauté. C'est ça que j'admire…

— J'en déduis que toi tu es un dilettante, répliqua-t-elle de but en blanc.

— Parce qu'on a quitté l'Espagne, tu veux dire ? demanda-t-il, l'air contrarié.

Elle détourna le regard, les joues brûlantes. Elle avait le chic pour dépasser les bornes, faire des gaffes. À cet instant, une femme à l'air épuisé sortit de chez elle, en finissant de mettre son manteau. Elle attendit, sans pouvoir masquer son agacement, que leur petite troupe fût passée pour accéder à sa voiture et Sara lui adressa un petit sourire d'excuse.

— Ce n'est pas ce que je voulais dire, dit-elle ensuite en se tournant de nouveau vers Gav. Bien sûr que tu n'es pas un dilettante ! On voit bien que tu t'investis, auprès de Lou, dans ton travail. Ça oui, qui pourrait douter de ton investissement dans ton travail ?

— Du coup tu penses que j'en fais une obsession ?

— Non, jamais de la vie ! Mais, même si c'était le cas, on peut comprendre, non ? On sait bien que, les artistes, c'est plus fort qu'eux. Je veux dire, tu imagines Picasso se levant le matin et demandant : Bon, Françoise, je réinvente l'art moderne aujourd'hui ou bien est-ce que tu as besoin d'un coup de main avec les gosses ? ajouta-t-elle avec un petit rire nerveux.

— J'imagine que…, lança-t-il sans conviction en négociant le virage avec la poussette pour entrer dans l'école.

— Non, c'est nous pauvres mortels qui ferions mieux de nous interroger sur notre équilibre vie travail.

— Mais tu es écrivain, répliqua-t-il d'une voix forte au milieu du brouhaha de la cour, ce qui fit grimacer Sara, soucieuse que quelqu'un ait entendu.

— Rédactrice, le corrigea-t-elle. Je fais avant tout ça. Je ne sais pas quand j'ai écrit pour moi la dernière fois. Tu as beau penser que Neil est dévoué à sa famille, avec cette histoire de promotion, je peux te dire qu'on ne le voit plus. Et même quand il est là il est ailleurs, si tu vois ce que je veux dire.

— Oui, on me dit souvent ça aussi.

— Vraiment ? s'étonna-t-elle. J'aurais pensé que comme vous êtes tous les deux des artistes… Hé, les garçons, n'oubliez pas votre cartable !

Trop tard, ses fils avaient disparu dans la mêlée.

— Non, pas Lou, répondit Gavin. Elle a un sixième

sens quand il s'agit de respecter mon espace vital. Et je fais la même chose avec elle. Non, c'est les autres.

— Oh! fit Sara, un peu déçue.

Elle n'imaginait pas que quiconque puisse avoir des droits sur l'espace vital de cet homme. Il était vrai que beaucoup de choses chez lui l'étonnaient. Elle aurait pu poursuivre leur conversation toute la journée, mais ils se séparaient là, lui pour aller déposer Zuley chez sa nounou et elle pour attraper le bus de 9 h 47 pour Cannon Street.

— En tout cas, dit-elle brusquement, je te le dis pour ce que ça vaut, Neil t'apprécie beaucoup lui aussi.

Il la regarda avec reconnaissance et elle comprit alors que toutes ses expositions, ses groupies et ses critiques dithyrambiques n'y changeaient rien : il avait autant que n'importe qui besoin d'être rassuré et d'avoir des amis. Elle eut toutes les peines du monde à se retenir de poser la main sur sa joue.

— Tu as encore pris ses enfants à ce que je vois, dit Carol un jour où elle était venue pour le thé.

Elle voulait savoir si Neil et Sara étaient intéressés par des places pour la nouvelle pièce qui se jouait au Royal Court.

— En effet, oui, rétorqua sèchement Sara et, en voyant l'air pincé de Carol, elle ajouta : Ça se passe très bien. J'ai les siens quand elle travaille et elle me prend les miens quand je rentre tard.

— Ce qui n'arrive presque jamais...

— Je suis un peu sous l'eau depuis que j'ai repris un temps plein en fait, répondit Sara, irritée par les insinuations de Carol. Elle m'a bien rendu service deux ou trois fois.

Carol fit mine de ne pas se froisser et Sara eut un peu honte de son ingratitude. Son amie lui avait rendu service tant de fois depuis toutes ces années! La fois où il avait fallu emmener Caleb aux urgences pour une suspicion de méningite. Ou bien celle où le cochon d'Inde avait disparu.

— Bon, en attendant il faut que vous veniez voir cette pièce, reprit Carol en lui tendant le prospectus. Tu me le dis dès que possible ?

Elle faisait allusion à la fois où Sara s'était décidée tellement tard qu'il ne restait plus que des places pour la représentation avec un surtitrage, réservée aux malentendants. Sara lui sourit et, aussitôt après l'avoir raccompagnée à la porte, elle jeta le prospectus dans la corbeille à papier.

Elle regrettait cette distance entre elles, mais il arrivait parfois que l'on s'éloigne. On ne se faisait pas tous les jours des amis comme Lou et Gavin et elle ressentait à leur égard une telle chaleur et une telle gratitude pour avoir redynamisé sa vie. Ils l'avaient secouée de sa torpeur, bercée qu'elle était jusque-là par le conformisme et le snobisme de son entourage. Comment retourner aux réunions du club de lecture chez Carol pour discuter du dernier prix Costa, une vraie daube, maintenant que Lou l'avait initiée au réalisme magique des auteurs sud-américains ? Maintenant qu'elle découvrait ces véritables contes pour adultes, cette profondeur de la pensée déguisée en fantaisie hilarante ? Cela ne faisait aucun doute, elle apprenait beaucoup. Mais ce n'était pas pour autant une relation à sens unique. Elle se surprenait parfois elle-même à faire preuve d'une grande perspicacité. Récemment, elle avait évoqué sa théorie préférée sur les fameuses fleurs de Georgia O'Keeffe, que, selon le professeur d'histoire de l'art, la critique freudienne assimilait à des vagins symboliques, et dit que ce n'étaient en fait que de simples fleurs, ce que Lou avait confirmé en citant les propos que l'artiste elle-même n'avait cessé de tenir.

*
* *

En fait, le plus grand bénéfice de leur rencontre n'était pas intellectuel mais affectif. Au bout de très peu de temps, Sara s'était surprise à confier à Lou des choses qu'elle n'avait jamais dites à personne, pas même à Neil. C'était Lou qui avait donné le ton ce fameux premier après-midi où elle avait pleuré à propos de l'histoire des truites, mais depuis, que ce soit au milieu des cris d'enfants à l'heure du goûter ou bien le soir devant les dernières braises d'un feu de cheminée en écoutant du Dory Previn, elles avaient partagé les aspects les plus intimes de leur existence. Sara n'avait pas eu l'intention de s'épancher de la sorte, mais tout était sorti comme ça : son adolescence débridée et malheureuse, son épisiotomie ratée et ses répercussions sur sa vie sexuelle avec Neil, sa carrière décevante et Neil qu'elle soupçonnait de s'en réjouir parce qu'il voulait une épouse tradi. Lou avait une si bonne écoute. Elle savait poser exactement la question qu'il fallait, au bon moment, ou rebondir sur une anecdote en révélant à son tour un secret des plus touchant. Devant elle, Sara avait l'impression que ses angoisses étaient parfaitement normales et son talent tout à fait exceptionnel. « Mais tu es tellement ravissante, je n'arrive pas à croire que tu aies eu besoin de te taper tous ces mecs pour t'en persuader », lui disait-elle. Ou encore : « Ta créativité s'exprime dans tout ce que tu fais, dans la façon dont tu vis, dont tu élèves tes enfants. Tu n'imagines pas à quel point c'est impressionnant pour quelqu'un comme moi. »

En effet, Lou avait ses faiblesses, mais cela ne la rendait que plus intéressante. Sara l'avait par exemple entendue perdre son calme plusieurs fois avec ses enfants. Et elle avait une préférence flagrante pour Dash, ce qui faisait de la peine pour Arlo. Et puis il y avait aussi sa relation compliquée à son mari. Ce besoin qu'elle avait de Gavin ne semblait pas sain. Il ne fallait pas ainsi se mettre en concurrence avec ses enfants pour avoir toute l'attention de leur père. Pourtant, c'est ce que Sara avait observé plus d'une fois. Un jour, elle bavardait agréablement avec Gavin dans leur cuisine en attendant que Lou soit prête. Les deux femmes sortaient voir un film ensemble, sauf que si Lou ne se dépêchait pas elles allaient rater le début. Gav faisait sauter la petite Zuley sur ses genoux tout en faisant marcher des animaux de la ferme en plastique sur la table, interrompant leur conversation d'adultes avec des bruits en tout genre qui les faisaient rire tous les trois. Tellement absorbés par tout cela, ils avaient mis quelques secondes à s'apercevoir que Lou les avait rejoints. Toute parfumée et vêtue comme une vamp sortie d'une école d'art, elle s'était mise à faire claquer les portes des placards, comme si, à l'évidence, elle cherchait à attirer l'attention. Et, à presque trois ans, Zuley avait-elle vraiment besoin qu'on lui fourre ainsi un biberon de lait dans le bec, au milieu des *meuh* et des *bêêê*, juste afin que sa mère puisse se pavaner comme une jeune fille devant son mari et sollicite son avis sur sa tenue ?

Mais Sara n'était pas certaine d'être objective. Il existait tout de même entre eux une tension sexuelle évidente qui la rendait envieuse. Dans la même situation, se soucierait-elle de savoir ce que penserait Neil de sa tenue ? S'il était absorbé par un jeu avec ses garçons, eh bien, elle commencerait par se pincer pour être sûre de ne pas rêver et en profiterait pour filer discrètement. Tout ça, c'était du passé. Cela faisait tout de même quinze ans qu'ils étaient mariés. Alors bien sûr il ne s'agissait pas d'oublier la séduction, ce n'était pas souhaitable.

À ce sujet d'ailleurs, elle ne pouvait plus s'ôter de l'esprit le souvenir de ce tango. Depuis, elle ne cessait de s'interroger sur sa propre vie sexuelle : avait-elle tout raté ou s'était-elle trompée de partenaire? À cet instant, elle voyait Lou se pencher vers Gavin et poser langoureusement ses lèvres sur les siennes. Zuley, au comble du bonheur avec son biberon, tendit une main potelée pour se saisir du bras de sa mère, mais celle-ci ôta négligemment les doigts de l'enfant.

— Il faut que maman y aille très vite, dit-elle en jetant un œil à la pendule de la cuisine. Et tu vas la mettre en retard.

Elles arrivèrent cinq minutes après le début de la séance, juste au début du générique. C'était une œuvre réaliste à petit budget, très bien notée dans le *Guardian*. Sara eut besoin d'un peu de temps pour rentrer dedans mais, au bout d'une demi-heure, ça commença à lui plaire. Lou, en revanche, avait l'air de s'impatienter. Elle n'arrêtait pas de secouer la tête et de rire discrètement sans que Sara comprenne pourquoi car ce n'était pas drôle. Finalement, après une scène plutôt émouvante, Lou poussa un gémissement et posa la tête sur l'épaule de Sara.

— Tu veux t'en aller? chuchota celle-ci, inquiète.

Elle n'aurait pas été plus mortifiée par la réaction de son amie si elle avait fait le film elle-même. Lou lui fit signe que oui et, en se confondant en excuses, elles dérangèrent leurs voisins pour s'échapper au bar.

— J'étais sûre que ce serait ça, déclara Lou (ça quoi? se demanda Sara). J'ai failli t'en parler quand tu m'as proposé ce film, et puis je me suis dit, allez, il faut que je me calme avec ce type.

— Tu connais le réalisateur?

— Il était une année avant moi à la St. Martins. Très talentueux. Il a toujours voulu être en haut de l'affiche et ça y est. C'est juste dommage qu'il ait été obligé de se compromettre à ce point.

— Comment ça se compromettre?

— Oh, c'est un tout: l'esthétique du film, la bande-son, les acteurs, expliqua Lou. Ce genre ciné-club un peu vintage, non, je veux dire, au secours !

— Hmmm.

— Et l'acteur principal ! Complètement improbable dans le rôle. Tout droit sorti de l'Académie royale d'art dramatique, mais bon, il a le vent en poupe et c'était une bonne prise, alors...

— Je vois, répondit Sara, songeuse. Tu aurais pris qui, toi ?

— Oh, un inconnu, dit Lou. Je ne compromettrais jamais l'intégrité de mon film au nom de la cote d'un acteur. Ça ne vaut pas le coup.

Sara but une gorgée et tenta de prendre un air indifférent.

— Au fait, je suis super impatiente de savoir de quoi ça parle, ton nouveau truc ?

— De quoi ça parle ? répéta Lou, d'un air amusé qui fit rougir Sara. Eh bien, il n'y a pas vraiment d'intrigue. Ce n'est pas le genre. Mais je suppose que s'il fallait le résumer je dirais que c'est un conte de fées urbain.

Sara hocha la tête.

— Et c'est un court-métrage ?

— Oui, mais un court-métrage demande encore plus de travail. Aucune facilité d'écriture. Ni de délires. Chaque plan compte. Et, comme ce ne sont pas des œuvres destinées au grand public, il y a une attente... je ne dirais pas plus grande, mais différente, du spectateur.

De nouveau Sara hocha la tête.

— Alors, pardonne mon ignorance, mais qui les regarde ?

— Eh bien, il y a tous ces incroyables festivals maintenant...

— Le Sundance ?

— Celui-là est un peu dépassé, mais il y en a d'autres vraiment très intéressants partout dans le monde : à Saint-Sébastien, à Austin, à Prague. Il faut juste espérer que votre film y sera projeté et qu'il aura de bonnes critiques.

— C'est ça le public auquel ils sont destinés ? Les critiques ?

— Oh non, c'est pour tout le monde.

— Mais ils ne sortent pas en salles ?

— C'est-à-dire, on ne cherche pas à toucher un troupeau d'abrutis.

— Qui alors ?

— Un public, un vrai.

— Mais pas un public nombreux.

— Un public compétent.

— Je vois…

— Et on cherche aussi à récolter assez d'argent pour faire le prochain film. C'est de la rigolade de faire un film, comparé à ce que c'est de le financer. Je regrette parfois de ne pas avoir fait des études de finance.

— Lou…

— Oui ?

— Je me demandais…

— Quoi ?

— Oh et puis non, tu es occupée…

— Vas-y, dis-moi ! Gav m'a dit que tu écrivais toi aussi. Tu veux que je jette un œil ?

— J'adorerais savoir ce que tu en penses, répondit Sara avec un sourire plein d'espoir.

— Je serais honorée.

— Tu vas peut-être détester. Et, si c'est le cas, il faut que tu me promettes de me le dire…

— Comment pourrais-je détester ? Mais, d'accord, je te le dirai. Si je ne le disais pas, je trahirais notre amitié. Cela dit, je ne vois pas comment quelqu'un d'aussi intelligent, sensible et original que toi pourrait écrire quelque chose de mauvais.

Sara était radieuse. Elle était donc originale ? Si seulement c'était vrai !

*
* *

Ce soir-là encore elles rentrèrent tard. Elles étaient passablement éméchées en montant dans le taxi et Lou accepta d'emblée l'invitation de Sara à boire un dernier verre. Neil venait sûrement de se mettre au lit, car le poêle à bois n'eut pas besoin de grand-chose pour que les flammes rejaillissent. Sara mit un disque de Nick Cave, sortit la bouteille de calvados, et la conversation tourna une fois de plus sur des sujets intimes. Sara se remémora avec émotion Philip Baines-Cass, le garçon qui avait joué avec elle en seconde dans une adaptation de *Hobson's Choice*[1].

— Il n'était pas spécialement beau, se souvint-elle avec tendresse, mais il avait un charisme incroyable. C'était le genre de personne que l'on ne pouvait pas s'empêcher de regarder. Brillant mais cool ; une combinaison assez rare dans mon école. Je suis étonnée qu'il ne soit pas devenu acteur en fait. Il avait tellement l'air né pour ça.

— Il est probablement programmateur informatique à Slough aujourd'hui, fit Lou en ricanant. Vas-y, continue…

— Eh bien, c'était donc un acteur incroyable et moi j'étais une pauvre petite débutante un peu guindée, et il y avait une scène où nous devions nous embrasser, et plus le moment approchait, plus je tremblais de tous mes membres. D'un certain côté, je le redoutais parce que chaque fois qu'on répétait, tout le monde sifflait et applaudissait, et tout. Mais de l'autre côté…

— Tu n'attendais que ça.

— Exactement. Donc, bref, le grand soir arrive et tout se passe vraiment bien. On sent qu'on a le public avec nous. Même les plus nuls ne se trompent pas dans leur texte et notre grande scène approche, et je stresse à mort. Et puis tout à coup j'ai une étincelle, et je me dis « mais on s'en fout après tout ». Je me jette à l'eau. On aurait pu entendre une mouche voler. C'était dingue.

1. Comédie romantique de David Lean réalisée en 1954, dont le titre français est *Chaussure à son pied*.

— Combien de temps es-tu sortie avec lui? demanda Lou, amusée.

— Oh! on n'est pas sortis ensemble. Il avait une petite amie, répliqua Sara.

— Mais vous avez couché ensemble au moins?

Sara secoua la tête.

— Il voulait, oui. À la fête après la représentation. Mais j'étais vierge.

— Je croyais que tu m'avais dit que…

— Oui, mais plus tard. J'ai surcompensé, dit Sara entre le rire et les larmes. Il a été super méchant. Il m'a traitée de petite allumeuse frigide et il est sorti avec Beverly Wearing.

— Quel con!

— Je sais, mais le plus drôle, c'est que, même si c'était un vrai con, je me suis toujours demandé comment ça aurait pu être avec lui. Ça m'a obsédée, parce que je ne me suis jamais vraiment éclatée avec les autres. Je pense que j'ai juste voulu lui prouver que je n'étais pas comme il me voyait.

— Bon, au moins tu le lui as prouvé.

— À vrai dire, je ne suis pas sûre qu'il ait remarqué. Il ne m'a jamais considérée comme une possible petite copine. Il ne m'a calculée que parce que je jouais dans la pièce, et la seule chance que j'aurais eue d'être avec lui, je l'ai laissée passer. Ce baiser, j'y pense encore.

C'était vrai, elle y pensait encore, et de plus en plus ces derniers temps. Le problème, c'était que plus elle tentait de se rappeler le visage de Philip Baines-Cass, plus il avait tendance à se confondre avec celui de Gavin.

Il y eut un silence pendant lequel Lou s'extirpa du fauteuil, vida le reste de calvados dans leurs verres et s'assit sur le tapis devant le poêle, le dos contre le canapé.

— C'est drôle, non? dit-elle, songeuse, en buvant une gorgée. Comme tout aurait pu être différent. Je veux dire, c'est pareil pour moi. Seigneur, quand j'y pense, j'en frémis. J'aurais vraiment pu finir avec ce programmateur informatique de Slough.

— Toi !

— Je sais, oui ! Tu imagines ? Enfin, il n'était pas *vraiment* programmateur. C'était moins pire que ça.

Elles se mirent à rire.

— Il s'appelait Andy. Un type très gentil qui est plein aux as aujourd'hui. Ma mère ne perd jamais une occasion de le glisser dans la conversation : « J'ai vu Andy Hiddleston ce week-end, Louise. Je t'ai dit qu'il était promoteur ? » Elle ne m'a jamais vraiment pardonné d'avoir rompu nos fiançailles.

— Tu t'étais fiancée ?

Lou confirma de la tête, ravie de son petit effet.

— Jusqu'à mon entretien à la St. Martins, quand j'ai réalisé que le monde avait d'autres projets pour moi.

— Pauvre Andy ! fit Sara d'un ton ironique.

— Eh oui ! Il ne l'a pas très bien pris, admit-elle en secouant la tête avec un sourire désolé. Mais, bon, il n'y en a eu qu'un de malheureux dans cette histoire au moins. Tu imagines ? Moi dans une villa gigantesque en pierre, avec des arbres exotiques et une parka chic sur le dos ?

— Deux enfants virgule quatre…

— Une Range Rover…

— Et ton cerveau en moins !

Sara se mit à rire sans plus pouvoir s'arrêter, malgré ses efforts pour se calmer.

— *Allez, Camilla, nous allons être en retard pour la leçon de poney !* dit Lou avec un accent pointu.

— *Allons, allons, Nicholas, cesse de pleurer*, ajouta Sara. *Tous les grands garçons partent en pension.*

Hilare, Lou frappait le sol des deux mains tandis que le visage de Sara était inondé de larmes.

— *J'ai l'immense honneur de vous présenter la nouvelle*

présidente de la Ligue des femmes, tenta de dire Sara, entre deux gloussements hystériques. *Mme Andy Hiddle...*

Incapable de poursuivre, elle s'écroula sur le tapis, morte de rire.

6

Difficile de se concentrer le matin suivant, en partie à cause de la gueule de bois, mais surtout parce que Sara avait définitivement perdu le moindre soupçon d'enthousiasme pour son travail. Elle se surprit à lire et à relire en boucle la même phrase : « *Je n'ai pas vraiment de supermarché préféré et j'ai tendance à aller vers le plus pratique.* » Au bout d'un moment, tous les mots se confondirent et rien n'eut plus aucun sens. Pour un boulot qui se voulait ponctuel, NPR Marketing l'avait finalement bien occupée. D'autres créatifs avaient été embauchés en même temps qu'elle, mais étaient partis depuis bien longtemps. Anders, le Suédois neurasthénique, prêtait aujourd'hui sa voix à l'émission *MasterChef* et Tracy Jackson faisait du lobbying pour le parti écolo. Cela dit, grâce à NPR, Sara avait obtenu deux très généreux congés de maternité et, même si elle n'avait pas envisagé après la naissance de Patrick de revenir pour une durée supérieure à ce que prévoyait son contrat, cinq ans plus tard elle se trouvait toujours là, assise derrière le même bureau dans ce qui ressemblait à un placard, en face du talentueux et cynique Adrian Sutcliffe.

Une partie d'elle-même savait depuis longtemps que sa relation avec lui n'était pas saine. Ils dépendaient trop l'un de l'autre, et chacun encourageait l'inertie de son voisin à grand renfort d'humour corrosif. Tant qu'ils continueraient à mettre toute leur énergie créatrice à ironiser sur la nature futile de leur activité, l'ambition servile de leurs collègues moins doués et l'agressivité inutile de leur bourreau de travail de patron, Frank Ryan, ils pouvaient continuer aussi de prendre pour cibles leurs carrières respectives de journaliste et de romancière manqués.

— Alerte! s'exclama à ce moment-là Adrian, la tirant de sa rêverie, Rosa Klebb à 3 heures!

Sara se mit à taper furieusement au hasard sur son clavier.

— Je vais chez Gino, annonça Fran, je vous prends quelque chose?

— Oh, super! répondit-elle. Un sandwich au thon pour moi. Sans mayo.

— Pourquoi tu la laisses faire ça? dit Adrian après le départ de Fran.

— Euh… parce que c'est l'heure du déjeuner et que j'ai faim? répondit Sara sur le même ton que ses enfants lorsqu'ils posaient une question.

— Mais tu sais pourquoi elle te propose ça, non?

— Pour m'éviter d'y aller?

— Oui, comme ça tu ne bouges pas de ton bureau.

Avant que Sara ait pu trouver une réplique assassine, Fran avait repassé la tête par la porte.

— Au fait, je peux dire à Hardeep que tu auras bouclé l'étude avant ce soir?

— Sûr! Je suis dessus, répondit Sara, tout en s'emparant du stylo qu'elle s'apprêtait à balancer sur Adrian dès que la porte serait fermée de nouveau.

Ces derniers temps, l'ennui la rendait agressive. La promotion de Neil était pratiquement acquise et il avait plusieurs fois évoqué l'idée qu'elle allait enfin pouvoir se libérer des contraintes du boulot, ce qui en réalité signifiait le libérer *lui* de la contrainte de passer au Waitrose[1] après

---

1. Supermarché haut de gamme au Royaume-Uni.

une rude journée de travail. Au début, ça l'avait énervée mais, devant les encouragements de Lou pour qu'elle se remette à écrire, elle finissait par l'envisager sérieusement. Quand Fran revint avec son sandwich vers 13 h 30, elle ne prit même pas la peine de cacher son écran. Bien au contraire, elle agrandit la police.

Au moment où la porte se referma sur le père de Nora, un sac en plastique s'envola. Nora le regarda s'élever, comme empli du vide créé par son départ, puis redescendre avec légèreté et venir se déposer entre les barreaux de la rampe. Elle se mit à chanter doucement.

« Adieu bébé, papa est parti chasser. » Elle chanta sans s'arrêter, jusqu'à ce que ses mots se muent en sanglots.

— Ton sandwich…, dit Fran, les yeux rivés sur l'écran.

Sara fouilla dans son sac et lui tendit un billet de cinq livres, qu'elle prit sans quitter l'écran des yeux.

— C'est bon, tu peux garder la monnaie, dit Sara avec insistance.

Fran se ressaisit.

— Euh, oui bon, eh bien, bon appétit ! dit-elle avec un petit sourire crispé avant de quitter la pièce.

— Le ver est dans le fruit, déclara Adrian, impressionné.

Elle confirma d'un hochement de tête déterminé et mordit à belles dents dans son sandwich. Une bonne dose de mayonnaise gicla sur son pull.

Dans le train du retour, elle aperçut Simon, le mari de Carol, qui montait dans le même wagon. En d'autres circonstances, elle aurait baissé les yeux sur sa Kindle, certaine qu'ils auraient bien assez de temps pour se parler en marchant de la gare jusqu'à leur rue, mais elle avait un projet en tête et mourait d'envie de le partager avec quelqu'un. Elle l'appela donc.

*
**

— Tiens, salut, Sara !

Il se fraya un chemin dans le wagon pour la rejoindre. Elle devina à son air excité qu'il avait lui-même une nouvelle d'importance à lui communiquer.

— J'imagine que tu es au courant...

Sara s'attendait à ce qu'il lui annonce que leur cochon d'Inde était mort ou que la sœur de Carol avait rechuté.

— De quoi ?

— Le rapport d'inspection sur l'école est pourri. Ils sont à deux doigts de prendre des mesures spéciales.

— Mince !

Sara se rappela la façon dont elle avait rassuré Gavin le jour de la rentrée, devant le portail de l'école : « Ne t'inquiète pas, c'est vraiment une école super. Tu ne le regretteras pas. »

— Carol doit être folle de rage.

— Oh, je pense qu'elle est bien contente au fond d'elle-même. Ça fait des années qu'elle attend une excuse pour les mettre dans le privé.

Sara eut un petit sourire.

— Apparemment, c'est sur l'apprentissage du calcul que ça coince, ajouta Simon. Et aussi un manque d'attention aux enfants à problèmes.

— Les enfants à problèmes ? C'est une blague ! s'exclama Sara. Depuis quand on a ça à l'école ?

— Mais, tu sais, ça inclut aussi les EHP, répliqua-t-il le doigt levé.

— Les EHP, répéta-t-elle sans comprendre.

— Les enfants à haut potentiel, expliqua-t-il patiemment.

Mais bien sûr ! Les parents se révoltaient parce qu'ils estimaient que la direction gaspillait ses ressources au lieu de chouchouter leurs petits génies.

— C'est ridicule, dit-elle.

— Eh bien, je n'en suis pas sûr, objecta Simon.

Puis, comme il entrevoyait une brèche idéologique entre eux, il se hâta de lui demander :

— Et toi ? Le boulot ?

— Oh, rien de nouveau, tu sais.

Soudain il lui apparut comme la dernière personne avec qui elle avait envie de partager ses ambitions littéraires naissantes. Elle imagina son expression ironique lorsqu'il raconterait à Carol qu'elle avait laissé tomber son travail pour écrire un roman.

En revanche, elle attendait mieux de son mari.

— Je ne te dis pas de ne pas le faire, se défendit-il au dîner. Je me demande juste si c'est le bon timing, c'est tout.

Elle s'efforça de ne pas relever son expression. Son vocabulaire changeait ces derniers temps. Était-ce à force d'enchaîner les épisodes de *Breaking Bad* ou de lire des manuels de management ? Dans les deux cas, ça ne faisait pas de lui un meilleur conseiller littéraire. Il avait l'air de croire qu'il fallait qu'elle suive des cours. Comme si l'écriture pouvait s'enseigner, comme la mécanique automobile ou l'espagnol. En fait, le plus irritant dans cette façon petite-bourgeoise qu'il avait de s'en remettre à des soi-disant professeurs était que cela ne faisait que renforcer son insécurité à elle. Elle n'avait aucune envie que des romanciers médiocres lui donnent leur avis sur son travail. Elle préférait de loin lorsque Lou l'exhortait à « foncer », à « faire confiance à son inspiration » et « à aller chercher au fond de ses tripes ».

À cet instant, elle se sentait prête à fondre en larmes de frustration. Elle planta sa fourchette dans son morceau de quiche en essayant de ne pas avoir la voix qui tremble.

— Je ne pense pas que tu comprennes ce que j'endure, dit-elle. J'aimerais bien t'y voir, huit heures par jour en train de rédiger des questionnaires de consommateurs.

Il la fixa, l'air désemparé, et elle saisit avec un mélange

de satisfaction et de honte que, comme chaque fois, elle l'avait eu aux sentiments.

— Oui, tu vaux bien mieux que ça, je suis totalement d'accord, dit-il, submergé de contrition. Vas-y, fonce, alors. Tu auras six heures rien qu'à toi pendant qu'ils seront à l'école.

Elle allait lui rétorquer que pour créer il ne s'agissait pas d'ouvrir puis de refermer un robinet, mais elle se ravisa.

— C'est sûr que ce ne serait pas plus mal que je sois un peu à la maison avec ce qui se passe à l'école.

— Comment ça ?

— Ils ont été super mal notés par l'inspection, répondit-elle en levant les yeux au ciel. Il faut s'attendre à un exode de masse. Carol s'est déjà renseignée pour Saint Aidan apparemment.

— On n'est pas obligé de faire comme elle.

— Ce n'est pas elle qui m'inquiète. C'est plutôt son influence sur les autres.

— Carol a une mauvaise influence sur les autres parents, répondit Neil en singeant l'institutrice.

— J'aimerais quand même bien que tu prennes ça au sérieux. Celia, par exemple, fait tout ce que lui dit Carol.

— Et donc je devrais m'inquiéter ?

— Celia est la mère de Rhys et Rhys est le meilleur copain de Caleb.

— N'en fais pas tout un plat. Les garçons, c'est pas comme les filles. C'est beaucoup plus simple.

Mais le mal était fait. Sara voyait désormais l'école d'un mauvais œil. Tandis que la semaine suivante elle attendait avec Lou le début du festival d'automne dans le hall, elle scrutait d'un œil critique toutes les affiches. *Soyez gentil les uns avec les autres*, lisait-on sur l'une d'entre elles, et ce *s* manquant lui semblait un moindre mal par rapport à l'indifférence évidente des enfants au contenu du message. Lorsque le piano entama la chanson d'ouverture, et que les voix un peu fausses et mal assurées des enfants se firent entendre, Lou essuya une larme d'émotion, mais Sara eut envie de pleurer pour une tout autre raison. Le prétendu orchestre était composé d'un tambourin et de trois magnétophones. Les cadeaux de l'automne, disposés sur un minable papier d'alu bleu, consistaient en des boîtes cabossées de soupe Heinz et des biscuits douteux de Lidl. Cela en disait long sur le manque d'engagement des parents. Le seul produit frais présent était l'ananas qu'elle avait apporté. Le plus inquiétant de tout était la gêne palpable parmi le personnel. Fini les larges sourires et les regards encourageants. Fini l'ambiance amicale et sympa. On pouvait lire dans leurs yeux l'expression défaite d'une armée en reddition.

Plus tard, tandis qu'ils étaient tous réunis pour boire du café soluble dans des gobelets en polystyrène, Sara fut surprise de constater l'enthousiasme de Lou.

— Je ne peux pas te dire à quel point je suis soulagée, lui dit celle-ci.

— Ah bon ? fit Sara, qui détacha ses yeux du groupe de parents, tous habillés en Boden et en train de faire des commentaires à mi-voix, pour se tourner face au visage radieux de Lou.

— Je vois combien les enfants s'épanouissent ici, dit celle-ci. Il y a une telle énergie ! Cela me conforte dans l'idée qu'on a bien fait de rentrer.

— Tant mieux, répondit Sara.

Elle se dit alors qu'elle avait sans doute eu raison de ne pas les inquiéter avec cette histoire de mauvaise inspection. Elle ignorait à quel traitement les enfants avaient été soumis en Espagne, peut-être des restes d'autoritarisme hérités de la période franquiste. En tout cas, si ses voisins trouvaient que cette école était une aubaine pour leurs petits poussins, qui était-elle pour les détromper ? Hélas, au même instant, elle vit s'approcher un oiseau de bien plus mauvais augure.

Celia Harris était une femme gentille, sans aucune jugeote politique ni aucun cynisme. Elle et Sara s'étaient connues au temps du jardin d'enfants, et Caleb et Rhys étaient très bons amis depuis. C'était un des piliers de l'école de Cranmer Road. Elle avait organisé des levées de fonds et des soirées, et accompagné toutes les sorties scolaires de l'un ou l'autre de ses enfants surdoués et binoclards. On pouvait être certain que ces résultats d'inspection l'avaient terrassée. Elle adorait cette école, mais elle adorait plus encore ses enfants. Tel un joueur de foot qui donnerait sa vie pour son club jusqu'au jour où il le quitterait pour un club rival, Celia était loyale au plus haut point, mais tout de même. En la voyant s'avancer, le front plissé, faisant crisser ses bottes plates marron sur le parquet, Sara se dit qu'elle devait déjà être sur liste d'attente quelque part.

— Bonjour, Sara, lui dit-elle en la saisissant par le coude pour l'emmener à l'écart.

Tout le temps que dura leur conversation, Sara vit Lou tendre l'oreille et tenter de masquer sa curiosité tout en sirotant son café.

— Je me demandais, dit Lou plus tard, sur la route du retour, les mains posées à 10 h 10 sur le gigantesque volant de sa Humber, si Gavin ne devrait pas aller donner des cours de peinture aux enfants de temps en temps. Il sait très bien y faire.

— Oui, répondit Sara, et comment !

Cela faisait trois semaines que Sara avait quitté son travail et quatre qu'elle avait confié sa *novella* à Lou pour qu'elle lui donne son avis. Elle avait passé son premier jour de liberté à secouer toutes les couettes de la maison et à frotter la moisissure sur le rideau de douche. Lorsque Neil en rentrant du boulot lui avait demandé où en était son livre, elle lui avait sèchement rétorqué qu'elle était en train d'écrire un roman, pas une présentation sur *paperboard*. Le jour suivant, après avoir rangé son bureau dix fois, testé la hauteur de sa chaise, fermé puis ouvert la fenêtre, elle s'assit avec détermination devant son ordinateur afin de relire *Le Détour*.

Elle termina le dernier paragraphe avec un soupir de satisfaction. Ce n'était pas si mauvais pour un premier jet. C'était d'ailleurs bien là tout le problème. Elle savait bien que ce qu'elle avait écrit n'était que le squelette d'une œuvre plus vaste, plus ambitieuse, qu'il lui fallait étoffer et à laquelle il lui fallait donner vie, mais il lui était difficile de voir elle-même où rajouter de la matière et où, éventuellement, en enlever. Elle avait déjà souvent entendu dire qu'il fallait savoir « tuer son bébé », mais il n'y avait pas une ligne pour laquelle elle n'eût pas d'affection, ce qui voulait dire que c'était de l'ensemble qu'il eût fallu se débarrasser. Elle avait donc vraiment besoin de la réaction de Lou et, en dépit de sa réticence à harceler son amie, car elle aussi se débattait dans les tourments de la création, elle décida de prendre le taureau par les cornes.

Elle frappa et sonna en vain à la porte de ses voisins. Pourtant, la Humber était garée devant la maison et, en jetant un coup d'œil par la fente de la boîte aux lettres, elle sentit distinctement une odeur de pain grillé, si bien que, la porte n'étant pas fermée à clé, elle se décida à entrer.

— Coucou ? Ce n'est que moi…

Elle poussa la porte de la cuisine. La pièce était vide. Quatre assiettes sales étaient posées sur la table, et dans l'une d'elles était écrasé un mégot de cigarette. Un parfum entêtant flottait dans l'air et une veste en daim qu'elle n'avait jamais vue avant était posée sur le dossier d'une des chaises. Ils avaient de la visite. Elle était sur le point de s'en aller plus discrètement encore qu'elle n'était entrée lorsqu'elle entendit quelqu'un remonter d'un pas léger depuis le sous-sol.

— Avec du lait et un sucre, sans lait et sans…

Lou marmonnait à voix basse comme un mantra.

— Mon Dieu, Sara! Tu m'as fichu une de ces trouilles!

— Désolée, tu m'as dit que si personne ne répondait à la porte je pouvais entrer. Mais vous avez du monde. Je repasserai.

— Non, non, je t'en prie. On faisait une pause-café. Tu veux te joindre à nous?

Lou n'était pas exactement comme d'habitude, et Sara n'aurait su dire en quoi. Son style décontracté chic restait le même: baskets montantes, jean délavé, un kimono mi-long par-dessus un T-shirt décolleté, et moins que son apparence c'était son attitude qui avait changé. Elle était un tout petit peu moins naturelle, comme en train de jouer un rôle dans un de ses propres films. Sara aurait pu écrire les indications de mise en scène: *Lou remplit le percolateur et se met sur la pointe des pieds pour atteindre les tasses sur l'étagère. C'est une jeune femme sexy dans la fleur de l'âge.*

— En fait, Sara, c'est bien que tu sois passée parce que j'allais te demander un service, dit-elle en lui tendant deux tasses. Je ne vois pas comment on pourra avoir terminé avant la fin d'après-midi.

— Veux-tu que je te prenne les garçons à l'école?

— Tu lis dans mes pensées.

— Aucun problème. Et tu peux dire à la nounou de me déposer Zuley si ça t'arrange.

Lou lui fit un large sourire sans plus d'explications sur ce qui se passait.

*
* *

Elles descendirent dans l'atelier de Gavin. Les portes battantes étaient ouvertes et les murs blancs avaient pris la teinte cuivrée du soleil d'automne. Assis dehors sur la terrasse en teck, en train de fumer en parlant à voix basse, se tenaient Gavin et deux personnes que Sara identifia avant même d'avoir entendu leur accent étranger. L'homme portait des lunettes rectangulaires à fine monture et une écharpe nouée de façon complexe, à l'européenne sans doute possible. La femme avait une coupe de cheveux au bol, la nuque rasée et une frange de style médiéval. Son corps anguleux vêtu de noir et penché vers Gavin faisait penser à une lampe Anglepoise. À leurs pieds, par terre, était entassé tout un équipement photographique, visiblement de grande valeur. Lou s'approcha du petit groupe avec une expression de défi qui surprit Sara.

— Dieter, avec du lait et du sucre, Korinna… oups, désolée, c'est chaud et… ah oui, je vous présente Sara, notre délicieuse voisine.

Sara se sentit vexée d'être ainsi présentée. Elle repensa toute la journée à cette phrase, sans pouvoir dire pourquoi. L'adjectif « délicieuse » lui convenait, même s'il était un peu condescendant, mais pourquoi « voisine » ? Pourquoi pas « amie » ? « Meilleure amie », même, vu le temps qu'elles avaient passé ensemble récemment, vu que Sara avait plus ou moins coupé les ponts avec Carol et Celia ?

— Salut, dit Dieter en lui serrant la main.

Korinna esquissa un sourire dans sa direction avant de se tourner de nouveau vers Gavin, qui, heureusement, la regarda vraiment, lui sourit et dit : « Salut, toi. »

— Dieter est journaliste au *Beaux-Arts Magazine* allemand, murmura Lou, lorsque la conversation eut repris et que Korinna, après avoir bu son café, commença à installer le trépied de l'appareil photo. Il fait un sujet sur Gavin à l'occasion de l'expo de Berlin.

Quelle expo de Berlin ? pensa Sara qui, une fois de plus, avait l'impression d'être larguée.

— Hmm, Lou, dit-elle à mi-voix, ce n'est peut-être pas le moment idéal, mais je me demandais si tu avais eu l'occasion de…

Lou était en train de ramasser les mégots de ses visiteurs et d'enfiler les tasses vides sur son index.

— Pardon ? fit-elle distraitement.

— Non, rien, répondit Sara. On verra ça plus tard, quand tu viendras chercher les enfants.

— Bien sûr, dit Lou en lui souriant gentiment, les yeux plissés.

— À plus tard, alors, dit Sara en s'adressant à tout le monde.

Mais personne ne remarqua son départ dans la lumière crue et agressive du projecteur de Korinna.

Cet après-midi-là, à grand renfort de dictionnaire en ligne et de prise de tête, Sara réécrivit quatre fois son premier paragraphe. L'heure d'aller chercher les enfants arriva et elle fit quelques modifications de dernière minute pour constater qu'elle était pratiquement revenue sans s'en apercevoir à sa version initiale.

Le retour de l'école fut un peu stressant. Au milieu des clameurs de protestation, Sara avait fini par interdire la Xbox et avait envoyé les garçons faire un foot dans le jardin pour que Zuley puisse regarder tranquillement son dessin animé. Au bout de quelques minutes, elle avait entendu un grognement suivi d'applaudissements moqueurs : le ballon était passé par-dessus la palissade. À sa grande surprise, bien qu'il fût tombé dans le jardin de Gavin et Lou, elle vit revenir tout le monde, la mine déconfite, et Dash finit par admettre que sa mère avait confisqué le ballon parce qu'il avait cassé un appareil photo ou quelque chose comme cela.

— Ah, zut, dit Sara tout en se demandant si elle aurait dû les surveiller de plus près.

Et en même temps elle ne voyait pas comment, vu qu'elle était censée préparer des spaghettis sauce bolognaise pour cinq, mais c'était une autre affaire. Son sentiment de culpabilité ne s'arrangea pas lorsque, ensuite, elle retrouva Zuley hors d'haleine et en larmes, qui lui dit qu'elle s'était cassé la figure en jouant à cheval avec les grands dans l'escalier.

— Caleb ? Patrick ? appela Sara, furieuse.

Lorsque Neil rentra, il la trouva barricadée dans la cuisine avec Zuley, en train de lire *La petite chenille qui avait très faim* pour la cinquième fois, tout en sirotant un troisième verre de pinot grigio pour combattre son ennui.

— Mais enfin qu'est-ce qui se passe ici ?

— Ah, salut, dit Sara. Comment ça qu'est-ce qui se passe ?

— T'es au courant qu'ils sont en train de faire du roller sur le palier ?

Lou ne viendrait pas récupérer elle-même ses enfants, se dit soudain Sara. L'idée, c'était plutôt qu'elle les lui renvoie après le dîner, mais, comme la séance photo avait l'air très importante et que les enfants avaient peut-être cassé un appareil, elle avait eu des scrupules.

Pourtant, pendant que Neil remettait un peu d'ordre dans le salon dévasté, elle appela tout de même Dash et Arlo à l'étage et leur dit qu'il était temps de rentrer, avant de se précipiter chez ses voisins, Zuley dans les bras. Elle passa entre les buissons de lavande qui délimitaient les deux jardins et, voyant que les rideaux étaient ouverts et qu'il y avait du monde dans le salon, elle tapa au carreau en faisant des signes de la main. Apparemment, ils ne la voyaient pas plus qu'ils ne l'entendaient et elle resta plantée là, à sourire bêtement dans le noir, un peu perplexe et gênée d'assister avec Zuley à l'étrange scène qui se jouait à l'intérieur. Korinna était assise pieds nus sur le canapé, les genoux repliés sous le menton, et elle fixait Gavin à l'autre extrémité, qui la dessinait. Dieter et Lou dansaient un slow sur le tapis devant la cheminée, comme s'il était une heure avancée de la nuit. Dieter avait l'air éreinté et fourrait son nez dans le cou de Lou, mais le visage de celle-ci ne laissait transparaître qu'une indifférence totale. Elle aurait tout aussi bien pu attendre le bus.

— Je crois que c'est mieux de sonner, dit brusquement Sara à Zuley.

Dash et Arlo les avaient rejointes et tambourinaient déjà contre la porte avec leur boîte à lunch.

— Lou !

— Ma-man !

— Dépêchez-vous ! J'ai envie de faire pipi !

La porte s'ouvrit et ils se ruèrent à l'intérieur.

— Salut, beauté ! s'exclama Gavin.

Sara rosit de plaisir avant de s'apercevoir qu'il s'adressait en fait à sa fille. Zuley se précipita dans ses bras, sans un regard en arrière.

— Merci infiniment, dit-il à Sara. Tu nous as sauvé la vie. Tu entres prendre un verre ?

Il souriait, mais avait les yeux vitreux.

— Euh, non, il ne vaut mieux pas. Neil vient de rentrer. Mais merci quand même.

Elle s'attarda dans l'encadrement de la porte.

— Bon, eh bien, bonsoir alors.

— Oui, bonsoir.

Cette nuit-là, elle rêva qu'elle assistait à un conseil d'administration de Neil, dirigé par Korinna, coiffée d'une tête de Minotaure. Le dernier sujet à l'ordre du jour était son roman, et elle était censée en lire un extrait, nue, debout sur le bureau, mais aucun son ne sortait de sa bouche quand elle essayait. Elle se réveilla stressée et épuisée, et son trouble avait à peine disparu lorsqu'elle fut de nouveau désarçonnée en voyant arriver Lou au lieu de Gavin pour accompagner les enfants à l'école.

— Tiens !

— Désolée, c'est moi aujourd'hui. Gav est parti pour Berlin.

— Tu plaisantes, répondit Sara, gênée, je suis toujours contente de te voir !

Elle poussa les garçons dehors et, lorsqu'elle eut fermé la porte, quelle ne fut pas sa surprise de recevoir sans raison un baiser sur la joue de la part de Lou.

— Mais qu'est-ce que… ?

— J'ai lu ton manuscrit hier soir.

— Oh, mon Dieu.

— Tu es une fine mouche, tu sais.

— Tu as aimé ?

— J'ai adoré !

Sara manqua défaillir de joie.

— C'est super, Sara. Original, sensible, étrange.

— N'exagérons rien.

— Non, sans blague, j'étais tellement emballée que j'ai dû réveiller Gavin pour lui lire des passages.

— J'y crois pas ! s'écria Sara, en prenant son visage entre ses mains.

— J'aimerais revoir ça en détail avec toi. Est-ce qu'on peut trouver un moment ce week-end ?

Au portail de l'école, la directrice adjointe accueillait les enfants. Sara l'appréciait beaucoup. Elle avait commencé par se faire les dents avec la petite section quand Caleb y était et, en quatre ans seulement, l'ingénue ambitieuse avait monté les échelons jusqu'à ce poste de direction. Elle était là ce matin encore, à appeler chaque enfant par son prénom et à tenter de remonter le moral de certains parents réticents.

— Bonjour, lui dit Sara, avec un grand sourire chaleureux.

Sonia lui sourit à son tour avant d'apercevoir Lou et de lui attraper le coude.

— Ah, madame Cunningham, est-ce que je peux vous dire deux mots à propos de Dash ?

Comme la cloche sonnait, Sara s'occupa de faire entrer les autres enfants tout en tâchant de maîtriser sa curiosité. Ça ne faisait pas de doute : Dash était sélectionné pour le nouveau programme réservé aux enfants surdoués. Grand bien lui fasse, se dit-elle alors.

Après avoir conduit les garçons dans leur classe, elle attendit Lou dehors devant le portail, mais au bout de dix minutes celle-ci n'était toujours pas revenue, si bien qu'elle rentra seule chez elle. En tournant dans sa rue, elle vit Carol qui sortait de sa voiture. Soucieuse de ne pas laisser la brèche qui se creusait entre elles prendre des allures de canyon infranchissable, Sara avait lancé une vague invitation pour le week-end suivant. À voir Carol l'attendre, plantée comme ça sur le trottoir, un sourire légèrement forcé aux lèvres, elle comprit qu'il allait lui falloir préciser un peu les choses.

— Bonjour, Sara. Alors, ce roman ?

Sara soupira. On ne pouvait vraiment rien cacher à personne dans cette rue.

— C'est juste le début, répondit-elle.

— Ça parle de quoi ?

— De quoi ça parle ? répéta Sara avec une moue dédaigneuse.

— Oui, tu sais, quel genre ? Thriller ? Comédie romantique ?

— Ah ! Eh bien, euh… j'imagine que, si ça parle de quelque chose, ça parle de… la maturité.

Carol prit un air entendu, ce qui eut le don d'irriter Sara.

— Bon et, sinon, tu pensais à vendredi ou samedi ? lui demanda Carol. Parce que ce serait mieux samedi pour nous. On aura moins de risques que Simon s'endorme.

— Je peux te dire ça bientôt ? Il me semble qu'il y a déjà quelque chose samedi.

— Vendredi alors. Il faudra juste que je le secoue un peu s'il pique du nez. J'ai juste besoin de savoir pour la baby-sitter.

Seigneur, elle ne lâchait jamais le morceau.

— Non, disons samedi, lança Sara, tout en songeant qu'au pire du pire elle inventerait une histoire de virus mystérieux.

À la fin de la semaine, Gavin reprit les accompagnements à l'école.

— Ah, tiens, bonjour ! dit Sara, qui n'osait pas s'avouer à quel point elle était contente de le revoir. C'était bien, Berlin ?

Elle ferma la porte derrière elle et avait déjà traversé pratiquement tout le jardin lorsqu'il éclata de rire.

— Tu n'as pas oublié quelque chose ?

— Oh non, mais quelle imbécile !

Elle fit demi-tour aussitôt afin qu'il ne voie pas ses joues en feu, remit sa clé dans la serrure et appela les garçons.

Elle l'écouta raconter son voyage, fascinée. La galerie était un ancien entrepôt dans la partie est de la ville, « très cool » selon ses propres mots.

Sara reconnut qu'elle n'y était jamais allée.

— Oh, il faut que tu y ailles. On devrait y aller tous les quatre l'an prochain. Et loger dans cet hôtel-boutique que Lou adore à Friedrichshain. Il y a des boîtes de nuit incroyables à Berlin.

Sara resta une seconde songeuse, s'imaginant en train de danser sur de la techno dans une boîte berlinoise, sous l'emprise de qui sait quel stimulant, le tout en compagnie d'un artiste contemporain majeur et de sa femme réalisatrice.

— Alors, qu'est-ce que tu en dis ?

— Oh ! eh bien, pourquoi ne pas essayer pendant les vacances de février ? répondit-elle, flattée de son insistance.

— Non…, rectifia gentiment Gavin, un peu perdu. Je voulais dire pour demain, Greenwich Park, si le temps se maintient…

Il fallait vraiment qu'elle arrête de planer comme ça. Ça devenait gênant.

— Ah ? D'accord.

— Nous les gars, on pourra taper dans le ballon pendant que Lou et toi discuterez de ton livre, qui a l'air génial à propos.

— Tu parles, c'est juste un premier jet. Il y a des millions de trucs à améliorer.

En le voyant lever un sourcil plein de réprobation, elle se tut, avant d'ajouter :

— En tout cas, OK pour demain. Très bonne idée !

7

C'était une magnifique journée d'automne et Greenwich Park n'avait jamais été aussi beau. En se promenant main dans la main le long de Blackheath Avenue avec Neil, tandis que Caleb et Patrick faisaient du gymkhana sur leur skate-board, Sara éprouvait un bien-être parfait. Ce n'était pas du bonheur bien sûr, parce que le bonheur n'était pas quelque chose que l'on ressentait consciemment, or ce qu'elle ressentait là était conscient, mais ça y ressemblait beaucoup quand même ! Elle se plaisait à considérer sa vie comme un roman en cours d'écriture et, Lou lui ayant dit qu'il ne fallait pas qu'elle fasse la coquette lorsque les gens lui demandaient ce qu'elle faisait dans la vie, mais qu'elle devait dire haut et fort : « Je suis écrivain », elle finissait par se sentir légitime. Tout en écoutant d'une oreille distraite les réserves que Neil avait sur le dernier roman de Sebastian Faulks, elle se mit à dérouler mentalement une playlist de bandes-son qui conviendraient à son humeur du jour. Les Kinks ? Non, trop évident. Les Smiths ? Trop second degré. Ils arrivèrent en haut de l'avenue et s'arrêtèrent un instant pour contempler la vue sur la ville qui s'étirait le long du fleuve comme un décor de théâtre, avec à l'ouest Saint-Paul et en face Canary Wharf, le Dôme à l'est ; la vaste pelouse du Park se déroulait en pente douce un peu plus bas et tout à coup elle trouva le morceau qu'elle cherchait : « London belongs to me » de Saint Etienne. Derrière elle, Neil lui entourait la taille de ses bras, son menton légèrement râpeux contre sa joue fraîche. Elle se retourna et enfouit le visage dans son cou pour se remplir de l'odeur poivrée de son homme. Elle en était à se demander si elle allait finalement l'embrasser lorsqu'une voix familière se fit entendre.

— Ben alors, vous deux, il y a des hôtels pour ça !

Elle se recula, gênée.

— Salut, mon pote, dit Neil en se tournant vers Gavin pour lui serrer la main avec chaleur.

— Coucou, Gav, dit Sara avec un petit geste.

— Qu'est-ce que tu as fait de ta moitié ? demanda Neil.

— Avec les enfants à la balançoire, répondit Gavin. Pendant ce temps-là, je suis censé créer du lien avec vous.

— Créer du lien ? répéta Sara en riant.

— C'est ce qu'elle a dit. Crée du lien avec eux et puis amène-les-nous ici, Gav.

— Je ne te crois pas ! Lou ne « crée pas du lien ». Elle en est incapable.

— Ah bon ? Et ça s'appelle comment ce qu'elle fait alors ? lui demanda Gavin d'un ton gentiment provocateur.

— « Rencontrer des gens », « se faire des amis »…, répondit Sara.

— Absolument pas, dit Gavin en secouant la tête. Tu la connais mal. Créer du lien, c'est sa spécialité. Elle ne fout même que ça toute la journée. Quand je demande aux enfants « Où est maman ? » ils me répondent : « Elle crée du lien. »

— Tu me fais trop rire ! dit Sara, hilare.

Neil se contenta d'un sourire poli.

— En tout cas, reprit Gavin, en désignant du menton Patrick et Caleb au loin, en train de dévaler la pelouse en direction de l'aire de jeux, ces deux-là sont à leur affaire.

— Hé, attendez-nous! lança Neil en se mettant à courir pour les rattraper, laissant Gavin et Sara fermer la marche.

Tout Greenwich était venu profiter de ce beau temps et l'aire de jeux était bondée. De jeunes mamans coiffées de bonnets en angora et chaussées de UGG tentaient de convaincre des ados à capuche de laisser les balançoires à leur petite Olivia ou leur petit Ethan. Au bord du toboggan se pressaient grands-mères en veste matelassée et Somaliennes en hijab. Des papas pleins aux as surveillaient des poussettes tout-terrain pendant que les mamans discutaient des mérites respectifs de l'école Montessori ou Steiner autour du bac à sable.

— La vache! C'est comme chercher une aiguille dans une botte de foin, cette affaire, dit Gavin.

Mais Caleb et Patrick foncèrent sur leurs copains à la vitesse de deux missiles à tête chercheuse et Sara trouva Lou non loin, en pleine conversation avec Neil et en train de balancer Zuley sur un cheval à ressorts.

Elle lui dit bonjour et Lou l'embrassa, ce qui la remplit de joie.

— Il faut que je m'enfuie de cet endroit, c'est insupportable, dit Lou en riant.

— Oh, désolée, tu es là depuis longtemps?

— Non, mais ça m'a paru une éternité.

Elle souleva Zuley et la colla dans les bras de son père avant que l'un des deux ait eu son mot à dire. Et, sans plus de commentaires, elle tira Sara loin de cette cohue en direction du salon de thé. Elles s'installèrent avec leur cappuccino à une table dans un coin, sous un affreux tableau représentant le *Cutty Sark*[1]. Les vitres étaient embuées et une treille où grimpait du lierre en plastique faisait écran

---

1. Navire célèbre et historique de la marine britannique.

entre elles et le reste de la pièce. Lou fouilla dans son sac
et en sortit un carnet en moleskine.

— Alors, dit-elle, ton livre…

Sara eut un petit rire.

— Quoi ? rétorqua Lou.

— Non, c'est juste… « ton livre » !

— Enfin, Sara ! Il faut que tu arrêtes de te déprécier. Tu
ne te rends pas service. C'est un monde super compétitif.
Qui va s'intéresser à un auteur qui n'a pas le courage de ses
convictions ? Est-ce que tu fais confiance à mon jugement ?

Sara cessa de sourire et la regarda bien en face.

— Oui.

— Eh bien, je te dis que c'est une œuvre remarquable.

— Merci.

Lou poursuivit en faisant une critique détaillée de son
travail : les personnages étaient convaincants, le style
lyrique, les flash-back bien amenés. Elle suggéra que
Nora enfant ait une voix différente de celle qu'elle avait
à l'âge adulte. Il fallait, dit-elle, que son vocabulaire soit
limité. Un enfant de sept ans n'utiliserait jamais le mot
« égocentré ».

— Pas faux, admit Sara.

— Mais la faille majeure selon moi, dit ensuite Lou, et
Sara se crispa un peu, c'est que tu éludes la scène du viol.

— C'est que, répondit Sara, je voulais conserver l'ambiguïté.

— Moi, je pense que tu ne voulais pas l'écrire.

— Hmmm, peut-être.

— Tu sais, Sara, écrire, ça fait peur, mais il faut être
prêt à aller chercher très loin au fond de soi.

Sara hocha la tête.

— Et, lorsque tu entends une petite voix te crier :
« Non, non ! Je ne peux pas écrire un truc pareil ! C'est trop

dégueulasse, trop effrayant, trop douloureux », c'est là que tu dois te forcer à le faire.

— Je pensais plutôt que les meilleurs films d'horreur sont ceux qui laissent une part à l'imagination du spectateur.

Lou ne fit aucun cas de cette dernière remarque.

— Est-ce que tu as vu *Antichrist*?

Sara fit non de la tête.

— Tu devrais.

Lorsqu'elles eurent fini, le dernier sandwich avait disparu du présentoir et on commençait le réassort pour le dîner, à l'aide de plats sous cellophane.

— Alors, dit Lou tout en fouillant dans le bazar de son grand cabas de cuir, est-ce que tu y vois un peu plus clair?

— Absolument, oui.

Lou prit son téléphone, composa un numéro et plaqua l'appareil sur son oreille. Sara posa la main sur son avant-bras et, les yeux brillants, murmura:

— Merci.

Lou fit un geste magnanime de la main avant de se mettre à parler.

— Salut! On a fini. Vous êtes où?

Puis elle leva les yeux au ciel et raccrocha.

— J'aurais dû m'en douter.

Ils étaient installés à une table à tréteaux, avec vue sur la Tamise, chacun avec une bière, et à en croire les paquets de chips vides et les bouteilles de Coca de tous les côtés ils s'étaient aussi très bien occupés des enfants. Neil et Gavin, vite fatigués de jeter des cailloux dans l'eau et de faire coucou de la main à tous les passagers des bateaux de touristes, avaient installé un skate-parc à leur façon à l'aide d'une caisse en bois et de deux cônes de chantier. Zuley s'était endormie sur les genoux de son père, un filet de bave s'écoulant doucement de sa bouche entrouverte jusque sur le manteau de celui-ci. En voyant les femmes approcher, Neil se leva avec empressement.

— Vous prenez quoi, les filles ? Je m'en occupe.

Le soleil était bas mais chaud, dans un ciel gris perle, et l'île aux Chiens sur le fleuve avait un aspect insolite. Comme elles n'avaient aucune raison d'en vouloir à quiconque, les deux femmes s'assirent volontiers pour boire un verre à leur tour. Tous les quatre enchaînèrent les tournées sans se soucier le moins du monde des cris des enfants déchaînés, à la différence de leurs voisins qui prirent la fuite assez vite. La conversation allait de la plus insignifiante anecdote au débat le plus intello, en passant par des histoires plutôt grivoises. Gavin s'avérait très au courant des potins les plus hallucinants du monde de l'art. Bien sûr, les choses s'étaient un peu calmées, mais ils n'imaginaient pas tout ce qui se passait à l'époque au Colony Room Club[1]. Sara avait d'ailleurs du mal à y croire. Elle se pensait relativement ouverte d'esprit, mais elle ne voyait pas comment les pratiques sexuelles que Gavin décrivait pouvaient être physiquement réalisables ou même agréables. Elle riait malgré tout, ne voulant pas passer pour coincée, tout en espérant qu'il ne se payait pas sa tête. Heureusement, la conversation dévia vers un débat plus sérieux sur la question de savoir si le fétichisme était de l'art. Toutefois, à son grand regret, après trois verres de sauvignon blanc, elle avait du mal à exprimer clairement ses opinions pourtant tout à fait pertinentes.

Le soleil finit par disparaître derrière les barres d'immeubles et les grues, dardant ses derniers rayons dorés sur

---

1. Club privé fréquenté par les artistes et les créateurs à Soho. Ouvert en 1948, il a fermé ses portes en 2008.

l'eau sombre et agitée, sous un ciel fluorescent. Sara avait les épaules crispées sous l'effet du froid et elle commençait à claquer des dents, mais ne voulait pas être la première à battre le rappel à la fin de cette journée magique. Elle jeta un coup d'œil vers Gavin et se demanda, comme elle le faisait souvent, à quoi il pouvait bien penser. Il avait une expression contemplative, mais celle-ci changea soudain pour laisser place à de l'étonnement, puis carrément à l'horreur.

— Putain, non ! Elle est en train de me pisser dessus !

En se réveillant et en se rendant compte de ce qu'elle avait fait, Zuley se mit à pleurer et à se débattre. Gavin tenta de se lever et heurta une bouteille de Coca qui finit de se vider sur le foulard Orla Kiely de Lou. Les garçons, à qui on demanda de cesser leur jeu particulièrement brutal et qui menaçait de mal finir, se rebellèrent. Pendant quelques minutes, les événements prirent une sale tournure. Puis soudain une chose étrange se produisit. Gavin interrogea son iPhone et commanda un taxi. Il détourna l'attention de sa fille en prenant une vieille chips dans le cendrier et détendit l'atmosphère avec une remarque à propos des femmes qui n'avaient pas arrêté de lui pisser dessus toute sa vie. Lou reprit le contrôle des garçons en leur faisant miroiter l'aventure extraordinaire qu'ils allaient vivre sur le trajet du retour dans un autobus à impériale avec elle et Sara. On allait se reposer un peu et puis on se retrouverait ensuite pour continuer la fête chez Lou et Gavin autour du feu en commandant le dîner. Qu'est-ce qu'ils en disaient ? Ce dénouement joyeux et habile leur fit l'effet d'un lapin qui sortirait d'un chapeau, le triomphe de l'esprit d'invention sur la morosité du banal, et la preuve, s'il y en avait besoin, que Gavin et Lou avaient vraiment la grande classe.

Motivés par cet esprit de camaraderie durement gagné, Sara, Lou, Caleb, Patrick, Arlo et Dash firent à pied les derniers cinq cents mètres qui séparaient l'arrêt de bus de chez eux. Les plus grands s'entraînaient en composant un rap dont les paroles à connotation sexuelle et tranquillement misogyne auraient fait frémir leurs mères si celles-ci n'avaient pas été absorbées par une discussion sur la difficulté d'élever des garçons. Alors qu'ils approchaient de leur destination, Sara sentit son sang se figer dans ses veines en voyant sur le trottoir, dans leurs vêtements décontractés chic, l'un tenant à la main une boîte de chocolats belges et l'autre une bouteille de montepulciano, Carol et Simon.

— Merde, dit-elle à mi-voix. Merde ! Merde ! Merde !

— Quoi ? demanda Lou.

Mais les autres les avaient déjà rejointes.

— Tu avais dit 19 heures ?... dit Carol.

— C'est vrai. Mais tu sais quoi ? Je ne vais pas te raconter d'histoires, j'ai complètement oublié. Je suis vraiment désolée.

Carol se décomposa.

— Ah, dans ce cas, je ferais bien d'aller décommander la baby-sitter...

— Venez chez nous ! proposa Lou.

— Quoi ? fit Carol, affolée.

— Pourquoi pas ? Tout est notre faute, vraiment. Nous les avons kidnappés, pas vrai, Sara ?

Sara tenta de sourire.

— En fait, il a fait tellement beau qu'on est restés beaucoup plus longtemps que prévu. On avait l'intention de commander le dîner dans ce nouveau restau indien. Vraiment, vous êtes les bienvenus.

Sara voyait que Carol était aux prises avec un dilemme intérieur. Allait-elle écouter la voix de la morale ou opter pour les plaisirs plus risqués d'une soirée carrément différente ? Finalement, ce fut la seconde solution : il fallait de toute façon qu'ils payent la baby-sitter et puis cela faisait des lustres que Simon et elle n'avaient pas mangé indien, alors pourquoi pas ? Sara jeta un coup d'œil à Simon, dont le rictus horrifié à peine contenu était l'exact reflet du sien.

8

— Ah tiens! fit Gavin en ouvrant la porte. Bonsoir…

— Vous avez déjà commandé le dîner? lui demanda Lou en s'engouffrant dans la cuisine tandis que Sara écarquillait les yeux pour lui faire comprendre que ce n'était pas exactement le plan prévu au départ.

Les garçons grimpèrent à l'étage. Carol suivit Sara et alla accrocher son manteau à la rampe de l'escalier, puis elles se dirigèrent vers la cuisine, où Neil était au téléphone avec le Moti Mahal. Ils l'écoutèrent tous modifier la commande une, puis deux, puis trois fois, sans perdre ni patience ni bonne humeur, selon les directives de Lou, surexcitée.

— Dans quarante-cinq minutes, annonça-t-il en raccrochant. J'espère que vous avez faim.

— Eh bien, merci pour cette invitation, dit Simon à la cantonade. Nous aurions pu nous contenter de boire un verre.

Il s'assit sans enthousiasme à la table de la cuisine et disposa sa parka sur le dossier de sa chaise.

— Aucun problème, répondit Gavin. Plus on est de fous, plus on rit. Ça fait des lustres qu'on veut vous inviter, pas vrai, Lou?

Lou s'empressa de confirmer de la tête et Sara admira la facilité avec laquelle elle se montrait aussi hypocrite. Après tout, des mois avaient passé depuis la pendaison de crémaillère et Carol n'était pas stupide. Elle se tenait assise là, les mains croisées sur la toile cirée de la table, et examinait la pièce avec une curiosité peu discrète. On aurait dit un moineau qui découvre la neige. Que pouvait-elle bien penser des verres à cocktail de couleur si kitsch, du masque mexicain, du couvre-théière en tricot avec son pompon ? Amusée, Sara avait l'impression de se voir, la première fois qu'elle était venue ici, et reconnaissait cet air de stupéfaction, et même un certain désarroi de voir que l'on pouvait impunément faire fi du bon goût et de ses règles. Elle s'y était très bien habituée finalement. Elle se leva brusquement et alla ouvrir le frigo de Lou et Gavin, exactement comme si elle était chez elle.

— Qui d'autre veut une bière ?

Elle fit passer les cannettes, en s'attardant sur le spectacle de Carol qui se débattait pour ouvrir la sienne.

Gavin mit un morceau de musique choisi sur son iPod.

— C'est joli, dit Carol. C'est qui ?

— Midlake, lui répondit aimablement Gavin. Un groupe texan.

Simon but une gorgée de bière.

— Quelle magnifique journée, pas vrai ? Pour le mois d'octobre, c'était exceptionnel.

— Oui, du coup on s'est un peu lâchés au bout de quelques verres, fit remarquer Sara.

Personne ne lui demanda ce qu'elle voulait dire par là.

— Vous avez fait quoi, vous, aujourd'hui ? lança alors Gavin à Simon.

— Oh, des trucs passionnants, répondit celui-ci. Emmener Holly à la clarinette, aller au supermarché, ratisser les feuilles…

— Ah bon ? Mais c'est beau les feuilles, fit Lou, désappointée.

— Personne n'a froid ? demanda ensuite Gavin. Je monte le chauffage ?

Ils se regardèrent sans oser rien dire et il comprit, et alla régler le thermostat.

Carol se tourna vers lui.

— Alors, est-ce que tu travailles aussi le week-end ou bien est-ce que tu as plutôt un rythme de…

— De besogneux ? Je plaisante, je plaisante. Non, en fait, c'est très variable. Mais j'utilise des matériaux qui sèchent très rapidement parfois, ce qui fait qu'une fois que j'ai commencé il faut que j'aille jusqu'au bout.

— Il travaille toute la nuit quelquefois, ajouta Lou.

— Du coup, tu dors la journée j'imagine, demanda Simon avec sa logique imparable.

— Oui, enfin, en théorie, parce que, avec trois loustics à la maison, ce n'est pas toujours facile.

— Je m'arrange pour qu'ils ne fassent pas de bruit avant midi, précisa tout de suite Lou.

— Ce doit être sympa d'être son propre patron, fit remarquer Simon. Mais je ne suis pas sûr que j'aurais suffisamment d'autodiscipline. Comment tu vis ça, toi, Sara ?

— Moi ? dit Sara, surprise de se trouver ainsi associée à Gavin.

— Tu as bien laissé tomber le salariat pour te reconvertir dans l'art récemment, non ?

— Reconvertie, oui… j'imagine qu'on peut dire ça, répondit-elle, sceptique. Mais je ne suis pas sûre que ce soit dans l'art. Dans l'artisanat plutôt, et puis en amateur.

— Euh, Sara…, fit Lou en la fixant d'un air réprobateur.

— Ah oui, désolée, j'avais oublié, dit alors Sara en frappant fort de la main sur la table. Je suis *écrivain* et vous pouvez tous aller vous faire voir !

Carol et Simon eurent l'air légèrement surpris.

— Est-ce qu'on peut le lire du coup, ton roman ? demanda Carol, au bout de quelques secondes.

— Oh, mon Dieu, ça je n'en sais rien, répondit Sara

en perdant toute assurance. Je ne suis pas sûre d'en avoir envie. C'est encore très inabouti, pas vrai, Lou?

— Ah, parce que Lou l'a lu? s'étonna Carol en faisant mine d'être vexée.

— Je voulais l'avis d'une professionnelle.

— Sincèrement, c'est comment? Ça ressemble à quoi? demanda alors Carol à Lou.

— Je ne sais pas si ça ressemble à quoi que ce soit. C'est juste un travail remarquable. Et une voix originale.

— C'est publiable alors d'après toi? insista Carol.

— Je ne sais pas si c'est réellement le but, répondit Lou.

Sara, un peu agacée, se dit que si, justement, c'était tout à fait le but.

— Je pense que ce que Sara est en train de faire avec ce livre, c'est trouver le moyen de se laisser vraiment aller.

Carol eut l'air perplexe.

— Tu n'as pas lu *The Artist's Way*? Julia Cameron? Un livre génial. Elle explique que l'on doit passer outre aux pensées négatives et à l'autodénigrement qui entravent sa créativité et lui donner libre cours. Être soi-même. Écrire ou chanter ou danser ou peindre avec tout son être sans réserve ni cynisme et sans chercher à plaire à un public.

— Tout ça est un peu naïf, non? dit Carol. J'aurais cru au contraire qu'un peu d'exigence critique était nécessaire, sinon qu'est-ce qui va empêcher n'importe quel gugusse d'infliger son prétendu « art » à la terre entière? Je ne dis pas ça pour toi, Sara.

— Mais pourquoi les en empêcher? rétorqua Lou, en fixant Carol, si bien que celle-ci eut bientôt les larmes aux yeux.

Elle ouvrit la bouche pour répondre et Sara ressentit alors de la peine pour sa vieille amie. Mais cela ne l'empêcha pas de lui lancer un regard méchant. C'était bon de voir Carol remise à sa place pour une fois. C'était bon aussi de voir ses certitudes bourgeoises se heurter à la façon de penser originale et belle qui régissait le monde de Lou et Gavin.

— En tout cas, je pense que cette idée que tout le monde est artiste à condition seulement de laisser parler la muse en soi ou je ne sais quoi, ça ne tient pas la route.

— Je ne crois pas avoir exactement dit ça, expliqua Lou.

Elle s'exprimait avec calme, mais ses joues avaient pris une teinte rose vif.

— Je parlais de créativité. Es-tu en train de me dire que nous ne sommes pas tous nés avec la capacité de créer ?

— Pas en ce qui me concerne en tout cas. Je n'ai pas une once de créativité en moi.

— Mais bien sûr que si, répliqua Lou, irritée.

— Non, je confirme, dit alors Simon comme s'il en tirait de la fierté.

— Tu vois, moi, c'est ça qui me choque, dit Lou. Que tu aies pu intégrer cette vision de toi-même. Et c'est tout notre prétendu système éducatif qui en est la cause.

— Je n'ai rien intégré du tout. J'ai reçu une éducation parfaite, protesta Carol.

— Un très brillant sujet, dans toutes les matières, ajouta Sara.

Lou secoua la tête en soupirant, comme si on lui avait annoncé une catastrophe.

— Tu t'es coulée dans tous les moules, dit-elle. Tu as réussi selon leurs critères à eux. Et pourtant tu es sortie de là persuadée à tort que tu manquais de la seule chose qui donne un sens à la vie, et même que tu pouvais très bien t'en passer.

— Eh bien, je n'ai pas l'impression d'en avoir souffert, répondit Carol, vexée.

— Tu ne me comprends pas.

— Je ne pense pas que ma vie ait moins de sens que la tienne.

— C'est exactement ce que je tente de…

— Je veux dire, qui peut affirmer que la créativité est le plus important dans…

— Mais tu *es* créative ! hurla presque Lou.

Il s'ensuivit un silence général.

— OK, Lou ! Vas-y, dis-nous vraiment ce que tu penses alors, dit Neil.

Sara se crispa. Il sembla l'espace d'un instant qu'il avait dépassé les limites, mais finalement Lou gloussa, elle-même étonnée de s'être emportée de la sorte. Ce gloussement se transforma en un rire franc et massif auquel tous se joignirent, d'abord timidement, puis avec hilarité. Quiconque aurait assisté à la scène se serait dit qu'ils passaient un très bon moment tous ensemble.

Le curry arriva bientôt et on le servit directement dans les barquettes d'aluminium. On déposa un tas de couverts dépareillés sur la table. Tout cela était aux antipodes de ce qu'avaient imaginé Carol et Simon, mais ils se servirent avec enthousiasme et répétèrent plusieurs fois combien c'était délicieux. On s'efforça de faire dévier la conversation sur la qualité variable des restaurants indiens du coin, et l'efficacité pas toujours irréprochable des livreurs.

Le fumet irrésistible du poulet tikka et des beignets à l'oignon attira en bas les enfants, qui s'agglutinèrent devant la porte de la cuisine, comme des orphelins autour d'une échoppe à viande dans un roman de Dickens. Encouragé par tous les autres, Dash lança un raid commando vers la table, se faufilant à quatre pattes tandis que les adultes bavardaient, puis se levant d'un coup pour s'emparer d'un *nan* avant de s'enfuir. Il recommença et Sara vit alors que Carol tentait d'accrocher son regard. Elle sentit les deux camps se mettre en place, les forces de la civilisation, auxquelles on attendait qu'elle se joigne, contre celles de la barbarie. Mais elle refusa de se soumettre. Lou et Gav avaient fait l'effort d'organiser tout ça et Carol était reçue chez eux. Elle n'avait donc pas son mot à dire. Sara évita son regard et, au lieu de cela, se mit à observer Dash en train de fourrer le *nan* dans sa bouche pour faire rire les autres, sans avoir l'idée de partager pour autant avec ses complices. Elle fut révoltée. Lou ne tarissait pas d'éloges sur le garçon exceptionnel qu'il était et on ne pouvait nier qu'il avait une imagination incroyable. Sara l'avait déjà entendu inventer des jeux de rôles cauchemardesques et sanglants avec Caleb et Patrick, ce qu'elle trouvait fort inquiétant alors que ses fils s'en délectaient. Elle ne pouvait pas non plus nier qu'elle avait ressenti une pointe de jalousie lorsque la directrice adjointe avait attrapé Lou au vol l'autre jour. Mais si cette intelligence ne s'accompagnait pas d'un peu de gentillesse, si elle n'était qu'égoïsme, comme cela semblait être le cas pour Dash, elle préférait que ses enfants soient moins intelligents et plus attentifs aux autres.

Neil avait commandé pour un régiment. Les appétits s'étaient calmés, la conversation tarie, et les plats à moitié pleins se figeaient doucement sans que personne fasse un geste pour débarrasser la table.

— Bon, eh bien, merci beaucoup, finit par dire Simon, en palpant des deux mains son manteau, comme pour se rassurer sur sa propre existence. Je pense qu'on va y aller, nous, et libérer la baby-sitter.

Personne ne lui fit remarquer qu'il n'était que 21 h 45.

— Vous êtes sûrs que vous ne voulez pas rester pour… euh…

— Non, non, merci. C'était délicieux, vraiment. La prochaine fois, c'est chez nous, hein, Carol ? Ne vous dérangez pas, on connaît le chemin. Bon, eh bien, à bientôt ! Bonne soirée !

Aussitôt qu'ils eurent entendu la porte se refermer, tous se mirent à rire en poussant des soupirs de soulagement.

— Dieu du ciel! s'exclama Lou en donnant un petit coup à Sara.

— Je suis désolée, dit Sara, penaude. J'ai complètement oublié que je les avais invités. Merci de m'avoir tirée de ce mauvais pas.

— Oui, enfin si on veut.

— C'était parfait, dit Gavin, magnanime. Délicieux, vraiment!

Ils s'écroulèrent de rire à nouveau, sauf Neil, qui se contenta d'un sourire triste.

9

Ils allèrent dans le salon. Lou mit un disque et Neil s'accroupit devant la cheminée pour faire repartir le feu. Sara se blottit dans un coin du canapé et regarda Gav rouler un joint. Hormis les bruits de pas et les cris étouffés qui leur parvenaient des enfants en haut, ils avaient l'impression d'être coupés du monde, dans un havre de paix réservé aux adultes. Gav alluma le joint et le tendit ostensiblement à Sara qui le porta avec précaution à ses lèvres.

— Il est plutôt sympa, ce Simon, dit Gav. Il fait quoi déjà ?

Sara, concentrée sur son inhalation, secoua la tête.

— Il est dans la banque, non ? répondit Lou, en s'asseyant sur le tapis devant la cheminée, adossée au canapé, et en interceptant le joint.

Elle tira une bouffée puis le repassa à Sara.

— Il est dans le *venture capital*, précisa Neil en se laissant tomber dans le fauteuil Eames, content de l'état de son feu. Sara, si j'étais toi, j'irais mollo là-dessus.

Elle le fusilla du regard et tira de nouveau sur le joint.

— Le *ven-ture-ca-pi-tal*..., répéta Gavin en détachant les syllabes comme pour bien prendre la mesure de la chose. Et c'est quoi ça ?

— Ça fait assez aventurier, non ? fit Sara en gloussant.

Le rappel à l'ordre de Neil était vraiment inutile. Cette herbe était parfaitement sans risque et n'avait apparemment aucun effet d'ailleurs.

— Mais oui ! s'exclama Gav en se tournant vers elle,

réjoui. Tu as raison, j'imagine bien le casque colonial, le bruit infernal des cigales, la chaleur, cette foutue chaleur.

Sara se redressa et mit la main en visière devant ses yeux comme si elle fixait l'horizon imaginaire.

— Passe-moi les jumelles, Carruthers, je crois apercevoir une opportunité d'investissement.

— Non mais alors, ces deux-là, dit Lou avec indulgence, avant de tendre la fin du joint à Neil.

On entendait crépiter et siffler le feu, et la musique se fit plus forte. Sara soupira et s'étira. Lou lui prit la main et la serra doucement un instant, sans raison, puis la relâcha. Ils en étaient arrivés à un point dans leur relation où ils étaient bien sans même se parler, juste pour le plaisir d'être ensemble. Sara avait l'impression qu'il était beaucoup plus tard qu'il ne pouvait l'être et elle se souvint de la scène qu'elle avait surprise l'autre jour avec Zuley lorsque les Allemands étaient là : les visages de cire, l'étrange jeu de pouvoir, perceptible même derrière la vitre. C'était comme d'être enrôlée dans une secte, mais qui ne lui faisait pas peur, au contraire. Il lui semblait qu'elle commençait tout juste à comprendre combien la vie pouvait être tendre et riche et agréablement complexe.

Neil se pencha et fit mine de tendre le nouveau joint à Lou sans le lui proposer.

— Eh, pas si vite ! s'exclama-t-elle en se redressant et en quittant son semi-coma pour l'intercepter.

— Sara, si j'étais toi, je ne ferais pas ça, la prévint Neil.

— Oui, mais tu n'es pas moi, si ? rétorqua-t-elle. Et le plus drôle justement, c'est que si tu étais moi…

Elle fit une pause afin d'apprécier la logique irréfutable de sa réponse :

— … tu le ferais, parce que je vais le faire.

Elle prit le joint et inhala un peu plus fort que ce qu'elle aurait fait normalement. Sans manifester la moindre impatience, il leva la main pour la dissuader encore et, par défi, elle recommença. Elle souffla la fumée avant de s'apercevoir que ce qu'elle venait de dire était tout simplement génial.

— Confiture aujourd'hui ! s'écria-t-elle.

Gav lui lança un regard amusé sans comprendre.

— Mais si voyons ! *Alice au pays des merveilles* ! Ou peut-être *De l'autre côté du miroir* ? Bref, tu n'auras pas ta confiture[1].

Lou se retourna et lui tapota affectueusement le genou.

— Tu peux en avoir hier, ou demain, mais pas aujourd'hui parce que ce n'est jamais aujourd'hui. Ou alors demain ? Bref, c'est pas important. Mais c'est exactement ce que Neil disait. Il ne peut pas être moi et faire quand même ce qu'il pense que je devrais faire, parce qu'à partir du moment où il serait moi il ferait ce que je fais, moi !

— J'étais sûr que tu allais abuser, dit Neil, résigné.

Elle lui lança un regard noir.

— Je ne comprends pas ce que tu veux dire. Qu'est-ce qu'il veut dire ? demanda-t-elle aux deux autres qui ne pouvaient déjà plus s'arrêter de rire.

— Oh, mais c'est bon, là, vous êtes tous… vous êtes…

Incapable de se rappeler ce qu'elle voulait dire, elle se tut.

Elle avait la bouche sèche et la tête lourde comme une pierre suspendue au bout d'un brin d'herbe. Pour y remédier, elle posa la tête contre le dossier du canapé et tout son corps se mit à trembler comme sous l'effet d'un séisme.

— Et voilà ! dit Neil.

— Tu veux un verre d'eau ? suggéra Lou.

— Non, je crois que je vais juste…

Elle ferma les yeux et agita la main devant son visage. Elle se sentait de plus en plus mal. Et il ne suffirait pas de

---

1. Référence à une conversation absurde entre la Reine et Alice dans le roman de Lewis Carroll.

vouloir aller mieux pour que son malaise se dissipe. Elle tenta de s'extirper du canapé tant bien que mal, comme une vieille femme qui craindrait de se briser les os. Ce feu était étouffant. Le cerf au mur la fixait avec désapprobation.

— Tu veux un coup de main, lui proposa Gav.

— Ça va aller, dit-elle entre ses dents, tout en cherchant son chemin entre les verres et l'attirail à joints posé sur le tapis.

Le siège des toilettes était frais et agréable au contact. De loin lui parvenait le bruit d'un jeu d'enfants qui prenait une tournure inquiétante, mais elle n'était pas en état d'intervenir. Sa tête oscillait, frôlant le lino crasseux, et elle n'était pas loin d'avoir envie de vomir. Avec un effort surhumain, elle tourna le robinet d'eau froide et se hissa pour pouvoir boire un peu d'eau dans sa main au-dessus du lavabo. Elle se remit d'aplomb et les murs autour d'elle cessèrent peu à peu de tourner comme la roue d'un vélo abandonné. La porte était entièrement recouverte de coupures de journaux : la photo en noir et blanc d'un sumo en train de textoter sur un iPhone, un titre de presse qui disait « Dieu est un concept, dixit le doyen de Saint Paul », une carte postale de chatons vêtus de salopettes, avec un foulard autour du cou et une canne à pêche sur l'épaule. Sara émit un rot retentissant et se mit de nouveau à fixer le sol. Elle ne savait pas depuis combien de temps elle se trouvait là : trois minutes ? Dix ? Elle finit par se remettre debout et se planta face à son reflet dans le miroir terni au-dessus du lavabo. Elle avait une expression étonnée sur le visage.

— Ça va mieux ? lui demanda Lou en la voyant revenir au salon.

Le disque était terminé, mais il tournait toujours en émettant un petit craquement qui ajoutait à l'atmosphère indolente et mélancolique de la pièce. Le feu soupirait et se mourait doucement.

— Si on veut, fit Sara en s'avachissant de nouveau sur le canapé.

Elle ferma les yeux. Elle entendait Neil parler à voix basse à Gavin, lui dire combien il aimerait partir sur le chemin de Saint-Jacques en Espagne. Gavin lui demanda s'il était croyant et Neil répondit que non, mais qu'il comprenait que l'on soit attiré par le catholicisme, la dévotion, l'autoflagellation. Si elle s'était sentie un peu moins faible, elle lui aurait rappelé qu'il avait rechigné à payer douze euros pour visiter le Duomo à Florence, mais au lieu de cela elle resta silencieuse et apprit des choses sur son mari. Elle apprit par exemple qu'il s'intéressait à autre chose qu'à ses actifs et à ses plans de développement durable. Elle apprit qu'il comprenait, maintenant mieux que jamais, que son ambition de réussir une carrière conventionnelle émanait d'un désir de satisfaire sa mère. Elle apprit qu'il regrettait d'avoir étudié la politique plutôt que la musique et que deux ans plus tôt il s'était créé un compte Facebook dans le but de retrouver les membres de Busted Flush, le groupe dans lequel il était bassiste à la fin des années 1980. Autant de choses qu'il avait, par inadvertance, négligé de lui raconter. Mais c'était l'effet que Lou et Gavin produisaient sur les gens : ils leur faisaient avouer leurs désirs secrets, ceux qu'ils avaient oubliés ou n'avaient même jamais formulés. Cela s'était passé avec elle. Elle savait désormais que sa créativité ne devait pas être bridée, qu'elle avait le don de nouer des relations d'amitié avec les femmes, qu'elle était très sensible aux plaisirs sensuels : elle n'avait jamais autant aimé manger, écouter de la musique, quant à faire l'amour, eh bien, au moins, c'était de nouveau d'actualité.

*
* *

Toutefois, si Gavin et Lou parvenaient à déverrouiller Sara et Neil et à stimuler chez eux désir et curiosité, ils demeuraient eux-mêmes toujours aussi énigmatiques. Parfois, au moment où Sara pensait commencer à les percer à jour, à élucider leur mystère, ils lui échappaient de nouveau, tels des satyres qui voudraient l'attirer dans les profondeurs de plus en plus sombres de la forêt. Elle ne parvenait jamais à distinguer ce qui était sincère de ce qui était ironique dans leur vie, comme cette vieille enseigne de bois dans leur cuisine où était gravée la phrase : « Dieu bénisse notre maison », et dont elle s'était plus ou moins moquée un jour. Elle s'était finalement sentie la pire des cyniques lorsque Lou lui avait expliqué que c'était un talisman aux pouvoirs magiques qui les protégeait contre le mauvais œil. Dolores Fernandez avait jeté un sort à Gavin après l'histoire des poissons et cette enseigne la réconfortait.

Elle avait dû s'endormir. Lorsqu'elle se réveilla, une musique funèbre se faisait entendre et elle crut même que le tourne-disque était réglé sur la mauvaise vitesse. Lou dansait en tournant sur elle-même comme en transe. Gavin était toujours avachi sur le canapé, en train d'examiner la pochette de l'album, mais Neil, juché sur le bord du fauteuil Eames, un genou replié entre les mains, contemplait Lou, fasciné, à la manière d'un sociologue. Sara eut l'impression très nette d'avoir manqué quelque chose.

— Salut, lui dit son mari en détournant enfin le regard vers elle. Tout va bien ?

— Ça va, ça va, répondit-elle sèchement.

— On va peut-être y aller, non ?

— Il est quelle heure ?

— Tard, dit-il en haussant les épaules.

Elle se leva péniblement. Elle avait le visage en feu, mais les pieds et les mains glacés. Le feu était presque éteint.

— Bien… Encore merci, les amis, pour cette super, super journée.

En dépit de l'atmosphère intime, de leurs silences et de leur complicité, elle se sentit soudain timide.

Lou, les yeux toujours brillants, un sourire mystérieux aux lèvres, avança en chancelant jusqu'à elle et noua les bras autour de son cou. Maladroitement, Sara se laissa faire et dansa avec Lou quelques secondes avant de s'extirper.

— À bientôt, Gav, dit-elle.

Il lui fit un petit signe de tête qui lui sembla plein de sous-entendus.

— C'était super ! répéta Neil. Une super journée !

Ils attendirent une seconde dans l'entrée, puis, se souvenant que Gavin et Lou n'observaient jamais les règles du protocole, sortirent dans la nuit froide.

10

La dernière chose que vit Sara ce soir-là en fermant ses volets fut la doublure en calicot des rideaux John Lewis que Carol avait tirés devant ses fenêtres en guise de réprimande. Après le fiasco de cette soirée, elle serait définitivement rayée de la liste de cartes de Noël de Carol, se dit-elle, résignée. Il y avait peut-être moyen de tenter de se racheter en allant lui proposer des excuses et faire la paix, mais tout ça risquait de ne lui valoir que plus de problèmes encore. Carol finirait de toute façon par vouloir critiquer l'état du jardin de Lou et Gavin ou l'éducation de leurs enfants, et Sara serait obligée de l'envoyer sur les roses, ce qui n'arrangerait pas les relations de voisinage au final, et leur éloignement semblait désormais inévitable. Pourtant, tandis que les premières lueurs de l'aube se posaient sur le toit de Carol, Sara ressentit comme un vague regret.

C'était avec Lou qu'elle passait désormais le plus clair de son temps et, à dire vrai, les activités qu'elles partageaient lui ressemblaient bien plus. Carol avait été super le jour où elle leur avait trouvé ces places de théâtre à la dernière minute, mais elle n'en finissait jamais de vous répéter combien ça avait été compliqué et le temps qu'il fallait prévoir en prenant le dernier train à Charing Cross, si bien qu'on avait l'impression de faire une sortie entre scouts. Lou s'arrangeait toujours pour organiser des choses sympas au dernier moment. Un soir, elles allaient voir un concert dans un pub crapoteux du quartier, un autre, assister à une lecture de poésie sur la rive sud. Le week-end, pendant que Gavin et Neil emmenaient les garçons faire un foot, Lou emmitouflait Zuley dans sa poussette et elles partaient toutes les trois fouiller dans les magasins vintage à Brick Lane, où devant Sara admirative Lou avait toujours le chic pour dénicher la seule et unique robe Biba au milieu d'un monceau de fripes. Et elle ne devait pas si mal se débrouiller elle non plus parce que Neil avait fait des commentaires élogieux à propos de la bonne influence de Lou sur son style vestimentaire, ce qui était un compliment indirect, mais qu'elle avait accueilli avec plaisir.

Même l'accompagnement hebdomadaire du jeudi soir pour le cours de taekwondo des garçons s'était transformé, grâce à Lou, en occasion d'être ensemble et de s'occuper de son corps. Jusque-là, Sara se contentait de s'asseoir dans un café avec un cappuccino et les mots croisés du *Guardian*, mais, maintenant que Dash et Arlo étaient inscrits eux aussi, Lou avait eu une idée. Elles commençaient par aller faire des longueurs à la piscine, dans la ligne des nageurs confirmés, où Lou exécutait un crawl impeccable suivi tant bien que mal par Sara. Puis, après trente longueurs visant à raffermir leur poitrine, elles allaient se reposer au sauna, dans l'atmosphère intime créée par la lumière tamisée et le parfum puissant d'eucalyptus.

— C'est le moment que je préfère, avait dit Sara la dernière fois en se laissant tomber avec soulagement sur la banquette de bois à lattes.

Lou s'était installée dans la section la plus chaude, jambes repliées, yeux fermés.

Sara jeta un regard envieux à son amie. Elle avait les cuisses fermes et musclées et, même sous le lycra d'un maillot une pièce Speedo censé ne rien pardonner, on voyait qu'elle avait une belle poitrine. Comparée à elle, Sara se sentait ridicule et mémère dans son deux-pièces à fleurs. Elle saisit une poignée de chair de chaque côté de sa taille et soupira.

— Tu es magnifique, lui dit Lou sans ouvrir les yeux. J'aimerais tant pouvoir mettre un bikini.

— Oh, arrête! Tu es mince comme un fil!

— Je sais, mais j'ai des vergetures.

— Il ne faut pas en avoir honte, moi aussi j'en ai quelques-unes.

— Oui, enfin, moi, on dirait le plan de Londres!

— Je suis sûre que Gav s'en fiche.

— Il est bizarre. L'autre jour, on faisait l'amour et il m'a dit que ça lui rappelait les petites rigoles que la mer creuse dans le sable en se retirant.

— C'est beau!

— Il a toujours eu un truc avec la maternité. Quand j'étais enceinte, il était fou de moi.

Sara tenta de sourire.

— Ça m'allait très bien d'ailleurs parce que j'étais complètement obsédée dès le premier jour. Ce serait logique que la nature fasse baisser la libido quand on est enceinte.

Sara haussa les épaules, ne voulant pas admettre que c'était exactement ce qui s'était passé pour elle. Les trois premiers mois, elle était trop malade, trop essoufflée, les cinq mois suivants et le dernier mois, son énorme ventre faisait obstacle à toutes les avances. La porte du sauna s'ouvrit avec un grincement et une Indienne corpulente se posa juste à côté de Sara.

— Tu sais, à la fin de la grossesse, quand le colostrum commence à arriver pour te préparer à l'allaitement? dit Lou en regardant Sara d'un air entendu.

Celle-ci ouvrit grand les yeux pour lui signifier qu'elle voyait très bien ce qu'elle voulait dire, sans que Lou ait besoin d'en rajouter.

— Je sais que j'aurais jamais dû le laisser faire, dit Lou

en souriant malicieusement, sans se soucier de la présence de la femme, mais oh, mon Dieu!

Sara eut un sourire nerveux et jeta un regard conciliant à sa voisine.

— Il est devenu accro, renchérit Lou en se penchant pour ajouter à voix basse, mais assez fort pour être entendue : Quand ça te prend plus de temps de sevrer ton mari que ton gosse, c'est quelque chose!

Sara gémit doucement.

— Je plaisante! s'écria Lou en essuyant une goutte de sueur entre ses seins. Enfin, pas tout à fait.

La femme essora une serviette-éponge et, de dégoût, la posa sur son visage.

— Je ne sais pas quelle heure il peut être, dit Sara en se levant à moitié pour voir la pendule de la piscine. Et quart. Il faut peut-être qu'on bouge. Les garçons vont se demander ce qu'on fait.

— Oh, encore cinq minutes, supplia Lou. C'est notre dernière sortie avant deux semaines.

— Pourquoi ça?

— Je commence le tournage lundi.

— Ah bon?

— Je sais. Moi aussi, j'ai du mal à y croire.

Comme le travail de Lou avait lieu la nuit et que celui de Gavin occupait physiquement et psychologiquement tout l'espace chez eux, Sara en était presque arrivée à oublier que son amie était réalisatrice. Elles n'abordaient pas souvent le sujet. Lou aimait que ses idées naissent dans l'obscurité, tels des champignons, et depuis que Sara avait été poliment éconduite après avoir proposé de relire son scénario elle ne s'était même plus autorisée à demander où en étaient les choses. Seuls les cernes bleus sous ses yeux et ses disparitions de temps en temps pour prendre un mystérieux coup de fil fournissaient la preuve qu'elle avait d'autres préoccupations en tête que de préparer les déjeuners de ses enfants et de rapporter les livres à la bibliothèque.

— Donc ça y est ? Tout est prêt ? Les acteurs, l'équipe et… tout le reste ?

Lou la regarda bizarrement.

— Oui, je suis bête, évidemment que tout est prêt, se reprit Sara. Où a lieu le tournage ?

— Eh bien, le film se passe à Londres, mais mon DP est belge et a posé comme condition que nous tournions là-bas. Mais, bon, il a trouvé un endroit super et personne ne remarquera la différence.

Sara se retint de demander ce qu'était un DP. Le monde du cinéma offrait des tas d'occasions de faire des gaffes. Il valait mieux attendre de voir le film et de donner son avis à ce moment-là.

— Bon, eh bien, tu sais que je suis là, dit-elle en revissant le bouchon de sa petite bouteille d'eau et en se levant. Si Gavin a besoin d'aide. Enfin, je veux dire… pas pour lui, pour les enfants, quoi. Il va avoir de quoi faire, non ?

Lou s'en alla donc et Sara se sentit terriblement en manque. Même physiquement. Cela ne lui était plus arrivé depuis qu'Amanda, sa meilleure amie au lycée, était partie en séjour chez son père à Calgary. Au moins avec Amanda elles avaient passé leur dernière soirée toutes les deux pour se dire au revoir, à se goinfrer de Minstrels, à écouter du Duran Duran, et Amanda avait bien révisé toutes les manières de martyriser sa nouvelle demi-sœur canadienne. Cette fois-ci rien de tel avec Lou, et Sara ne pouvait s'empêcher de se sentir un peu mise à l'écart, au nom de l'ambition créatrice de Lou. Il n'y avait aucune mauvaise intention là-dessous. Elle connaissait assez Lou et Gavin pour savoir qu'ils étaient toujours sur le départ et qu'ils en oubliaient parfois les règles élémentaires de la politesse. Sinon pourquoi Lou aurait-elle autorisé les membres de l'équipe à garer leur camionnette devant le jardin de Sara et Neil, les obligeant à faire un détour de vingt mètres jusqu'à la porte de leur maison avec leurs grosses courses de fin de semaine ? Pourquoi sinon, lorsqu'ils s'étaient arrêtés sur le trottoir, encombrés de leurs lourds paquets, pour attendre que Lou les présente à ses collaborateurs tatoués et piercés de partout, s'était-elle contentée d'un « salut » distrait avant de retourner à son inventaire avec lesdits collaborateurs ? Pourquoi n'avait-elle même pas accusé réception, au moins par SMS, de la carte réalisée par Sara, à l'aide de Photoshop, pour lui souhaiter bonne chance ? On y voyait le visage de Lou sur une photo d'Alfred Hitchcock qui brandissait son légendaire cigare et elle avait écrit à l'intérieur : *Bonne chance !* puis avait glissé la carte dans sa boîte aux lettres pour ne pas risquer de la déranger en pleine discussion nocturne. Par la suite, elle s'était demandé si cette carte n'avait pas été une erreur. Peut-être Lou détestait-elle Hitchcock et avait-elle perçu une comparaison sous-entendue avec son œuvre.

En se pressant sur le chemin de l'école aux côtés de Gavin le jour suivant le départ de Lou, Sara, un peu nerveuse, faisait la conversation toute seule. Après un assez long silence, pendant lequel il manœuvra avec impatience la poussette pour monter et descendre du trottoir, les enfants agglutinés autour de lui comme une meute de chiens de traîneau, elle comprit tout à coup le pourquoi de son attitude.

— Lou te manque ?

Il la regarda bizarrement.

— Désolée. Ma question est idiote. Évidemment qu'elle te manque. Ne t'en fais pas. Deux semaines, ça passe très vite.

— Non, c'est moi qui suis désolé, s'empressa-t-il de répondre en lui souriant. Je me conduis comme un crétin.

Pour être honnête, ce n'est pas tant qu'elle me manque, mais plutôt que j'étouffe, là.

Elle ne parut pas saisir.

— Comprends-moi bien, ajouta-t-il immédiatement, je suis pour à cent pour cent, le film je veux dire, bien sûr. C'est juste qu'en ce moment je ne sais plus où donner de la tête. Et je me serais vraiment passé qu'elle donne mon nom à l'école pour que j'intervienne auprès des élèves de cinquième.

— Ah zut! C'est cette semaine?

Il fit mine de poser un pistolet sur sa tempe et d'appuyer sur la détente.

— C'est super pour eux, en même temps, de rencontrer un vrai artiste.

— Un vrai artiste! fit Gavin avec un petit rire incrédule.

— Qu'est-ce qu'ils attendent de toi?

— Tout ce que je sais, c'est que j'accompagne la sortie à l'exposition Picasso vendredi.

— Ah, tu y vas? Moi aussi, répondit-elle, ravie. Mais bon, sérieusement, si je peux faire quelque chose pour t'aider cette semaine.

— Si tu peux me prêter ta combinaison de protection…

— Oui, mais elle n'est plus ce qu'elle était, dit-elle en riant. Non, je veux dire, sur le front domestique, si tu veux que je te prenne les enfants ou quoi…

— Tu es gentille, mais Lou me tuerait si elle apprenait que je te détourne de ton roman. C'est déjà suffisant que j'aie étouffé sa créativité à elle. Je ne voudrais pas passer pour un parasite machiste qui exploite toutes les femmes qui croisent sa route.

— C'est ce qu'elle pense? Que tu étouffes sa créativité? s'étonna Sara.

— Non, pas vraiment, mais c'est juste difficile, deux artistes qui vivent ensemble. D'ailleurs, c'est pas recommandé dans les guides.

— Ah non ? plaisanta Sara, avant d'apercevoir la mine défaite de Gavin et de lui donner une petite tape d'encouragement sur le bras.

— Elle ne laisse jamais entendre autre chose que le fait qu'elle te soutient à cent pour cent.

— Non mais c'est vrai, c'est vrai. J'ai une chance incroyable, ne te méprends pas. On est complètement raccord. Elle sait ce que je vais dire avant que je le sache moi-même. Et elle me protège de tous les vampires.

— Les vampires ?

— Oui, tu sais, tous ceux qui veulent un morceau de toi, ceux qui pensent qu'ils sont les seuls à comprendre ton travail.

Elle se demanda s'il la mettait dans cette catégorie.

— J'aurais plutôt pensé que c'était agréable d'entrer en contact avec les gens.

— Oui, ça l'est. Mais parfois ils ne voient pas les limites.

Instinctivement, elle ôta sa main de la poussette et s'écarta un peu de lui.

— Mais tu sais, poursuivit-il, il faut aussi que Lou aille au bout de son projet évidemment. Et puis nous avons trois enfants super doués qui ont besoin de s'épanouir et, parfois, tu es là et tu te dis juste : bon sang, je ne respire plus, moi ! C'est pour ça que quand je vous regarde, toi et Neil, je me dis que ce doit être agréable d'avoir votre équilibre.

— Notre équilibre ?

— Oui, tu sais, il s'occupe de faire bouillir la marmite et tu prends en charge l'intendance, tout en écrivant un peu. En plus de ça vous avez eu la sagesse de vous arrêter à deux enfants, alors oui, je dois admettre que je vous envie parfois.

— Hmmm, répondit Sara, dubitative, je ne pas si sûre que notre complémentarité soit si parfaite. C'est un peu plus compliqué que tu ne le crois à vrai dire.

— En tout cas, vu de l'extérieur ça a l'air de bien fonctionner, vous deux.

Elle le regarda sans rien ajouter, avec un sourire un peu forcé.

Les garçons avaient déjà pris part à la partie de foot à quinze joueurs, jeu phare des cours de récréation de toutes les écoles de la ville – sauf quand il était interdit pour des raisons de santé ou de sécurité –, à la fois anarchique et mixte.

— Bon, eh bien, à plus tard, dit alors Gavin en l'embrassant rapidement sur la joue et en dirigeant sa poussette vers le troupeau de mères à la fois plus jeunes et plus bruyantes dont faisait partie Mandy, la nounou de Zuley.

Sara observa de loin tandis qu'elles s'agglutinaient toutes autour de Gavin, la nounou faisant valoir ses privilèges en étant la première à lui faire la bise et en lui posant la main sur le bras ou en riant avec force rouge à lèvres à tout ce qu'il disait. Comment cette femme se permettait-elle d'être aussi familière ? Même s'il était évident qu'ils ne jouaient pas dans la même cour, Gavin et elle, il était d'une courtoisie irréprochable et, à son crédit, il se laissait faire de bonne grâce.

Au bout d'une minute, elle se souvint qu'il était inutile de l'attendre puisqu'il restait pour l'accompagnement à l'exposition Picasso, si bien qu'elle se dirigea vers le portail de l'école. Le trajet n'était que de quelques pas, mais elle regretta de le faire toute seule. Quelques mois plus tôt, cela lui aurait pris dix bonnes minutes, parce que n'importe laquelle de ces femmes en doudoune Uniqlo ou en duffle-coat pastel l'aurait arrêtée pour faire un brin de conversation ou bien pour inviter Patrick ou Caleb à goûter. Mais la plupart de ses copines avaient choisi, comme Carol et Celia, d'inscrire leurs enfants ailleurs et les autres, celles qui travaillaient, étaient déjà presque arrivées à la gare, trop occupées à vérifier leurs mails pour se rendre compte que cette école autrefois réputée, dans laquelle elle avait choisi de laisser leurs malheureux enfants, était aujourd'hui bien peu recommandable.

11

— Tu trouves notre relation équilibrée?

Sara était devant son miroir, en train de se passer de la crème hydratante sur le cou.

Neil leva les yeux. La lueur de son écran d'ordinateur se reflétait dans ses lunettes.

— Je ne vois pas de quoi tu parles.

— Eh bien, est-ce que tu nous vois comme les deux moitiés d'un tout?

— On se complète, c'est sûr, lança-t-il.

— Tu ne veux pas répondre, c'est ça? répliqua-t-elle, contrariée.

— Et toi, tu ne veux pas arrêter avec tes questions sibyllines?

Il rabattit le couvercle de son ordinateur et ôta ses lunettes.

Elle se mit au lit, soudain gênée bizarrement. Comme si sa question restée sans réponse avait, d'une manière ou d'une autre, créé une tension sexuelle entre eux. S'en rendant compte, il passa un bras affectueux autour de ses épaules et elle se détendit un peu. Elle revint à la charge.

— Est-ce que tu penses que le mariage devrait être quelque chose qui *fonctionne*, dans lequel chacun fait ce qu'il a à faire sans se poser de questions?

Il lui caressait l'épaule, ce qu'elle trouvait agaçant.

— Ou alors est-ce que ce devrait être quelque chose de grand, de difficile, de passionné, qui... Est-ce que tu peux arrêter, s'il te plaît?

— Désolé.

— J'ai lu quelque part que ça devrait être un mélange de boue et de poussière d'étoiles, d'amour et de haine, ou un truc du genre.

— À mon avis, idéalement, il vaut mieux ne pas se haïr.

Elle soupira et se glissa sous la couette en se dégageant de son bras. Il s'y glissa à son tour et lui pressa gentiment le coude, dans un geste conciliant.

— Désolé, ma puce, mais je ne vois pas où tu veux en venir. Essaye de m'expliquer.

— Pas grave.

— En tout cas *moi* je t'aime, si ça peut aider, conclut-il d'un ton hésitant.

Sara était désormais certaine de ressentir quelque chose pour Gavin. Rien d'autre qu'une attirance banale et sordide mais, si ce soir-là, tandis qu'elle faisait l'amour avec Neil, elle ne ferma pas les yeux pour imaginer qu'elle était avec le mari de sa meilleure amie, ce ne fut pas parce qu'elle avait honte, mais plutôt qu'elle ne parvint pas à faire vraiment abstraction. Car Neil était un amant généreux et sa technique était plutôt bonne. Il consacrait toujours de longues minutes à son plaisir à elle, concentrant peu à peu son attention sur son point sensible qu'il avait appris à caresser non pas du haut vers le bas, du bout de son doigt, ce qu'elle détestait, mais du bas vers le haut et avec le plat de la main, consciencieusement. De cette manière, neuf fois sur dix, elle était assurée d'avoir un orgasme d'une profondeur et d'une intensité satisfaisantes, avant qu'il ne se consacre ensuite à sa propre jouissance.

Lorsqu'elle s'imaginait coucher avec Gavin, Sara ne voyait pas du tout les choses de la même façon. Elle repensait à cette histoire de boue et de poussière d'étoiles et se figurait précisément les choses en une succession d'images fugaces, excitantes parce que transgressives, où la honte, le plaisir et la douleur se mêlaient. Gavin lui faisait des suçons sur le sein, lui plongeait un doigt dans l'anus, ou, horreur, jouissait sur son visage. Au-delà des images, il y avait la bande-son, sublime : un air d'opéra, une chanson de Leonard Cohen, un magnifique chant liturgique orthodoxe.

— Gav était à l'école cette semaine pour intervenir en cours de dessin, dit Sara lorsque Neil revint de la salle de bains.

Il avait une hygiène post-coïtale parfaite, on ne pouvait pas dire le contraire.

— Ah oui ?

— Il a été un peu déçu.

— Ce n'est pas très grave. Ce n'est que les cours de dessin. Je m'inquiète plus pour Caleb qui est en CM2 et n'a toujours pas entendu parler de division à deux chiffres.

— Oui, enfin, il n'était pas juste déçu par les cours de dessin, il parlait de l'esprit de l'école en général.

— Qu'est-ce qui ne va pas ?

— Ça manque de passion d'après lui. Les profs sont en pilotage automatique. Ce n'est rien qu'un service de baby-sitting amélioré.

— Je ne pense pas que Gav soit bien placé pour juger de ça.

— Moi, je dirais qu'il est mieux placé que toi en tout cas. Quand as-tu mis le pied à l'école la dernière fois ?

Neil lui lança un regard noir.

— OK, pardon, je suis injuste, reconnut Sara, mais bon je ne suis pas loin de penser comme lui. J'ai jeté un œil au cartable de Patrick l'autre jour et il n'y avait rien d'autre que des pages et des pages de coloriage.

— J'espère au moins qu'il ne dépasse pas en coloriant.

Elle eut un petit sourire moqueur.

— Je ne comprends juste pas comment le niveau d'une école peut baisser si vite, reprit-elle. Je veux dire, il y a dix-huit mois, elle était décrite comme « d'un bon niveau, et même excellent dans certaines matières ».

— Eh bien, si tu es inquiète, vois ce qu'il faut faire, suggéra Neil.

— Oui, oui, répondit-elle. J'en ai bien l'intention.

Il tombait des cordes le matin de la sortie scolaire, mais Sara avait opté pour un parapluie rétractable plutôt que de devoir cacher sa tenue, choisie avec soin, sous un imperméable peu flatteur. En se démenant sur New Cross Road derrière une horde d'enfants de CM2 chahuteurs, elle regrettait déjà sa décision. Le parapluie ne cessait de se retourner, l'empêchant de voir Gavin qui, lui, était en tête de file en train de bavarder avec Kate Harrison, l'institutrice.

— Vous n'y voyez pas d'inconvénient, n'est-ce pas, Sara ? lui avait demandé celle-ci. Je préfère savoir qu'il y a une voiture-balai au fond pour ramasser les traînards.

Là-dessus elle avait été reléguée en queue de file, avec Caleb qui, du haut de ses dix ans et séparé de son meilleur copain, y voyait, lui, un vrai inconvénient. On l'avait placé à côté d'Engin, un garçon exubérant d'origine turque qui était à la fois curieux comme un gamin de son âge et bâti comme un lutteur. Tout excité d'être en sortie, Engin se désespérait devant l'indifférence placide de Caleb et faisait tout ce qu'il pouvait pour attirer son attention, d'abord en lui parlant sans arrêt, puis à coups de pitreries, et finalement en se montrant franchement désagréable.

Pas une place assise dans le train et plus un centimètre libre de rampe où s'accrocher. Sara n'eut d'autre choix que de coincer son parapluie mouillé entre ses genoux et de se tenir à la capuche de ses deux protégés, parfaitement consciente que, si Engin tombait, il entraînerait avec lui tout le wagon. Une odeur de sièges humides et d'haleines lourdes emplissait le train. De la buée opacifiait les vitres, ce qui ne laissait d'autre spectacle à contempler que le dos des voyageurs, leurs épaules ou leurs coudes agressifs. En étirant le cou, elle parvenait à apercevoir Gavin, élégant dans son imperméable classique, nonchalamment suspendu entre deux porte-bagages, telle une chauve-souris. Se laissait-il pousser la barbe ou bien ne s'était-il juste pas rasé ? En tout cas, ça lui allait bien.

Tandis qu'elle poussait Caleb et Engin entre les barrières automatiques à la gare de Charing Cross, tout le reste du groupe était déjà aligné pour le comptage. Elle fit de grands gestes et Kate Harrison écarquilla les yeux en tapotant sa montre du doigt. À toute vitesse, Sara fit traverser le hall aux deux garçons et ils rejoignirent la file pile au moment où celle-ci commençait à avancer vers le Strand. Le musée se dressait de l'autre côté de Trafalgar Square, comme une citadelle dominant de sa clarté une plaine hostile. Des autobus à impériale surgissaient de partout, des gens en chemin pour leur travail traversaient n'importe où, des klaxons retentissaient de toutes parts, au milieu de centaines de pigeons. Si seulement elle parvenait à les faire traverser juste avant que le feu ne passe au vert, mais non, le bonhomme vert se mit à clignoter et ils se retrouvèrent abandonnés sur un îlot au milieu de la rue, tandis que le reste du groupe s'éloignait comme une colonie de fourmis.

Enfin, rouge de confusion et en nage, Sara fit monter les deux garçons jusqu'à l'entrée et les poussa vers le parcours spécial scolaire, où les autres étaient déjà assis par terre devant la *Nature morte aux citrons* de Picasso. Une jeune femme vêtue d'une robe en jean serrée par un cordon à la taille attendit, non sans faire sentir son impatience, que Caleb et Engin s'assoient et Sara, honteuse, s'installa tout au fond.

Elle scruta la pièce, mais Gavin n'était nulle part. Elle avait renoncé à le trouver lorsqu'une voix lui chuchota à l'oreille :

— Mais où étais-tu passée ?

— Oh, tu m'as fait peur !

Il lui serra le coude et eut un petit rire, ce qui leur valut un regard désapprobateur de Kate Harrison, auquel Sara répondit par un sourire triomphant.

— Non mais je n'arrive pas à croire que tu m'aies fait faire ça ! s'exclama Sara en se laissant tomber sur le siège à côté de Gavin sur le pont supérieur du bateau-bus.

L'audace et la spontanéité de leur décision lui donnaient le tournis.

— Tu devrais me dire merci. Je nous ai sauvés de cette historienne de l'art. Elle tuait les enfants, elle les tuait littéralement, c'est moi qui te le dis. Regarde-les là, est-ce qu'ils n'ont pas l'air heureux ?

Les quatre enfants dont ils étaient responsables étaient penchés contre les rambardes à l'arrière du bateau, et montraient du doigt des bâtiments de la ville, l'air ravi, le visage éclaboussé.

— On va avoir des ennuis quand Kate aura compris que ce n'était pas juste pour aller aux toilettes.

— La seule chose qui m'embête, c'est de ne pas avoir pu sauver les autres, répondit Gavin, comme s'ils venaient de fuir une zone de guerre.

— Oh, quand même, elle n'était pas si dangereuse.

— Saviez-vous les enfants qu'en plus d'être impwimeur et céwamiste Picasso était aussi dwamaturge ?

L'imitation était parfaite.

Si Neil avait été là, il aurait désapprouvé à plus d'un titre : attitude politiquement incorrecte, sexisme, snobisme inversé. Mais il n'était pas là et elle éclata de rire, la tête renversée en arrière. Elle riait toujours lorsque sa mèche, chassée par le vent, vint lui barrer le visage et que Gavin se pencha pour l'ôter.

*
* *

Sara faillit oublier le champagne. Elle sortit la bouteille du congélateur et la plaça dans le bas du frigo, et un son effrayant se fit entendre tandis qu'une énorme bulle, qu'on ne s'attendrait pas à trouver dans une bouteille de champagne, remontait lentement. Sara se redressa et aperçut son reflet dans la fenêtre poussiéreuse. Ce qu'elle vit lui plut. Ce nouveau top était flatteur, même si un peu osé. En s'avançant pour tirer les stores de la cuisine, elle vit Gavin en train d'essayer d'allumer un feu dans le jardin d'à côté. Il s'affairait dans le noir, mais tout le petit bois qu'il mettait semblait éteindre les flammes au lieu de les attiser. Elle sourit et s'empressa d'aller dans le salon chercher de la pâte à feu à côté de la cheminée.

— Neil ! Gav a besoin d'un coup de main, lança-t-elle depuis le bas de l'escalier. On s'y retrouve, d'accord ?

— Alors on s'amuse ? demanda-t-elle en apparaissant dans le jardin de ses voisins par le portillon latéral.

Gavin leva brusquement les yeux. Il était tout ébouriffé, et avait sur la joue une trace de suie. À l'évidence, s'amuser n'était pas vraiment le terme. En la voyant il sourit et prit la pâte à feu, comme s'il l'attendait. Sara le regarda faire, en serrant les bras autour d'elle à cause du froid. Puis ils restèrent tous les deux côte à côte à contempler les flammes qui projetaient un large cercle de lumière dans l'herbe, et les étincelles qui s'élevaient dans le feuillage bleu nuit.

— Euh, si je puis me permettre, à quoi ça sert tout ça ?

— Lou veut baptiser notre poêle à paella. Comme en Espagne, en plein air, c'est la tradition.

— Sympa, déclara Sara, que la perspective de dîner dehors au mois de novembre fit frissonner malgré elle.

— Tiens, dit alors Gavin en dénouant le pull autour de sa taille et en le lui tendant dans un geste de bienveillance toute paternelle.

Elle s'y plongea, respirant avec délice son odeur corsée et boisée. Lorsque sa tête refit surface, elle sentit sa main qui lui effleurait la nuque. Elle se tourna vers lui comme une fleur vers le soleil.

— Salut ! Depuis tout ce temps !

La voix de Lou la fit sursauter et elle fit un pas en arrière, se sentant coupable.

— Salut ! Tu m'as manqué !

— Toi aussi, répondit Lou, et elles s'embrassèrent maladroitement.

— Alors, ce voyage ? demanda Sara en reculant d'un pas et en posant les mains sur les bras de son amie.

— Incroyable ! Je te raconterai ça à table.

— Oui, d'ailleurs, ça m'a l'air très appétissant, ce dîner. Je n'ai jamais mangé de vraie paella.

Il s'ensuivit un débat interminable entre Lou et Gavin pour savoir ce qu'on entendait par là, sachant que la recette variait d'une région à l'autre de l'Espagne. Neil les avait rejoints avec le champagne avant que la discussion ne soit vraiment close. On alla chercher des verres, on fit sauter le bouchon et on porta un toast à Lou et à sa réussite. Le riz n'était pas du tout cuit lorsqu'il se mit à pleuvoir, d'abord une bruine légère qui se transforma vite en véritable déluge. Gavin et Neil se mirent à deux pour transporter la poêle pleine de poulet carbonisé et de riz au safran jusque dans la cuisine, où elle recouvrit entièrement les quatre foyers, provoquant un fou rire général.

— Non mais je ne sais pas à quoi je pensais, gémit Lou. Il y en a pour un régiment. Ça ne va jamais être cuit.

Pourtant si. Et, que ce soit à mettre sur le compte de la quantité d'alcool ingérée, de l'authenticité de la recette ou du léger goût de brûlé, Sara n'avait jamais rien mangé d'aussi bon.

Le tournage avait été particulièrement intense, leur raconta Lou. Et rien ne leur avait été épargné. L'ingénieur du son avait pris une cuite magistrale, et l'actrice principale avait à tout prix voulu improviser. Il y avait des punaises de lit à l'hôtel, le service de restauration avait été pitoyable et c'était sans parler du budget.

— Cela dit… (Elle but une gorgée de vin avant de les regarder tous avec un sourire où elle ne parvenait pas à masquer sa fierté :) Je pense que je n'ai jamais rien vécu de plus fort.

Sara applaudit comme une gamine et Neil posa la main sur l'épaule de Lou, tandis que Gavin lui prenait la main, la retournait et posait longuement ses lèvres sur l'intérieur de son poignet.

— Ça y est, tu es en train d'accomplir ton rêve.

Sara se força à sourire.

— Mais, bon, c'est super d'être de retour à Londres, dit Lou. La Belgique, c'est sympa mais plan-plan. On a eu tellement raison de revenir vivre ici, artistiquement parlant. Et même, en général. Vous savez, cette impression que tout s'enclenche bien. Et vous, sinon, vous avez fait quoi pendant ce temps ?

— Pas grand-chose, répondit Gavin en haussant les épaules et en cherchant du regard autour de la table la confirmation de ce qu'il venait de dire. La routine habituelle des corvées domestiques.

— Oh, mais non, protesta Sara. Je ne suis pas d'accord. S'il y en a un qui a résisté contre la routine, c'est bien toi !

— Tu trouves ? demanda Gavin, sceptique.

— La sortie au musée ?

Sara se tourna alors vers Lou.

— Il n'a pas été sage du tout.

— Ah vraiment ? fit Lou en adressant un sourire indulgent à son mari.

— C'était dingue ! répliqua Sara sans pouvoir s'empêcher de rire. On était en train d'écouter cette brillante jeune femme nous parler de Picasso, et une minute après on était en train de courir comme des fous dans la rue derrière Gav.

— C'était ça ou j'étranglais cette pauvre femme, expliqua Gavin. Je pense qu'elle a dégoûté à vie ces gosses de l'art.

— Comment ça ? demanda Neil.

En appuyant sur les voyelles comme la conférencière, mais heureusement sans reproduire son défaut de prononciation, Gav l'imita :

— *Combien de formes voyez-vous dans ce tableau ? Vous croyez que Picasso était heureux ou triste lorsqu'il a peint cette toile ?* Non mais, je veux dire, qu'est-ce qu'on en a à foutre ?

Il prononça « fûtre ».

— Elle croyait bien faire, dit Sara.

— Je sais bien, mais quand même ! Il y avait plein de gosses qui n'avaient jamais mis les pieds dans un musée. C'est la seule occasion qu'on a de leur donner l'envie d'y revenir. Il faut les laisser s'exprimer, leur faire comprendre que la peinture ce n'est pas seulement des portraits de gens riches dans des cadres dorés. C'est quelque chose qu'ils peuvent avoir envie de pratiquer eux aussi, dont ils peuvent faire leur vie. Au lieu de ça on leur fout une starlette avec rien dans le ciboulot qui leur distribue des fiches.

— Je te trouve un peu sévère, objecta doucement Neil.

— Mais non, répondit Gav. On parle de Picasso, là ! Le plus grand peintre du XXe siècle. Un type dont la plus grande ambition artistique était de peindre comme un enfant. Ce gars comprend les gosses. Et les gosses le comprennent. Tu te souviens, Lou, comment a réagi Dash quand on l'a emmené voir *Guernica*?

Lou confirma d'un hochement de tête.

— Du coup vous vous êtes échappés? dit Neil, avec un sourire incrédule.

— Ouais. On les a emmenés à Greenwich en bateau-bus, répondit Gav, fier de lui. C'était super, putain! On a vu le Tower Bridge s'ouvrir pour laisser passer un paquebot. J'avais l'impression d'être un gosse moi aussi. J'avais jamais vu ça depuis toutes ces années où je vis à Londres. Ne me dis pas que ce n'est pas mieux que de compter les citrons dans une nature morte!

— Ouais, j'avoue, c'est cool, admit Neil. Un pont à bascule. En plus, c'est de la physique.

— On s'en fout de la physique, protesta Gavin. C'est de la poésie. C'était tellement beau. Tellement intangible. Ce petit gars, Darren…

— Daniel, corrigea Sara.

— Daniel… un vrai petit emmerdeur, qui n'arrêtait pas de s'embrouiller avec notre Dash. Mais alors il voit le pont, il en reste absolument baba. Sur le cul, le gamin. Je n'oublierai jamais l'expression de son visage à cet instant.

— Son père n'était pas complètement convaincu, cela dit, lui rappela Sara avec un sourire désolé.

— Oui, bon, je ne vais pas en plus me sentir coupable! Je connais ce type. J'ai grandi au milieu de types comme lui. Il en a rien à foutre de son gamin, sauf quand il peut chercher des embrouilles à quelqu'un. Et alors là tout à coup on ne te parle plus que de « santé et sécurité[1] ».

---

1. En anglais, jeu de mots fondé sur la similitude phonique entre « health and safety » et « elf and safety ». La seconde expression dénonce les excès de la législation en matière de santé et de sécurité.

— Oui, enfin, l'école a quand même la responsabilité des enfants, fit remarquer Neil.

— Écoutez donc la voix de la sagesse, dit Lou, moqueuse, en lui tapotant la main, ce à quoi il répondit d'un sourire penaud, sans se vexer comme il l'aurait fait si c'était venu de Sara. Mais imagine si l'on déverrouillait le potentiel de chaque enfant, insista Lou avec regret. Si l'éducation consistait en une série d'épiphanies au lieu de n'être qu'évaluations et classements.

— Oh, je suppose que cela arrive, les épiphanies, y compris à Cranmer Road, rétorqua Neil.

— Je parierais pas là-dessus, dit alors Gavin. J'y étais l'autre jour pour travailler avec les enfants autour de cette sortie au musée. J'avais plein d'idées en tête, des collages, des objets à trouver, tout ce que tu veux… Mais non. La maîtresse a voulu que je me concentre sur le cubisme parce que ça fait écho à leur cours de maths.

Consterné, il se prit la tête entre les mains.

— Oui, dit Sara d'un ton navré. Ils se recentrent sur les programmes maintenant, jusqu'à ce que les inspecteurs aient terminé leur rapport.

— Les inspecteurs ? demanda Lou.

— Ah oui, euh… il y a eu une inspection le trimestre dernier, répondit Sara en s'efforçant de prendre un ton ironique. Apparemment, on n'a pas été très bien notés. Notamment en ce qui concerne les enfants précoces. D'où le départ précipité de toutes les petites Holly et Harriet.

— Je dois dire que je les comprends maintenant que j'ai vu de près comment cela se passe. Certains gosses savent à peine écrire leur nom. Dire qu'on se demandait si Arlo et Dash allaient être au niveau ! Mais ils ne jouent pas dans la même cour, sans vouloir paraître prétentieux. C'est vrai.

— Maintenant, je comprends mieux ce que voulait dire Sonia Dudek, dit Lou en se mordant la lèvre.

— Qui ça ? dit Gavin.

— La directrice adjointe. Elle m'a prise à part il y a quelque temps de ça. M'a dit que cette école ne correspondait pas aux besoins de Dash et qu'elle se demandait si ce ne serait pas mieux qu'il en change.

Ils se turent tous les deux en songeant à l'avenir scolaire de leurs enfants, gâché par leur faute.

— Il paraît qu'il y a une bonne école Steiner à Clapham, dit enfin Lou, pleine d'espoir.

— C'est un nom qui ne me dit rien de bon, répondit Gavin. J'ai connu un gars qui était allé dans une de ces écoles. Complètement bousillé le type. Incapable de se sociabiliser.

Lou haussa les épaules et versa le reste de la bouteille dans les verres. Ensemble ils sirotèrent leur vin sans plus dire un mot. Sara piocha un grain de riz tout sec sur le bord de son assiette et se mit à le mâchouiller. Gavin fouilla dans sa poche à la recherche de son tabac à rouler. Neil jeta discrètement un coup d'œil à son portable.

— Non mais est-ce que je suis la seule à cette table à qui la solution saute aux yeux? dit enfin Lou en croisant les bras.

12

Le lendemain, Sara remarqua la fissure. Elle se baissait pour ramasser une chaussette roulée en boule sur le palier et elle la vit. C'était une fissure de la largeur d'un cheveu qui dessinait une ligne brisée sur le mur de bas en haut puis disparaissait brièvement sous la corniche avant de resurgir sur le plafond, une ligne fine mais bien visible. Elle passa le doigt dessus en fronçant les sourcils. Il y avait tant de choses dont il fallait s'occuper ! Autrefois, avant Lou et Gavin, elle aurait harcelé Neil jusqu'à ce qu'il fasse venir des artisans, car elle supportait mal le laisser-aller. Mais aujourd'hui c'était plus compliqué. La maison de leurs voisins était dans un bien pire état que la leur et pourtant elle la préférait. Lou avait l'art de sublimer la décrépitude des choses. Elle allait décaper une porte à moitié, puis l'abandonner en l'état, comme un objet archéologique vivant. Elle laissait des fleurs dans un vase jusqu'à ce que les pétales bruns tombent sur le manteau de la cheminée, non pas qu'elle fût trop paresseuse pour les jeter, mais parce qu'elle aimait la beauté étrange et mortifère de ces nuances de brun. Elle entretenait patine et vert-de-gris, adorait les draps de lin piqués de rouille et le tissu élimé. À présent que Sara s'était habituée, elle aussi en venait à mépriser les massifs de tulipes proprets et les coussins rebondis. Les vieux objets avaient tellement plus de charme et d'origi-nalité. Alors, non, elle n'allait pas courir chez Farrow & Ball chercher un nuancier, elle allait réprimer ses réflexes bourgeois et laisser la vraie personnalité de leur maison se révéler d'elle-même, quitte même si nécessaire à encourager une certaine décrépitude chic.

— Patrick ? Caleb ? appela-t-elle tout en reniflant la chaussette avant de la fourrer avec une grimace de dégoût dans le panier à linge sale. Vous vous brossez les dents, s'il vous plaît ? On devrait déjà être partis.

Ils réagirent à la vitesse de plaques tectoniques, gémissements en plus. Désormais, ils se chamaillaient même au-dessus du lavabo. Récemment, le comportement de Caleb à l'égard de son petit frère avait dépassé le stade de l'irritation pour se transformer en véritable harcèlement. Depuis le début du trimestre, il avait perdu toute envie d'aller à l'école. Il fallait dire que quatre remplaçants s'étaient succédé dans sa classe et ses notes en mathématiques avaient chuté fortement. Il n'y avait donc rien d'étonnant. Depuis que Lou avait évoqué la possibilité séduisante d'un enseignement à la maison, Sara ne voyait plus aucune raison de prolonger d'un seul jour la scolarité médiocre de ses enfants.

On sonna à la porte.
Si, il restait peut-être une raison de la prolonger.
— Bonjour, Gav.
— Bonjour, répondit-il, l'air tendu et fatigué. Énorme, énorme service à te demander.
— Vas-y.
— Est-ce que tu pourrais les emmener à l'école ? J'ai une émission de radio à 9 h 30.
— Bien sûr, aucun problème, dit-elle en masquant sa déception sous un sourire crispé. Lou est occupée, c'est ça ?
— Elle a passé la nuit debout à visionner ses rushs. Elle vient juste de s'endormir.
— Oh, super ! On va bientôt pouvoir voir le film alors ?

Il eut un rire moqueur et elle sourit, pas certaine de comprendre ce que ce rire signifiait.

Elle arriva à l'école en retard et hors d'haleine. En poussant les garçons dans la cour, elle chercha la nounou de Zuley du regard et finit par l'apercevoir, avachie sur un banc, les yeux rivés sur son téléphone, tandis que les enfants dont elle avait la charge escaladaient la structure de jeu. En voyant Mandy, Zuley se pencha en avant dans sa poussette et tendit les bras, impatiente.

— Bonjour, ma princesse, lui dit Mandy en prenant cette voix stupide réservée aux bébés et que Lou détestait.

— Désolée de vous avoir fait attendre, s'excusa Sara. Gav a eu un empêchement professionnel de dernière minute.

— Je sais, il m'a envoyé un texto.

Elle lança encore un dernier coup d'œil à son téléphone et eut un petit sourire avant de le remettre dans sa poche.

— C'est une interview à la radio, précisa Sara, bien décidée à avoir le dernier mot. Qu'il a essayé de déplacer, mais c'est du direct, alors…

Totalement indifférente, Mandy jeta son sac sur son épaule et empoigna la poussette. Zuley, ravie, se mit à gigoter, et Sara se sentit inutile et dépossédée.

— Au revoir, ma chérie, passe une bonne journée, dit-elle en se penchant pour embrasser l'enfant, mais celle-ci fit la grimace.

— Ne vous inquiétez pas, elle fait tout le temps ça, dit Mandy.

Un peu blessée par cette réaction, Sara se força tout de même à les accompagner jusqu'au portail. Au moment où elles se séparaient, la nounou s'arrêta et lui dit :

— Vous n'en avez pas un peu marre ?

— De quoi ?

Mandy eut un sourire de compassion.

— Au moins, moi, ils me payent pour ça.

Une demi-heure plus tard, Sara cherchait encore une repartie assassine, en se préparant un café.

— Marre de vivre dans une communauté d'entraide mutuelle où on ne tient pas les comptes ? Marre de soutenir un artiste important ?

Voilà ce qu'elle aurait dû répliquer.

Elle était tellement hors d'elle qu'elle en oublia de boire son café, et tellement incapable de se concentrer qu'elle n'avait écrit qu'une demi-page de notes sur la méthode Lewisham lorsque la sonnette de la porte d'entrée se fit entendre, à son grand soulagement.

— Ah, tu es là, tant mieux ! dit Lou en se dirigeant vers la cuisine. Est-ce que c'est l'odeur du café que je sens ?

— Je te croyais en train de rattraper tes heures de sommeil perdues, répondit Sara en la suivant, ravie.

— Je n'ai pas réussi. J'avais la tête farcie.

— J'imagine. Tu es contente du résultat ?

— Le film est encore assez décousu à ce stade mais, oui, je pense que ça va le faire.

Elle mit alors dans les mains de Sara un paquet enveloppé de papier cadeau.

— J'ai oublié de te donner ça l'autre soir.

C'était bien la preuve irréfutable, non ? Avec un emploi du temps hyper serré, des personnalités difficiles à gérer, une équipe à diriger, un film à faire dans le délai et le budget impartis, Lou avait réussi à trouver le temps de lui acheter un cadeau. Elle déchira le papier et découvrit un chérubin en plastique couleur bronze.

— Oh ! Que c'est mignon !

— C'est un Manneken-Pis distributeur de boisson,

expliqua Lou, comme la fontaine à Bruxelles. Je n'étais pas à Bruxelles, mais bon. Tu le remplis et il te sert ta boisson.

— Génial! s'exclama Sara. Je vais le mettre ici, qu'on le voie bien.

Elle plaça la figurine sur l'étagère du buffet et elles se délectèrent ensemble quelques minutes du caractère kitsch et subversif de ce cadeau.

— Alors, et toi? Qu'est-ce que tu as fait tout ce temps? finit par demander Lou. Oh, pardon, tu étais en train d'écrire et je te dérange!

— Non. J'ai terminé, répondit Sara avec fierté.

Lou la regarda, sidérée.

— Sara, mais c'est dingue! Mon Dieu, tu me donnes des complexes.

— J'ai beaucoup travaillé pendant ton absence. Gav est un bosseur acharné, non? J'ai fait ce que j'ai pu pour le distraire un peu, mais il a passé son temps à me renvoyer à mon ordinateur.

Lou n'avait pas l'air d'écouter. Elle plissa les lèvres, l'air concentré.

— OK, ça devrait être bon, murmura-t-elle. Si je regarde ton manuscrit ce week-end et te le rends avec mes commentaires, tu pourras l'envoyer le week-end prochain.

— L'envoyer?

— À des agents littéraires. Il te faudra un agent, Sara. Je vais en parler à mon ami Ezra. On va commencer par lui. Ça ne peut pas faire de mal d'utiliser le réseau.

— Ezra? demanda Sara, intriguée.

— Ezra Bell.

— Tu connais Ezra Bell?

— On le connaît, oui. Il a été un des premiers acheteurs de Gavin, du temps où personne ne parlait encore de lui.

— De Gav?

— Non, d'Ezra. Enfin d'aucun des deux. Leur carrière s'est faite en parallèle, c'est ça qui est sympa.

Sara prit quelques secondes pour digérer cette info. Qui ne connaissait pas Ezra Bell? Carol, par exemple, aurait renoncé à sa carte de membre du Donmar Warehouse pour une chance de toucher le bout de la veste en velours d'Ezra Bell. Gavin par contre était connu, certes, et respecté dans un cercle de connaisseurs, mais sûrement pas au même niveau que le chroniqueur de l'Amérique post-11 Septembre, lauréat du prix Pulitzer. Mais là encore elle ne savait plus trop si elle pouvait se fier à son seul instinct. Lou passait son temps à nommer des gens dont Sara n'avait jamais entendu parler comme si c'étaient de vrais demi-dieux. Le fait était que, jusqu'à sa rencontre avec Gav et Lou, elle avait vécu dans un tout petit monde étriqué.

— Il vient squatter notre canapé le mois prochain pendant sa tournée de promotion, ajouta Lou. Tu pourras échanger avec lui à ce moment-là.

— C'est ça, oui, je m'y vois bien, ironisa Sara. Ezra, tu penses qu'il faut que je conserve les droits sur la version numérique jusqu'à la fin de la promo ou bien est-ce que je balance tout dès maintenant?

Lou la regarda avec un air de reproche.

— Voilà que tu recommences.

— Non mais attends, entre lui et moi y a pas photo!

— Ezra Bell n'était qu'un type ordinaire sans aucune confiance en lui lorsque nous l'avons rencontré et son premier roman dormait dans un tiroir. Est-ce que ça te rappelle quelque chose?

Sara ne put s'empêcher de sourire, sans savoir vraiment si c'était à cause de cette comparaison démesurément flatteuse ou bien de l'idée sous-entendue que la rencontre avec Lou et Gavin avait été pour Ezra le début de la gloire. Cela dit, mettre en cause l'ego surdimensionné de Lou équivalait à dénigrer son propre travail au moment où elle commençait à peine à y croire. Elle avait tenu compte des conseils de son amie, refusé de penser à la mine pincée que ferait sa mère et écrit sans plus aucune retenue, creusant dans les profondeurs les plus sordides de son imagination et créant des scènes d'une crudité et d'une force émotionnelle qui l'avaient conduite elle-même au bord des larmes. Sans concession, elle avait fait des coupes claires dans son manuscrit original, sacrifiant des paragraphes qui lui avaient semblé indispensables autrefois, mais lui paraissaient maintenant superflus et prétentieux. Le résultat était un roman plus mince semblable à quelque chose qu'on aurait conservé dans de l'éther, dont elle et elle seule était susceptible de se saisir. Devant la liasse de pages imprimées bien serrées dans leur pochette cartonnée grise, elle avait envie de se pincer, tant elle avait l'impression d'assister à un petit miracle. C'était déjà intimidant de soumettre cette version finale au regard critique de Lou, mais l'idée que le livre puisse, avec peut-être un mot d'encouragement du grand homme, parvenir jusqu'à la boîte aux lettres de l'agent d'Ezra Bell lui donnait des sueurs froides.

— Contente-toi de me le laisser et passe au suivant, insista Lou. Au fait, c'est quoi le suivant ?

Sara souleva le carnet où elle prenait ses notes d'un geste plein d'entrain.

— Je suis concentrée sur notre projet, et rien d'autre.

— Ah oui !

— En fait, c'est beaucoup plus simple que l'on ne croit. Il faut suivre un protocole, mais on ne peut pas t'empêcher de le faire. Étonnamment, c'est assez répandu. Déjà quatre cents familles rien que dans la région et le chiffre augmente.

— Ah bon, tant mieux, répondit Lou, sceptique.

— Tu n'as pas changé d'avis, si ?

— Oh non, bien sûr, et j'aimerais bien pouvoir m'impliquer dans l'organisation, mais je suis trop occupée avec la post…

— La poste ? s'étonna Sara, qui imaginait déjà Lou en train de trier des paquets de courrier.

— La postproduction. Ça prend toujours plus de temps qu'on ne croit. Si on veut être réaliste, on peut dire tout début janvier, tu ne penses pas ? Nouvelle année, nouveau départ ?

13

Le concert de fin de trimestre à Cranmer Road constitua un vrai test pour Sara. Comme chaque année, les enfants oublièrent leur texte, chantèrent faux, eurent le fou rire, s'agitèrent, et on atteignit le summum avec une interprétation vibrante de « Winter Wonderland » qui aurait dû faire fondre le cœur de Gradgrind[1] lui-même. Il fallait vraiment que le niveau de l'école fût désespérant pour massacrer ainsi Noël.

La nuit tombait déjà lorsqu'ils rentrèrent chez eux et les illuminations de la ville venaient juste de s'éclairer. Ce trajet, le long des bureaux de PMU, des magasins de presse et des teintureries, typiquement banlieusard et tristounet, avait été le décor d'une partie de la vie de Sara sur le point de s'achever. Même si elle ressentait de l'excitation à l'idée d'entamer une nouvelle phase où la vie de ses enfants prendrait de l'ampleur car ils allaient découvrir le pouvoir de leur créativité sur le monde, elle se rendait compte à cet instant, non sans nostalgie, du prix des choses ordinaires, de cette consolation que l'on peut trouver à être une fourmi dans une fourmilière, qui travaille sans se poser de questions, dans le but de construire un bien commun. Cela ne manquait certes pas de dignité, et offrait même une forme de libération.

---

1. Personnage principal d'un roman de Charles Dickens, *Les Temps difficiles*, qui incarne l'échec d'un système éducatif promouvant exclusivement progrès matériel et culte de l'efficacité.

— Alors, le directeur ne s'est pas fâché ? demanda Neil au dîner, quand elle lui rapporta les événements de cette semaine cruciale.

— Pas vraiment, répondit-elle. Je pourrais presque croire qu'il était même assez content.

— Il en avait sûrement ras le bol de tous ces parents de la classe moyenne qui poussent leurs enfants, répliqua Neil en mangeant son poisson.

— Carol m'a dit qu'il avait presque pleuré quand elle et Celia lui avaient annoncé qu'elles quittaient le navire.

— Elle exagère toujours, dit Neil en extirpant de sa bouche une queue de crevette, qu'il posa sur le rebord de son assiette. Il a dit quoi exactement ?

— Oh, qu'il espérait que nous savions ce que nous faisions. Qu'il pouvait nous assurer que l'école était de nouveau sur les rails et qu'ils n'auraient aucun mal à recruter de nouveaux élèves. Il a soutenu qu'ils avaient raison de ne pas faire de groupes de niveau. Et c'est là que Lou l'a remis à sa place.

— Ah bon ?

— Elle lui a montré les comptes rendus de lecture de Dash. Elle lui fait déjà lire les classiques : *L'Île au trésor*, *Tom Sawyer*, Salinger, même si je ne suis pas sûre que ce soit de son âge…

Neil fit un geste de sa fourchette pour qu'elle aille droit au but.

— Bref, Dash a tout rempli et l'institutrice a corrigé en lui mettant de beaux smileys dans la marge mais, si tu lis vraiment ce qu'il a écrit, il s'est contenté de recopier la même chose chaque fois. Tout ça parce qu'elle sait qu'il est brillant et donc elle n'a pas pris la peine de lire.

— Il est malin, celui-là, lança Neil. Et qu'a dit le directeur ?

— Il a dit que Dash était le seul de son espèce et qu'il lui fallait une pédagogie adaptée, avec des apprentissages, oh, je ne sais plus. Il a utilisé beaucoup de jargon pour dire au final qu'il ne pouvait plus le garder.

Neil eut un petit rire moqueur, dont Sara ne sut pas s'il était dirigé contre le directeur ou Dash.

— Est-ce qu'il a dit quelque chose à propos de Caleb et Patrick ? demanda-t-il après réflexion.

— Il a dit que l'ensemble de flûtes à bec et l'équipe de foot les regretteraient beaucoup.

— On est obligés d'aller chez les voisins ? lança Caleb, avachi en pyjama sur le canapé devant un dessin animé. Ça sent bizarre chez eux.

— Mais non, qu'est-ce que tu racontes ? Vous allez vous amuser. Et puis vous serez avec vos copains.

— Pourquoi ils viennent pas ici ?

— C'est plus facile pour moi si vous êtes chez eux. Les jouets de Zuley sont là-bas.

— Je déteste Zuley.

— Caleb !

— Elle raconte n'importe quoi et elle pleure tout le temps.

— Oui, parce qu'elle a trois ans. Essaye de comprendre, ce n'est pas facile pour elle. Elle veut juste être avec vous, les grands. Laisse-la tranquille.

— Mais c'est pas ma sœur !

— Tu aimes bien les filles pourtant.

— Non justement.

— Tu aimes bien Holly.

Il fixa l'écran sans réagir, puis son expression changea soudain.

— Pourquoi on ne la voit plus ? C'est parce que tu t'es fâchée avec Carol ?

— J'aime beaucoup Carol, dit Sara en prenant le ton le plus détaché possible. Et je ne t'empêche pas de voir Holly si tu en as envie.

*
* *

Lorsqu'elle sonna à la porte, Sara n'obtint pas de réponse. Elle leva les yeux au ciel et sourit en imaginant Gavin très absorbé par son travail dans son atelier, sourd aux bruits du monde extérieur à cause de ses écouteurs. Un jour, il lui avait fait deviner ce qu'il préférait écouter en travaillant. Elle avait fait mine de se creuser la cervelle comme la princesse qui essaye de deviner le nom du nain Tracassin dans le conte de Grimm.

— Pearl Jam?
— Non.
— Kraftwerk?
— Non.
— Steve Reich? Muddy Waters? Patti Smith?
— Non, non et non.

En fait, c'était Magic FM. Toute cette guimauve nostalgique, des heures durant, elle n'en revenait pas. Mais Gav lui avait dit que cela lui rappelait de bons souvenirs. C'était sa petite madeleine à lui. Cela l'amusa de l'imaginer en train de créer ses sculptures torturées et en proie à des souffrances existentielles au son des accords de Air Supply et de Lionel Richie. Cela dit, elle aurait été heureuse de ne pas poireauter trop longtemps dans le froid devant la porte, avec les garçons qui juraient et trépignaient d'impatience. Où étaient donc passés Dash et Arlo? À ce rythme, ils allaient passer leur matinée dehors. Finalement, les coups de sonnette répétés finirent par attirer Zuley, qui traversa l'entrée en sautillant dans son pyjama. De longues minutes de torture s'ensuivirent pendant lesquelles elle se hissa sur la pointe des pieds pour atteindre la poignée. Elle y parvint enfin dans un effort surhumain.

— Allez demander à Dash et Arlo ce qu'ils veulent pour le petit déjeuner, dit Sara aux garçons avant de se diriger à grands pas vers la cuisine et de commencer à ouvrir les placards pour y trouver les denrées de base. L'évier était plein de vaisselle sale, qui trempait à moitié dans une eau froide d'où remontait une odeur d'égout. Elle avait besoin d'un café mais, en ouvrant la cafetière, elle la trouva pleine de marc datant de plusieurs jours. Elle la vida en la tapant contre le bord de l'évier, jeta le filtre dans l'eau et ajouta une grande quantité de liquide vaisselle avant d'ouvrir à fond le robinet d'eau chaude.

— Mary Poppins, en chair et en os, déclara alors une voix familière.

— Ah, bonjour, Gav, répondit Sara en faisant de son mieux pour ne pas prêter attention à la chaleur soudaine qui envahit son ventre. On dirait que la fée du logis a oublié de passer chez vous hier soir.

— Mon Dieu, oui, en effet ! Quel bazar ! Laisse tout ça !

Elle s'apprêtait à ignorer sa remarque lorsque Caleb se précipita dans la pièce et annonça hors d'haleine :

— Arlo veut des Rice Pops et Dash des raviolis aux crevettes !

— Petit déjeuner, expliqua Sara, en voyant l'air stupéfait de Gavin.

— Des raviolis aux crevettes ! dit-il en secouant la tête, admiratif. Il manque pas d'air, celui-là !

— Ça va être difficile vu les réserves que vous avez en magasin, fit remarquer Sara.

Et elle dévissa le couvercle d'une boîte vintage pour illustrer son propos et ajouter l'insulte à la souffrance : il n'y avait plus de café.

— Seigneur ! soupira Gavin, comme si rien de tout cela n'était sa faute, et Sara se sentit alors tiraillée entre un sentiment d'indignation en solidarité avec Lou et une pointe de plaisir malin parce que, dans sa poursuite d'une carrière sans concession, son amie s'était montrée défaillante sur le front domestique.

— Eh bien, dit Gavin, résigné, s'il n'y a plus de café, nous n'avons pas le choix, n'est-ce pas ?

*

Sara ne se souvenait plus de la dernière fois où elle avait autant apprécié un vrai petit déjeuner anglais. Ils habitaient depuis plus de dix ans en face de chez Dimitri, mais elle n'y était jamais entrée. Neil prétendait qu'il sentait ses artères se gorger de graisse rien qu'en passant devant la ventilation. Mais, ce matin-là, les œufs étaient frais, le bacon charnu et bien salé, et le pain grillé croustillant et saturé d'huile avait la saveur du péché, tout comme le fait de flirter avec le mari de sa meilleure amie un matin en semaine dans un boui-boui crapoteux. Tandis que Zuley s'amusait avec un bout de champignon et que les garçons se chamaillaient devant *Angry Birds*, Gavin buvait son café et la regardait en souriant par-dessus le rebord de son mug.

— J'aime les filles qui ont bon appétit.

Sara baissa les yeux vers son assiette où l'œuf frit et la sauce tomate formaient un beau crépuscule, et elle sourit. À l'exception d'un beignet de temps à autre et de son goût pour les alcools forts, Lou était obsédée par la nourriture saine. Elle et Neil auraient conjointement désapprouvé ce qu'étaient en train de faire leurs mari et femme.

Une semaine sur deux, Lou soumettait sa famille à un nouveau caprice nutritionnel. Si ce n'était pas pour traiter l'eczéma d'Arlo en supprimant le gluten, c'était pour stimuler les performances intellectuelles de Dash en le gavant d'oméga 3 ou encourager la créativité de Gavin et (clin d'œil) améliorer sa forme dans tous les domaines à grand renfort de légumes crucifères. Mais Sara le connaissait assez, maintenant, pour se douter que les angoisses et la relation pathologique de sa femme avec la nourriture exaspéraient

Gavin, tout comme sa vénération pour des gens comme Dieter et Korinna. Elle savait aussi qu'il y avait peu de domaines dans lesquels elle surpassait Lou, peut-être un seul en fait : elle n'était pas névrosée. Et c'est sur ce point qu'elle devait mettre le paquet.

— Dis tout de suite que je suis goinfre, répondit-elle, une lueur malicieuse dans les yeux.

— Je dis juste que ton appétit fait plaisir à voir.

— Oui, un peu trop peut-être, dit-elle en se pinçant le ventre sans y croire vraiment.

— C'est bon. Il n'y a pas de mal à se faire du bien, dit-il en la regardant droit dans les yeux.

Elle s'efforça de soutenir son regard et de ménager un silence lourd de sous-entendus.

— Lou a un corps superbe, dit-elle avec un soupçon de reproche dans la voix.

Il la transperça des yeux comme s'il voyait clair dans son âme noire et intrigante.

— Je n'ai jamais dit le contraire.

14

À l'heure pour assurer le baby-sitting ce vendredi soir, la mère de Sara s'arrangea comme toujours pour la couper dans son élan.

— Eh bien, j'imagine que c'est une bonne chose qu'après quatorze ans de mariage tu continues de faire des efforts, lui dit-elle en déshabillant sa fille du regard.

— Quinze ans, corrigea Sara. Qu'est-ce qu'il y a ? Tu n'aimes pas ?

Elle se mit à tripoter nerveusement le devant de sa robe de cocktail. Comme si, dans son tailleur rustique, sa mère pouvait se poser en arbitre des élégances ! Pourtant, Sara sentait déjà son assurance s'étioler.

— Est-ce que…, lui demanda sa mère en avisant ses bas à résille avec scepticisme, tout va bien entre toi et Neil ?

— Que veux-tu dire par là ?

— Tu es bien sophistiquée.

— Pas sophistiquée, non, mais je vais à l'avant-première du film d'une amie, à Soho.

— Ah, je vois ! s'exclama sa mère, d'un ton plus enjoué. Dans ce cas, si on te prend en photo, n'oublie pas de te tenir bien droite. Tu es complètement voûtée quelquefois.

— Oui, enfin, je t'ai dit première, mais c'est plutôt une projection privée. D'un court-métrage qu'une amie a réalisé. Entre copains, quoi.

Sa mère la déshabilla une nouvelle fois du regard.

— Mais il y a une fête après.

— Ah bon ? Ça veut dire que vous allez rentrer tard ? Non, parce que j'ai ma vente de charité demain matin.

Sara, qui lui tournait le dos et préparait une tasse de thé, ferma les yeux et se força à compter jusqu'à cinq dans sa tête.

— Je ne sais pas exactement à quelle heure nous allons rentrer, mais il faut qu'on y passe. C'est l'occasion de remercier tous ceux qui ont participé au film.

Elle n'avait pas plus tôt dit ces mots qu'elle les regrettait déjà.

— Et comment as-tu *toi* participé au film ? lui demanda sa mère en prenant la tasse de thé qu'elle lui offrait.

— Oh ! eh bien, nous avons mis un peu de sous. Une sorte d'investissement, si tu veux.

— De l'argent ?

— Non, mais pas beaucoup. Juste une contribution. En plus, si le film est accepté par un gros distributeur, ce qui risque d'arriver, on fera peut-être du bénéfice.

— Je n'imaginais pas que vous aviez de l'argent à jeter par les fenêtres, avec toi qui ne travailles plus.

Sara eut un sourire pincé, mais elle refusait de répondre à la provocation.

— On s'en sort, répondit-elle.

Et c'était vrai. Ils s'en sortaient. Neil était président-directeur général désormais et son augmentation compensait largement la perte des maigres revenus de Sara. Et même s'ils avaient été obligés d'emprunter pour aider Lou à réunir les derniers fonds, eh bien, c'était à ça que servaient les amis, non ? En plus, l'idée n'était pas venue d'elle. Lou était assise les jambes croisées sur le tapis devant la cheminée en train de l'éplucher nerveusement de la main, des étoiles dans les yeux et une lucidité étonnante vu l'heure avancée, le nombre de verres de vin avalés et un énorme joint.

— Mais je refuse de me laisser abattre, avait-elle dit.

Parce que je sais que nous allons trouver l'argent quelque part. Il est hors de question de ne pas terminer le film.

Et elle avait ajouté en regardant fixement Sara et Neil :

— Juste hors de question.

Sara avait interrogé Neil du regard : « Tu crois qu'on devrait... ? » et il avait immédiatement rétorqué :

— Mais bien sûr qu'il faut que tu le termines. Et on va t'aider, pas vrai, Sara ?

Sara avait alors ressenti à la fois de l'émotion devant la réaction enthousiaste de Lou et une pointe de vexation parce qu'elle s'était surtout adressée à Neil alors qu'il n'avait fait que formuler à voix haute ce qu'elle-même pensait tout bas.

— Oh, mon Dieu, je n'aurais jamais osé te le demander à toi ! s'était-elle écriée en se redressant pour lui attraper la main comme un serf devant son seigneur au Moyen Âge. Mais merci alors !

S'il avait eu une bague au doigt, elle l'aurait embrassé, s'était alors dit Sara. Elle avait tout de même fini par se tourner vers Sara pour la serrer dans ses bras et celle-ci avait tenté de savourer cette impression d'être une amie très très chère, et une généreuse mécène, en se retenant d'avoir des arrière-pensées, mais elle s'était finalement entendue poser la question :

— Et combien te manque-t-il exactement ?

C'était trop tard. Ils s'étaient déjà jetés à l'eau. Sara avait mis de côté ses doutes et s'était rassurée en se disant qu'ils récupéreraient très vite les économies qu'ils avaient réservées aux études des garçons. Tout en se disant cela, elle s'était laissée aller à imaginer, comme cela lui arrivait de temps en temps, son rôle dans cette histoire. Le scénario qu'elle avait en tête la propulsait aux premiers rangs du public dans des festivals de cinéma, juste derrière les cordons de velours, au milieu d'un tas d'intellectuels venus d'Europe, et à la remise d'un prix prestigieux, baissant modestement les yeux, elle entendait son nom cité dans un discours de remerciement ému. Avec un peu de chance, ce soir marquerait le début de tout cela.

Mais il lui restait à faire face d'abord à la désapprobation maternelle.

— Est-ce que c'est vrai ce que m'a dit Caleb ? lui demanda sa mère, en revenant du salon et en s'emparant d'un torchon.

— Tu n'as pas besoin de faire ça, maman, dit Sara. On va laisser sécher. Que t'a-t-il dit ?

— Que tu les avais retirés de l'école.

— Euh… oui.

— Et que tu leur faisais l'école toi-même.

— Pas moi toute seule. Avec Lou.

— Et elle est prof, cette Lou, c'est ça ?

— Non, c'est l'amie dont nous allons voir le film ce soir. Ses garçons sont les meilleurs amis de Caleb et Patrick et elle est aussi peu satisfaite que nous de cette école. Elle a de super idées. Elle est pleine d'imagination. Alors, dès qu'elle aura terminé ce projet, on va s'y mettre vraiment.

— Tu n'as pas encore commencé ? Mais ça fait au moins six semaines que l'école a repris !

— Cinq. J'attends juste qu'elle ait fini son film.

— Mais je croyais que c'était ce soir l'avant-première.

— C'est un premier jet, maman, dit Sara en s'efforçant de se montrer patiente. Il est pratiquement terminé, mais il manque quelques détails qu'elle va ajouter avant la sortie officielle.

La mère de Sara avait du mal à cacher sa consternation.

— Et donc que font-ils exactement pendant ce temps-là, mes petits-fils ? Ils jouent à leurs jeux stupides toute la journée en pyjama, j'imagine ?

— En fait non. J'ai interdit la télévision. Ils lisent des livres, vont au musée et inventent des jeux avec les voisins.

Le terme de « jeux » était sans doute généreux pour

désigner les affrontements guerriers et bruyants qui avaient mis la maison à feu et à sang, mais nul doute qu'ils avaient exercé leur imagination.

— Tu ne penses pas que ce serait aussi bien de les remettre un peu à l'école le temps que vous vous organisiez correctement ?

— Mais nous sommes organisées, maman, et l'école part à vau-l'eau. Je ne crois pas que tu réalises à quel point le système éducatif s'est appauvri. Si tu avais vu comme ils manquaient de stimulation ! C'est tellement frustrant pour eux !

Sa mère marqua une pause et réunit toutes ses forces avant de lui assener le coup de grâce.

— Que pense Carol de tout ça ?

Sara prit une grande inspiration.

— Carol a retiré Holly de l'école au trimestre dernier, répondit-elle calmement, et elle sentit le soulagement palpable de sa mère.

Voilà qui donnait de la crédibilité à leur décision. Voilà qui était raisonnable.

— Je vois…

— Elle les a mis dans le privé.

Sa mère leva un sourcil qui en disait long.

— Non, maman, ce n'est pas notre genre. Et puis de toute façon on ne pourrait pas se le permettre.

— Je pourrais vous aid…

— Non maman.

— Mais, et ta carrière ?

C'était l'argument de dernier recours.

— Quoi, ma carrière ?

— Tu étais tellement soulagée lorsque Patrick est entré à l'école. Trêve de plaisanterie, ma chérie, tu penses vraiment être faite pour être mère au foyer ?

— Je ne vais pas être mère au foyer, maman. Je vais combiner l'instruction de mes enfants à la maison, en espérant que ce sera une expérience gratifiante et créative, et la publication de mon roman dont mon amie Lou pense qu'il a toutes les chances de trouver un éditeur, figure-toi.

Le visage de sa mère prit alors cette expression qu'en grandissant elle en était venue à redouter. Cette expression qui signifiait : « Tu es ridicule, irresponsable et immature, mais je me garderai bien de commenter parce que je n'ai pas mon mot à dire en tant que ta mère. » C'était la même expression que le jour où Sara lui avait annoncé à la fin de ses études qu'elle partait en voyage avec deux amis garçons, dont ni l'un ni l'autre n'était son petit ami. C'était aussi celle qu'elle avait faite lorsque Sara avait refusé d'être témoin au mariage de sa cousine Liane parce que ce mariage avait été le résultat d'une conspiration parentale (une expression que son père avait reprise dans son discours trois ans plus tard lors de son mariage avec Neil et qui avait provoqué l'hilarité générale). Toujours cette même expression quand, souffrant d'une dépression postnatale non diagnostiquée, Sara s'était réfugiée chez une amie, laissant Neil se débattre tout un long week-end avec Caleb en proie aux coliques du nourrisson. Lorsqu'elle faisait cette tête-là, plus moyen d'argumenter, plus moyen de trouver la réplique qui atténuerait cette certitude lasse et résignée qu'elle savait tout mieux que personne. Du coup, Sara prétexta un train à prendre et lui demanda si elles pouvaient remettre à plus tard cette discussion.

En apercevant Neil devant le Burger King dans le hall de la gare de Charing Cross, Sara regretta de ne pas avoir insisté pour qu'il passe par la maison afin de se changer, plutôt que de venir directement à la projection depuis son comité de direction.

— Qu'est-ce qu'il y a ? fit-il sur un ton méfiant en la voyant s'approcher.

— Je me demandais juste si tu allais être à l'aise en costume, répondit-elle.

— Mais oui, en plus il fallait être habillé, non ? Tu es habillée, toi.

— Il y a être habillé et être habillé.

Il la regarda sans comprendre.

— On va au club de Gav après le film, lui rappela-t-elle, en passant son bras sous le sien pour le conduire vers la sortie. Il y aura plein de gens en…

Elle s'arrêta, en réalisant qu'elle n'avait pas la moindre idée de la manière dont seraient habillés les gens. Elle savait juste qu'ils ne seraient pas habillés comme ça. Mais Neil en était resté à la première partie de l'information.

— Gav fait partie d'un club ? Mais c'est Jeeves[1], ma parole !

— Jeeves ne fréquentait pas un club, c'était le valet de chambre.

— Quand même ! Un club !

— Mais enfin, Neil, pas un club avec des vestes en tweed et des cigares. Un club d'artistes, ou de gens des médias.

— Je savais que certaines personnes fréquentaient des clubs, j'ignorais juste que je connaissais personnellement quelqu'un qui en fréquentait un.

— Eh bien, maintenant oui.

Cela dit, une fois parvenue tant bien que mal sur ses talons jusqu'à Soho, elle n'était plus sûre du tout de porter la tenue qui convenait. Lou l'avait prévenue qu'il s'agissait d'une soirée toute simple, mais elle s'était méfiée en se rappelant la pendaison de crémaillère. Elle fut donc un peu déçue de se retrouver devant un bureau tout à fait ordinaire dans une ruelle crasseuse, dans une tenue qui aurait pu passer au Festival de Cannes, et encore. Un panneau

---

1. Personnage fameux de valet de chambre qui intervient fréquemment dans les romans de P. G. Wodehouse.

discret indiquait qu'il s'agissait bien des locaux de Niche Productions, mais pas le moindre petit-four pour signaler qu'il s'agissait d'une avant-première et, lorsque Neil tenta d'ouvrir la porte, celle-ci était fermée à clé. Ils appuyèrent sur l'interphone en vain et commençaient à se demander s'ils ne s'étaient pas trompés lorsqu'un taxi s'approcha et qu'en descendit un autre couple, lui portant un pantalon qui s'arrêtait aux chevilles et des richelieus, et elle une cape.

— Je pense que c'est bien ici, murmura Sara à Neil, en laissant passer le couple, qui appuya sur le bouton et entra tout de suite.

Par chance, Neil eut la présence d'esprit de coincer la porte avec son pied et ils se faufilèrent derrière eux dans l'escalier en toute discrétion.

L'intérieur était plus luxueux que ce à quoi elle s'attendait : une moquette épaisse et de vifs éclairages dans le couloir, des murs tapissés d'affiches encadrées, pour la plupart de films d'art et d'essai dont elle avait entendu parler, mais qu'elle ne s'était jamais décidée à aller voir. Une jeune femme vérifiait les noms des invités sur un panneau avant de les diriger vers la salle de projection avec un sourire obséquieux. Sara tira sur la manche de Neil et accéléra le pas.

— Bonsoir, dit-elle essoufflée. Sara Wells et Neil Chancellor. Nous sommes venus pour voir *Cuckoo*.

La femme parcourut des yeux la liste plusieurs fois et Sara sentit ses mains devenir moites.

— Je suis désolée, je ne vous trouve pas.

Sara n'osa rien dire.

— Vous permettez? demanda Neil en s'avançant, tout sourires.

La sous-fifre lui tendit le panneau en rechignant.

Il éclata de rire en secouant la tête.

— Typique de Lou, ça! dit-il affectueusement. Quelle écriture de cochon!

Et il désigna deux noms à la femme.

— C'est nous là, Sara et Neil, vous voyez ?

Elle fronça les sourcils, sceptique, mais les fit entrer.

— C'était vraiment nous ? lui demanda Sara à voix basse.

Il haussa les épaules, mais ce n'était pas le moment de discuter parce que cette histoire leur avait fait perdre de précieuses minutes, et que la lumière s'était éteinte et les voix respectueusement tues. Peinant à rejoindre les deux sièges vides restants dans une course d'obstacles au-dessus des jambes croisées et des sacs à main aux anses piégeuses, Sara sentit soudain ses bas s'accrocher à un objet pointu et se déchirer sur toute la hauteur. Elle n'osa pas inspecter les dégâts devant les murmures et les soupirs hostiles que leur arrivée provoquait déjà. Tandis que les rideaux s'écartaient devant le petit écran et que le logo de la maison de production apparaissait en lettres brillantes, elle jeta un coup d'œil autour d'elle. À part un couple vaguement familier, il n'y avait que des inconnus dans la salle et, même dans l'obscurité, ils l'intimidaient. Difficile de voir l'écran entre toutes ces dreadlocks, tous ces chapeaux mous, ces bandanas et ces chignons gonflés. Sara pencha donc la tête contre l'épaule de Neil, et il lui pressa la cuisse avec chaleur.

— Je t'aime, murmura-t-il, les yeux rivés sur l'écran.

— Chut, répondit-elle.

Après coup, Sara eut du mal à se rappeler ce qu'elle attendait exactement de ce film et il lui fut difficile de dire en quoi il l'avait déconcertée. L'absence d'intrigue n'était pas une surprise mais, au-delà de ça, elle ne savait dire si sa perplexité était ce que Lou avait voulu ou si c'était plutôt la conséquence d'un manque de capacité à juger. C'était apparemment un film à plusieurs niveaux d'interprétation. Le « Cuckoo » du titre était joué par une actrice squelettique dont l'accent hésitait entre celui de Leeds et celui de Leipzig. S'il y avait quelque chose à comprendre des scènes

surréalistes de boulimie, d'automutilation ou de mastur-
bation exhibitionniste, c'était que le personnage portait
bien son nom[1]. Dans certaines scènes, on la voyait dire les
répliques d'un dialogue plus ou moins crédible, tandis que
dans d'autres elle apparaissait plus ou moins sous la forme
d'un lutin dérangé mais bienveillant qui manifestait son
angoisse à travers l'interprétation d'une danse. Ce n'était
pas la seule ambiguïté. Par ailleurs, la mise en scène (il était
difficile de parler de récit) exprimait l'idée d'une usurpation.
Non seulement Cuckoo était foldingue, mais elle était aussi
un coucou dans son nid. Si Sara avait bien compris (et
rien n'était moins sûr), Cuckoo était le fruit d'une relation
incestueuse entre son père et l'une de ses deux autres filles.
Le retour inexpliqué au nid de Cuckoo sucitait la jalousie
et l'angoisse du reste de la famille et mettait visiblement
au désespoir sa mère-sœur, jouée, sans que Sara pût en
comprendre la raison, par un homme en robe. Après une
longue scène de pleurs, suivie d'un inceste entre les deux
sœurs et une scène surréaliste où des asticots sortaient d'un
évier, Cuckoo était jetée par la fenêtre du premier étage par
les trois membres de sa famille de fous. Et le générique se
déroulait sur un long zoom avant qui partait du point de
vue vertigineux d'un oiseau pour s'achever avec un gros
plan d'une précision chirurgicale sur le sang s'écoulant de
la bouche de la morte.

Il y eut un moment de silence avant qu'explose un
tonnerre d'applaudissements dans la salle. Sara applaudit
à s'en faire mal aux mains. Elle jeta un coup d'œil de côté
vers Neil, qu'elle s'attendait à voir totalement déconcerté,
mais il applaudissait lui aussi, et souriait en hochant la tête.

*
* *

1. *Cuckoo* se traduit par coucou, mais signifie aussi barjot, cinglé.

Les lumières se rallumèrent et Sara regarda autour d'elle. Tout un éventail de spécimens humains étaient rassemblés là : des mannequins filiformes mal fagotés dans des cachemires à motifs, et des intellectuels grisonnants en caban bleu marine. Elle constata avec soulagement que sa tenue rétro chic n'était pas complètement déplacée, et que ses bas filés ajoutaient même un petit quelque chose. Le costume de Neil ne représentait pas une faute de goût, maintenant qu'il avait ôté sa cravate, même s'il n'avait rien à voir avec les vestes bien coupées à carreaux ou celles, plus classiques, en tweed portées par certains autres hommes.

— Qu'est-ce que tu en as pensé ? lui demanda Neil à voix basse.

— Pas mal du tout, répondit-elle. Et toi ?

— J'ai trouvé ça génial, dit-il, et elle scruta son visage à la recherche d'une trace d'ironie.

Qui aurait pensé entendre ça de la bouche de celui qui avait pleuré en regardant *Il faut sauver le soldat Ryan* ?

— Tu crois que ça va marcher ? dit Sara.

— Je n'en sais rien et je m'en fiche maintenant, répondit-il. Je suis juste fier d'y avoir contribué.

Sara n'en revenait pas. C'était comme dans *L'Invasion des profanateurs de sépultures*[1]. Quelqu'un s'était glissé dans la peau de son mari et avait remplacé l'homme plein de bon sens et sans grandes prétentions intellectuelles par un cinéphile éclairé et intello. Elle n'eut pas le temps de creuser davantage car une femme était déjà en train d'installer deux micros et une carafe d'eau sur la scène, et Lou, assaillie par les témoignages d'affection et les félicitations, tentait d'avancer jusque-là.

1. Film de science-fiction et d'horreur américain datant de 1956, réalisé par Don Siegel, qui raconte une histoire d'usurpation d'identité par des extraterrestres.

*
* *

— Alors, déclara la femme, en s'asseyant dans l'un des fauteuils en cuir pivotants. Je suis heureuse de vous accueillir tous à l'occasion de cette avant-première de *Cuckoo*, pour une rencontre avec la réalisatrice. Je suis certaine qu'il n'est pas besoin de vous présenter mon invitée car la plupart d'entre vous ici ont fait partie de cette aventure, ou bien sont au moins des supporters, des admirateurs ou encore des amis.

En entendant cela, Neil pressa la main de Sara.

— Je vous demande d'applaudir chaleureusement Lou Cunningham.

Des sifflets, des cris et de longs applaudissements s'ensuivirent. Lou, vêtue comme la parfaite intello, en robe-tablier de lin informe et chaussée de sandales japonaises, se pencha vers le micro et remercia d'une voix enrouée par l'émotion.

— Lou, dit la femme en lui souriant, félicitations pour ce film étonnant. Puis-je me permettre de poser la première question en te demandant d'où t'est venu ce personnage de Cuckoo ? Est-ce que tu peux nous dire quelles sont les racines, l'impulsion, l'inspiration derrière ce personnage ?

— Oh, mon Dieu, susurra Lou d'une voix chaude, je ne sais vraiment pas comment répondre à ça.

— Bien sûr, si tu préfères rester sur une non-réponse…

— Non, non, tout va bien ! Je suis juste…

Elle pressa les mains contre sa poitrine et eut l'air un instant trop émue pour continuer à parler.

— Il y a tellement de moi chez Cuckoo.

Il y eut un silence qui se prolongea jusqu'à en devenir presque gênant. Puis elle se reprit et se redressa, une expression de gaieté forcée sur le visage, et les yeux aveuglés par l'éclat du spot.

— Et pourtant en écrivant le scénario, en la mettant là-dedans et en lui faisant subir tout cela, je riais presque, parce que ça me semblait… nécessaire, tu vois ? Parce que, au fond, une cinglée n'a pas sa place dans ce monde, tu comprends ? C'est une intruse, une menace pour l'ordre du monde, et du coup c'est juste qu'elle soit exclue, ou bannie. Ce que je veux dire par là, c'est que Cuckoo est hyper vulnérable, c'est une petite chose très abîmée, mais bon, en même temps, il ne faut pas se mentir, c'est une emmerdeuse, pas vrai ?

En disant cela, elle fit un clin d'œil au public et suscita un éclat de rire général.

— C'est là que je voulais en venir en fait, reprit la femme. Il y a beaucoup d'humour dans ton film.

— Oui, répondit Lou, ravie, en hochant la tête et en buvant un peu d'eau. Je suis contente que t'aies perçu ça.

Sara se tourna vers Neil. Est-ce qu'il l'avait perçu lui aussi ? Parce qu'elle, vraiment pas. Du reste elle n'avait entendu personne se marrer dans la salle. Mais, bon, ce n'était sûrement pas ce genre d'humour-là.

— Ce que je pense, en fait, reprit Lou en haussant les épaules, c'est qu'on ne peut pas fracasser les gens comme ça, leur imposer de la colère, de l'humiliation, de la douleur sans reconnaître en même temps que, d'accord, on est dans une danse macabre, mais qui peut être assez hilarante en fait. Je veux dire, c'est ridicule, non ? On naît, on vit cette vie brève, souvent sordide, qui n'a aucun sens, et puis on meurt.

— Justement, renchérit la femme, les asticots, c'est ça, le symbole du sordide ? De cette vie si courte ?

— Je préfère ne pas m'exprimer sur les asticots, la coupa brusquement Lou.

— Ah, très bien.

— Je suis désolée mais, tu sais, je ne pense pas que ce soit à moi, qui ai fait ce film, de lui donner du sens, de l'expliquer. C'est votre boulot à vous, les gens. Vous y voyez… ce que vous voulez y voir.

— Oui, tu as raison, admit la femme. C'est comme de

demander à Luis Buñuel d'expliquer la scène de l'œil dans *Un chien andalou*.

— Eh bien, la comparaison est hyper flatteuse, répondit Lou, avant d'ajouter avec un sourire radieux : Mais si c'est comme ça que tu le vois…

Elle était vraiment très forte, se dit Sara. Elle passait sans aucun effort apparent de l'autodérision à une confiance qui frisait l'arrogance. En l'écoutant, Sara fut convaincue. Ce film n'était pas n'importe quoi. Il avait été réalisé sans compromission, avec des acteurs de talent, et une crudité certaine. Les mouvements de la caméra qui donnaient la nausée n'avaient rien de gratuit. Ils étaient là pour figurer l'univers moral douteux des personnages. Cependant, au fur et à mesure qu'elle portait aux nues le talent de Lou, Sara mettait le sien plus bas que terre en comparaison. Dire qu'elle avait fait confiance à Lou pour montrer son manuscrit final à Ezra Bell ! Un manuscrit qui, pour ne rien arranger, traitait principalement de l'inceste. Les gens allaient certainement croire qu'elle s'était inspirée de Lou. Cette pensée la fit frémir. Comparé à l'œuvre si aboutie, tout en suggestion, qu'elle venait de voir, son propre récit lui semblait mal ficelé et lourdingue. Le film de Lou était une œuvre d'art, son roman à elle rien de plus qu'un gros truc commercial.

La discussion se prolongea un peu, puis la parole fut laissée au public. Sara n'avait plus le cœur à poser sa question. Tous ces gens étaient bien plus intelligents qu'elle et connaissaient mieux Lou qu'elle. Ils connaissaient *le cinéma*. Tout ce sur quoi était fondée son amitié avec Lou lui semblait désormais superficiel et sans valeur puisque tout un pan de la personnalité de son amie lui avait été caché. Elle avait beau savoir que son livre préféré était *Cent ans de solitude*, que le morceau qui l'attirait à coup sûr sur la piste de danse était *Deserts Miss the Rain*, et elle avait même beau savoir qu'au lit Lou ne détestait pas une certaine brutalité, elle était incapable de la situer dans l'univers de la création cinématographique. Tous ces gens connaissaient son champ de création. L'affection qu'ils avaient pour elle était palpable et, si l'on en jugeait par la façon qu'elle avait de les appeler tous par leur prénom et les plaisanteries complices qu'ils échangeaient, elle était réciproque. Ils l'interrogeaient sur son choix d'utiliser un son analogique, sur les limites de la caméra au poing, sur l'inutilité de la théorie de l'auteur, le mouvement post-Dogme, et tout cela renvoya Sara à la profondeur abyssale de son ignorance. Elle fut prise d'un vertigineux dégoût d'elle-même. Non vraiment, en termes de culture cinématographique, elle et Neil en étaient restés au paléolithique. Elle réalisa alors, paniquée, que Neil avait levé la main. Elle lui lança un regard affolé, mais il se contenta de lui sourire, l'air très sûr de lui, et ne baissa pas la main. La femme qui conduisait l'entretien avait dit, deux questions plus tôt, qu'il était bientôt temps de clore la séance et les gens commençaient à s'agiter, donc pourquoi cette idiote continuait-elle donc à scruter ainsi le public ? Neil se redressa un peu plus et leva plus haut la main, exactement comme il devait le faire à l'école primaire.

— Oui ? Monsieur là-bas, avec la chemise ?

15

La soirée après le film était bien mais, au bout d'une heure, Sara se sentit pourtant complètement déprimée. Lou l'avait embrassée dans un nuage de parfum à son arrivée et avait paru reconnaissante de l'entendre dire qu'elle avait trouvé son film incroyablement émouvant. Mais ensuite un homme affublé d'un bouc était arrivé et son jugement à lui avait semblé un peu plus important, si bien que Sara s'était éloignée, se sentant de trop.

Tandis que Neil tentait de rejoindre le bar, elle se tenait près des toilettes, en simple observatrice de la scène. Le décor imitait non sans ironie celui du club de gentlemen traditionnel, avec son vieux parquet, ses fauteuils en cuir clouté et ses liseuses, le tout contredit par des œuvres d'art d'une modernité décoiffante et une musique de fond qui aurait fait s'étouffer tous ces messieurs du Drones. Beaucoup de gens étaient là, et tous ne pouvaient pas avoir participé au film. Mais, comme tous étaient habillés de manière anticonformiste, il était impossible de dire lesquels étaient des invités et lesquels des membres réguliers du club. La perspective de se mêler à eux n'en était que plus intimidante encore et Sara était déterminée à n'aborder que les gens qu'elle était certaine d'avoir déjà vus. Elle avisa une femme qu'elle avait aperçue à la crémaillère de Lou et Gavin en train de foncer droit vers elle et afficha donc un sourire aimable qui s'évanouit très vite lorsque la femme passa rapidement à côté d'elle pour se rendre aux toilettes. Neil lui apporta de quoi boire avant de s'en aller porter une coupe de champagne à Lou pour la féliciter. Sara avait très mal aux pieds dans ses chaussures et n'en pouvait plus de se tenir là, dans le courant d'air du sèche-mains, si bien qu'elle se faufila au milieu de la foule et trouva refuge dans une autre pièce, où elle s'effondra avec grâce dans un Chesterfield en cuir à côté d'une femme âgée portant des lunettes de chouette et un rouge à lèvres magenta. Il faisait très chaud. Sara sentait sa lèvre supérieure humide de transpiration. Discrètement, elle retira une de ses chaussures et se frotta le talon.

— Vous avez aimé le film ? lui demanda la femme avec un accent américain prononcé.

— *Cuckoo*, vous voulez dire ? répondit-elle, surprise. Oh oui, j'ai absolument adoré !

La femme prit un air entendu et hocha la tête avec sagesse avant de fermer les yeux. Sara s'attendait à ce qu'elle les rouvre, et consente à lui donner son impression en retour, mais elle comprit au bout de quelques instants qu'elle s'était assoupie. Elle resta assise là, livrée à elle-même, tiraillée entre l'envie d'aller chercher quelque chose à boire et la perspective redoutable de se frayer un chemin jusqu'au bar. Elle avait fini par se résoudre à rester sobre lorsqu'elle aperçut, au milieu de la forêt de jambes, une paire de chaussures montantes en daim usé qu'elle connaissait bien.

— On se connaît, non ? dit-elle en tapotant l'épaule de Gav.

Celui-ci se retourna sans grand enthousiasme alors qu'il était en grande conversation avec une jolie rousse.

— Ah, salut, Sara. Rohmy, je te présente Sara.

La rousse lâcha lentement les revers de la veste de Gav qu'elle avait empoignés par jeu, pour tenter sans doute de lui faire entendre raison sur un sujet quelconque, et adressa un sourire poli à Sara.

— Hé, mais peut-être que Sara le sait elle !

Gavin était peut-être un peu contrarié qu'elle ait interrompu sa conversation, mais il ne le lui fit pas sentir.

— Voudrais-tu bien nous aider à régler un petit désaccord ?

— Si je peux…

— Tu connais Johnny Thunders, évidemment ?

Là, elle aurait dû avouer que non, qu'elle n'en avait même jamais entendu parler et qu'elle ne pouvait donc pas arbitrer leur dispute.

— Oui, bien sûr, et alors ?

— Il est mort comment ? demanda Gav. Rohmy prétend que…

— Ne lui dis rien ! l'interrompit Rohmy en se tournant vers Sara pour attendre la réponse.

Celle-ci ouvrit la bouche, puis la referma.

— Oh mince ! Je le sais bien sûr. Ça ne vous rend pas dingue quand vous savez quelque chose, mais que vous n'arrivez pas à…

Elle prit un air hyper concentré.

— Un accident de voiture, non ? Ou d'avion ? Attends, c'est Johnny qui déjà ?

— Thunders, répondit Rohmy avec un petit sourire.

— Ah. Non alors, dans ce cas…

— Tu pensais qu'on parlait de qui ?

Une vraie torture.

— Oui, non, si, je sais qui vous voulez dire. C'est juste que… Eh bien, non, je ne vais pas retrouver, finit-elle par dire en secouant la tête.

— Okaaaay, fit Rohmy en jetant un regard éberlué à Gav.

— N'est-ce pas qu'elle est mignonne ? dit celui-ci en prenant Sara dans ses bras. Elle *pensait* savoir, mais en fait non.

Sara prit un petit air contrit et se laissa faire. Impossible de savoir si Rohmy l'avait trouvée mignonne elle aussi, car un autre couple, Steve et Alexis, s'approcha avec la réponse :

c'était le guitariste des New York Dolls et il était mort d'une overdose d'héroïne, évidemment. Ensuite ils débattirent de toutes ces morts qui avaient valeur de symboles en général, puis de l'impact positif ou négatif de la drogue sur le répertoire du rock, sujet sur lequel Sara jugea plus prudent de se taire. Assez vite après elle se trouva un peu à l'écart du groupe, en train d'écouter un type très barbu lui raconter la fois où il avait fumé avec Tim Buckley. Heureusement, quelle ne fut pas sa joie de voir arriver Neil, qui lui reprocha d'avoir disparu et lui glissa un verre de gin-fizz dans la main.

— C'est super cet endroit, non ? Je m'y ferais très bien, moi.

— Je te le déconseille parce qu'on y va dans cinq minutes. J'ai promis à ma mère qu'on ne serait pas en retard.

— Dis donc, Gav, je me disais justement, fit alors Neil, sans avoir l'air d'avoir entendu la remarque de sa femme. J'adore cette atmosphère très aristo !

Et il désigna toute la pièce d'un grand geste du bras.

— Oui, c'est cool, hein ? approuva Gavin.

— Serait-il indélicat de demander, dit alors Neil en prenant l'accent le plus snob possible, combien il m'en coûterait de devenir membre ?

Sara grimaça.

— C'est assez raisonnable en fait. Autour de deux mille si je me souviens bien. Mais il faut que tu sois patient parce que la liste d'attente est plutôt longue.

— Pas un problème, ça !

— Mais enfin, Neil ! siffla Sara entre ses lèvres tout en le tirant par la manche. Tu te ridiculises.

— Comment ça ?

— Mais tu ne te rends pas compte que tu n'es pas le bienvenu ? Tu ne peux pas être membre d'un club comme celui-ci. C'est pour les gens du monde de l'art.

— Je suis sûr qu'ils ne sont pas aussi stricts, répondit Neil, l'air vexé.

— Moi, je pense que si. Enfin, je veux dire, regarde-les.

— C'est ce que je fais.

— Eh bien, tu ne vois pas ?

— Pas quoi ?

— La différence.

— Quelle différence ?

— Entre eux et nous.

— Je n'en vois aucune. J'ai rencontré des gens sympas ce soir. Tu serais surprise de savoir combien m'ont félicité pour ma question de tout à l'heure.

— Eh bien, c'est super, mais poser une question, ce n'est pas créer une œuvre non plus.

— Ben et toi alors ? Tu es écrivain !

Bizarrement, le fait que Neil la prenne pour une romancière ne faisait que renforcer le sentiment d'imposture de Sara.

— Je ne suis pas un écrivain, Neil. Juste quelqu'un qui voudrait le devenir, mais qui n'est même pas encore publié.

— OK, mais Lou travaille là-dessus.

— Oui, c'est vrai.

— Mais oui c'est vrai ! Elle est là-bas, en train de faire ta pub en ce moment même.

— Ah bon ? Auprès de qui ?

— Oh, un intello américain quelconque, dont le nom m'échappe. Eric ? Ezra ? fit-il en faisant claquer ses doigts pour que ça lui revienne.

— Pas Ezra Bell quand même ? s'exclama Sara en lui agrippant le bras.

— Peut-être bien.

— Oh, mon Dieu ! s'écria-t-elle en regardant Lou, complètement affolée.

Tous ses doutes s'étaient évaporés et elle se sentait de nouveau en confiance. Elle aurait voulu retourner voir Rohmy et lui demander si elle avait déjà entendu parler d'Ezra Bell, ce romancier qui s'apprêtait à donner un coup de pouce à son premier roman. Histoire de la moucher un peu ! Elle se retourna vers Neil.

— Qu'est-ce qu'il a dit ? Tu lui as parlé de mon livre ?

— On a parlé de sport.

— Non mais c'est pas vrai ! Neil !

— Calme-toi. Tu vas avoir plein de temps pour faire sa connaissance. Il loge chez nos voisins.

— Je vais me sentir mal… Ezra Bell !

Neil jeta un coup d'œil à sa montre.

— En tout cas, nous, il faut qu'on soit à Charing Cross dans dix-sept minutes si tu veux qu'on attrape le dernier train.

Elle saisit son poignet et fixa le cadran de la montre comme si, par la seule force de sa volonté, elle pouvait faire reculer les aiguilles.

— Mais on vient d'arriver, gémit-elle.

— Et ta mère ?

Elle imagina alors sa mère et la tête qu'elle allait faire encore une fois.

— Oh, mon Dieu, on ne peut pas partir comme ça. Il va falloir leur expliquer.

Elle se précipita alors vers Gavin et l'interrompit en pleine conversation.

— Désolée, Gav, il va falloir qu'on y aille. On voulait juste te remercier pour cette super soirée.

— Quoi ? Mais comment ça vous partez ? Je vous l'interdis !

— Je sais, répondit Sara d'un air blasé, c'est vraiment bête. Mais ma mère garde les enfants et, le samedi matin, elle est bénévole à Barnardo's, du coup…

*
* *

Lorsque le taxi stoppa, une lueur pâle apparaissait derrière les immeubles et une par une les étoiles s'éteignaient.

— Au revoir, et merci pour cette incroyable soirée.

— Au revoir.

— Au revoir, Ezra, ravie d'avoir…

Le bruit agressif du taxi qui redémarrait en trombe et faisait demi-tour au bout de la rue couvrit leurs dernières amabilités.

— Pas très agréable, le chauffeur, fit remarquer Sara à Neil, lorsque les autres eurent disparu chez eux, mettant un terme à leurs joyeux échanges. Tu ne lui as pas donné de pourboire ou quoi ?

— J'avais à peine de quoi payer la course, dit Neil. J'avais cent livres en sortant du bureau. Je me demande où c'est parti.

— Ils te rembourseront.

— Oui, oui. Je ne suis pas inquiet.

— Super soirée, répéta Sara en secouant la tête, le sourire aux lèvres, avant d'apercevoir la Golf de sa mère garée devant la maison, d'une propreté impeccable et culpabilisante, avec son petit sapin en carton contre les mauvaises odeurs. Mais je ne me suis pas rendu compte qu'il était si tard…

Neil fit tourner la clé dans la serrure et ils entrèrent en trébuchant.

— Coucou ? fit-il à voix basse.

— Elle a dû monter, dit Sara.

— La lumière est toujours allumée, fit-il remarquer en indiquant le salon, dont la porte était entrouverte.

— Maman ? appela Sara en passant la tête dans la pièce.

Sa mère était assise au bord du canapé, droite comme un I, vêtue de son manteau et son sac posé à côté d'elle, comme pour attendre le bus.

— Mais que fais-tu encore debout ? Il est plus de 3 heures !

Les efforts qu'elle faisait pour cacher qu'elle avait trop bu donnaient un ton saccadé et un peu forcé à sa voix. Sa mère vérifia l'heure sur sa montre.

— 3 h 45 en fait, dit-elle. Patrick a fait un cauchemar, mais je suis restée avec lui pendant une heure et depuis tout va bien. Caleb n'a pas bougé. Je ferais mieux d'y aller maintenant. Au moins il n'y aura personne sur la route.

Sur ce, elle se leva.

— Je suis désolée, maman. Je t'avais préparé un lit dans la chambre d'amis. Je ne pensais pas que tu…

— Oui, je t'avais pourtant dit que je devais…

— Oui, je sais, je sais. Barnardo's. Je voulais partir beaucoup plus tôt, mais finalement on a pris un taxi avec nos amis et tout s'est terminé bien plus tard que je…

— Les amis avec qui tu veux monter ton école ?

Sa mère dit cela avec une mimique éloquente. Neil écoutait sans rien dire, en cuvant.

— Nous ne montons pas une école. Nous nous contentons de faire nous-mêmes la classe à nos enfants. Lou est réalisatrice de films et son mari est sculpteur et ça devrait être une expérience fantastiquement enrichissante.

Sa mère ne fit aucun commentaire.

— Bon. Eh bien, je ferais mieux d'y aller, dit-elle enfin.

Elle posa furtivement les lèvres sur la joue de Sara et gratifia Neil d'un « bonsoir » glacial.

— Et merde ! murmura Sara en refermant doucement derrière elle.

Sara et Neil étaient étendus parfaitement immobiles dans leur lit, tandis qu'une lumière grise filtrait entre les rideaux et que les bruits du quartier en train de se réveiller compromettaient de plus en plus leur sommeil.

— Il est sympa, Ezra, non ? dit Sara, en fixant le plafond.

Il y eut un silence et elle se demanda si son mari ne s'était pas assoupi.

— Oui, ça va, répondit Neil, mais je l'ai trouvé un peu limite dans le taxi.

— Oui enfin, bon, on avait tous trop bu. Je ne pense pas que Lou se soit offusquée.

— C'est pas parce que c'est un écrivain qui marche bien qu'il peut tout se permettre…

— Je me demande ce qu'il va penser de mon livre.

— Oh, je dirais que, vu que tu es une jeune femme séduisante, il sera dans de bonnes dispositions.

— Merci beaucoup, dit Sara en se redressant sur un coude. Maintenant c'est sûr que je vais avoir des doutes.

Un autre silence s'ensuivit. Dans la rue, une portière claqua et une voiture démarra.

— Mais, en fait, pourquoi c'est si important d'avoir *son avis à lui* ? demanda Neil, plus irrité que ne le justifiait le comportement douteux d'Ezra dans le taxi.

— Eh bien, mais c'est un super écrivain ! Tu as dit toi-même qu'*Appalachia* était le meilleur livre que tu avais lu l'année dernière.

— C'était pas mal, reconnut Neil. Mais il arrive pas à la cheville de Franzen.

Puis il se retourna et tira la couette sur sa tête.

Sara ne bougeait pas, les yeux rouges de fatigue, mais l'esprit trop agité désormais pour trouver le sommeil.

16

— Tu as vu cette fissure sur le palier ? demanda Neil en posant un plateau avec du thé à côté du lit.

— Oui et alors ? répondit Sara, à moitié endormie.

— Tu penses qu'elle est là depuis combien de temps ?

— Aucune idée. C'est comme ça dans toutes les vieilles maisons, non ? Carol en a une dans son salon. Ça vient des solives.

Neil murmura alors quelque chose à propos des murs qui bougent et de la nécessité d'étayer, mais elle ne l'écoutait plus.

Puisqu'il l'avait réveillée, elle préférait parler du film. Est-ce qu'il persistait à trouver, maintenant que la nuit lui avait porté conseil, que c'était un chef-d'œuvre, comme il l'avait déclaré à Lou dans le taxi ? Il n'avait pas très envie de revenir sur son exagération de la veille et se contenta de marmonner que le début était vraiment impressionnant. Elle fit une moue sceptique.

— Tu étais triste quand elle est morte ? Parce que, moi, non, avoua-t-elle en le regardant par-dessus sa tasse de thé.

— Si j'étais triste ? répéta-t-il en prenant un air songeur et en fixant le vide pendant ce qui sembla plusieurs minutes.

— J'imagine que si tu as autant de mal à t'en souvenir, dit-elle, c'est que la réponse est non.

— Je ne sais pas si c'est vraiment ça le sujet. Il y avait comme quelque chose d'inévitable là-dedans.

Un peu facile, ça.

— Et l'humour ?

— Quel humour ?

— Lou a dit que c'était censé être drôle. Enfin par moments, mais je ne t'ai pas vu rire.

— J'ai ri, si.

— Mais non, tu n'as pas ri.

— Si, à l'intérieur.

Elle sirota son thé sans plus rien ajouter.

Finalement, il aurait mieux valu s'en tenir au plan A et se retrouver au café. Dès l'instant où elle franchit le seuil de la maison de Lou et Gavin le matin suivant, avec sous le bras un énorme dossier rempli de matériel pédagogique, elle comprit que c'était une erreur.

— Mon Dieu, mais qu'est-ce que c'est que tout ça ? s'exclama Lou.

— Oh, juste des trucs que j'ai trouvés sur Internet. Je me suis peut-être un peu emballée, mais tant qu'à allumer l'imprimante.

Elle laissa tomber le dossier sur la table de la cuisine et Lou prit une feuille au hasard.

— *Faites vous-mêmes vos boîtes à calcul Montessori*, lut-elle.

— Ah oui, c'est pour les maths. On peut acheter les boîtes chez WH Smith et pour les bâtonnets on peut se servir de…

Elle s'interrompit en voyant la tête de Lou.

— Enfin bon, on n'est pas obligées de faire ça. C'est juste un exemple, au cas où on serait à court. Je me suis un peu prise pour la reine du bricolage, on dirait !

Ezra entra alors dans la cuisine, en caleçon, une cigarette au bec. Sara cessa ses gesticulations et le regarda s'avancer jusqu'à l'évier avec lenteur, remplir la bouilloire et émietter son mégot au-dessus du bac à compost. Avec son torse volumineux et poilu et sa démarche fière, on aurait dit un chien debout sur ses pattes arrière.

— Bonjour, Ezra, lui dit-elle.

— Ah, salut.

— Notre Ezra n'est pas bien frais, pas vrai, mon chou ? dit Lou. Mais qui a trouvé que c'était une bonne idée d'ouvrir la bouteille de whisky quand on est rentrés hier soir ?

— Ne vous en faites pas, on ne va pas rester vous embêter longtemps, dit Sara. On va prendre un café au Rumbles.

— Pas dans ce truc à côté du métro quand même ? marmonna-t-il. Ils te servent une de ces merdes là-bas ! Tu parles de café ! Si vous voulez du bon café, je vais vous en faire, moi !

— C'est trop gentil, Ez, répondit Lou. Tu vois, Sara, on peut très bien faire nos petites affaires ici.

Sara était sceptique. Elle avait laissé les garçons à la maison, même si Neil avait un article à écrire pour une conférence sur la pauvreté infantile, au prétexte qu'elle-même devait se consacrer à un sujet plus urgent encore : l'instruction de leurs enfants. Mais est-ce que Lou pensait vraiment qu'elles allaient pouvoir parler sérieusement ici, avec ses gosses qui couraient dans tous les sens en haut ?

— Bon, on peut toujours essayer, dit-elle, au moment où un bruit sourd à l'étage faisait dégringoler du plâtre du plafond.

Un peu plus tard, ils étaient encore installés tous les trois à la table de la cuisine et Sara tentait de réprimer une grimace à chaque gorgée de l'infect breuvage préparé par Ezra. Lou et Ezra discutaient d'un artiste américain dont elle n'avait jamais entendu parler.

— Bon, c'est pas tout ça, déclara-t-elle, un peu désespérée, profitant d'un bref silence, mais j'ai fait pas mal de recherches et je pense avoir mis au point une ébauche de programme. Je ne sais pas si Lou vous a expliqué, Ezra, mais elle et moi allons faire l'école à domicile pour nos enfants pendant quelque temps.

Ce « pendant quelque temps » la rendait particulièrement fière.

— Mais quelle idée !

— Oui, dit Sara en se redressant sur sa chaise, parce que l'instruction qu'ils reçoivent à l'école laisse beaucoup à désirer. Les enseignants passent leur temps à les assommer de connaissances et l'éducation, la vraie, celle qui place l'enfant au centre, tout le monde s'en fiche.

Ezra la regarda sans réagir et c'était à se demander s'il avait lu son manuscrit ou s'il savait même qui elle était. Elle se tourna vers Lou pour chercher du soutien, mais son amie était en train de parcourir le dossier et n'avait pas l'air d'écouter.

— Et, donc, vous allez devoir subir ça cinq jours par semaine ? questionna Ezra tout en levant la tête vers le plafond d'où provenait un vacarme épouvantable.

— On dirait bien que oui, répondit Sara avec un petit gloussement. Mais la raison pour laquelle je suis ici ce matin et j'ai téléchargé tout cela, dit-elle en montrant l'énorme dossier, c'est précisément pour que nous mettions en place un cadre afin de ne pas avoir à subir ça. Ou, en tout cas, pas en permanence.

— Je vois, fit-il d'un air sceptique en allumant une cigarette.

— C'est vraiment impressionnant, Sara. Tu as dû y passer des jours, dit Lou en cessant de lire.

— N'exagérons rien. Il existe d'excellents blogs sur l'école à domicile. Une fois qu'on a repéré les fêlés et les intégristes religieux, il reste plein de gens normaux comme nous qui cherchent simplement à fournir à leurs enfants un enseignement créatif et enrichissant. Et le tout dans un esprit de partage, ce qui fait que personne ne va venir vous reprocher de recopier un plan de cours ou un sujet de devoir, ou n'importe quoi d'autre.

— Hmm, fit Lou.

— Mais, ça, c'est l'aspect pratique des choses. Le plus fascinant selon moi, c'est la théorie de l'éducation, dont je dois admettre que je ne savais rien du tout.

Lou avait l'air de s'ennuyer.

— Bref, tout est là-dedans. Prends ton temps pour tout regarder.

— Merci, dit Lou. Qu'en penses-tu, Ezra ? Tu veux rejoindre la faculté ?

Ezra la fixa d'un œil morne.

— Tu pourrais animer un atelier d'écriture pour eux, tenta d'insister Lou. Beaucoup de gens trouvent très gratifiant de travailler avec des enfants. Cela stimule leur propre créativité.

— Ah bon ?

— Mais oui, affirma-t-elle. J'ai déjà enrôlé deux personnes de grande valeur.

— Qui ça ? demanda Sara, surprise.

Elle ne savait pas si elle devait se sentir vexée de n'avoir pas été mise au courant ou au contraire se réjouir que Lou ait pris une initiative.

— Tu te rappelles Ismael qui jouait de la guitare à notre fête ? Il serait très heureux d'échanger des cours de musique pour les enfants contre un peu d'aide avec son anglais.

— Génial !

— Et puis j'ai aussi Beth, cette amie marionnettiste.

— Pas Beth Hennessy de Little Creatures quand même ? demanda Sara, estomaquée.

Carol s'était vantée pendant des semaines d'avoir réussi à obtenir des places au premier rang pour leur dernier spectacle. Dommage, elles ne se parlaient presque plus et Sara ne pourrait pas lui glisser l'info. Elle considéra le gros dossier gris posé sur la table et sanglé pour que rien de tout

ce matériel pédagogique qu'elle avait collecté si consciencieusement ne s'en échappe. Ezra ôta un brin de tabac du
bout de sa langue, sourit et secoua doucement la tête.

— Vous êtes folles, dit-il.

— Pourquoi ça ? dit Sara.

— Mais enfin vous avez quelqu'un qui est payé pour
faire en sorte que vos gosses ne soient pas dans vos pattes
huit heures par jour ! Il faut être folle pour ne pas vouloir
en profiter !

— Je reconnais bien là ton humour, Ezra ! dit Lou.

— Non mais je suis sérieux.

— C'est normal que vous pensiez ça, dit Sara. Vous
n'avez pas d'enfants. Mais vous êtes sûrement d'accord
avec l'idée qu'il faut remettre chaque enfant au centre du
système scolaire, plutôt que de lui farcir la tête, en tirant
tout le monde vers le bas.

Il haussa les épaules.

— On ne peut pas légiférer en la matière, dit-il. Si
un gosse veut écrire, il écrira. Si un gosse veut peindre,
il peindra. Vous croyez que Herman Melville a suivi des
ateliers d'écriture ? Et Picasso ?

— Vous pensez donc que l'on naît écrivain ? Pas qu'on
le devient ? lui demanda alors Sara, songeuse.

Il haussa de nouveau les épaules.

— Je n'en sais rien. Ce que je dis juste, c'est qu'à vouloir
faire de votre gamin un écrivain ou un peintre, vous en
ferez un plombier ou un gardien d'immeuble, c'est tout.

— Voilà ! C'est ce qui est arrivé à Gavin, en sens inverse !
s'exclama joyeusement Sara.

— C'est-à-dire ? demanda Ezra, soudain intéressé.

— Eh bien, euh…, fit Sara tout en jetant un regard gêné
à Lou. Il a bien dit que sa mère voulait qu'il apprenne un
vrai métier ? Et que sa famille ne comprenait pas bien son
art parce qu'ils sont…

Lou n'avait pas l'air contente, mais son téléphone se mit à sonner.

— Pardon, il faut que je réponde.

Elle lança un regard exaspéré à Sara avant de s'éloigner pour prendre son appel.

Ezra fit un sourire insondable et se mit à jouer avec son briquet. Le silence se prolongea.

— J'imagine que vous n'avez pas eu le temps de lire mon roman ? finit par dire Sara en prenant son courage à deux mains.

— Quand est-il sorti ?

— Oh ! il n'est pas encore publié. C'est un manuscrit, j'aurais dû préciser. Lou devait vous demander d'y jeter un œil.

— Je suppose qu'elle l'a gardé pour elle alors.

— Hmm.

— De quoi parle-t-il ?

— De quoi il parle ? répéta Sara, prise au dépourvu. Oh, mon Dieu, eh bien, c'est une histoire de rite de passage. Une fille d'un certain âge, qui a une relation assez malsaine avec son père, et qui rencontre un garçon pas vraiment de son genre, et ils se mettent ensemble et le père le prend très mal ; tout ça s'envenime et alors...

Il ne l'écoutait plus, distrait par le journal posé sur un coin de la table.

— Bref ce n'est pas très long, donc si vous aviez des conseils à me donner...

— Bien sûr.

— Merci. Au fait, j'ai adoré votre livre.

Il sourit avec indulgence.

— Le mien n'est pas du tout aussi ambitieux. J'ai beaucoup aimé la façon dont vous avez pris la famille pour représenter la nation tout entière.

Elle avait lu ça dans un article.

— J'ai fait ça, moi ?

— Eh bien, c'est ce que j'ai… Enfin, ce que j'en dis…
En tout cas, je l'ai trouvé incroyablement émouvant et
surprenant et tendre.

— Merci, répondit-il avec gravité.

Le retour de Lou évita à Sara de s'enfoncer davantage. Et
l'irritation causée par la remarque déplacée un peu plus tôt
avait visiblement fait place à l'enthousiasme d'une nouvelle
que Lou venait d'apprendre.

— Désolée, les amis, dit-elle, radieuse et surexcitée.
C'était Cory Hamer de Niche. Elle a réussi à me faire
inviter comme membre du jury au festival de cinéma de
Ann Harbor.

— Oh, mais c'est merveilleux ! s'exclama Sara en se
levant pour la serrer maladroitement dans ses bras. Tu vas
pouvoir faire ça de chez toi ?

— Évidemment non ! Il faut être sur place, rétorqua
Lou en lançant à Ezra un regard incrédule. On ne peut pas
être jury au festival de cinéma de Ann Harbor à distance.

— Ah bon ? Et c'est quand ? demanda Sara, en se
raidissant.

— Du 8 au 20 mars. Oh merde ! fit Lou en changeant
de tête.

— Lou, ça fait déjà deux fois qu'on repousse.

— Je sais, je sais, dit Lou en se dandinant d'un pied sur
l'autre. Mais, écoute, je vais te décharger complètement des
enfants d'ici là pour que tu puisses te consacrer à ton… truc.

Elle dit cela en faisant un vague geste de la main.

— Et puis ensuite, si tu peux juste garder le cap le temps
que je revienne…

Puis elle fit dérouler sous son doigt l'écran de son téléphone.

— Oui, décidément, ces dates sont parfaites, j'ai une
idée de sortie scolaire géniale.

17

Dans le West Country, le printemps avait fait son apparition et les feuilles des bouleaux scintillaient comme les pompons d'une pom-pom girl. Tandis que la Volvo se faufilait le long des routes sinueuses entre de larges haies, Sara sentait la nature en pleine éclosion, dans une brise chargée de pollen et de fleurs de peuplier. Son sang pulsait dans ses veines et son cœur battait la chamade.

— Ce ciel ne me dit rien qui vaille, dit Neil en scrutant les nuages menaçants.

— En même temps, on ne va pas faire l'ascension de l'Everest non plus, fit remarquer Sara.

— Oui mais bon, s'il tombe des cordes, ça risque d'être moins drôle.

— On a la tente de Carol, Neil, répondit-elle. À mon avis, elle est plus étanche que notre maison.

Cela avait été un peu gênant d'emprunter cette tente. Sara aurait préféré en acheter une, mais les billets pour le festival étaient déjà chers et leurs économies fondaient à toute vitesse. La gentillesse de Carol n'avait pas rendu la chose plus facile.

— Ne t'en fais pas, avait-elle dit lorsque Sara s'était platement excusée d'avoir été si absente ces derniers temps. On est tous occupés. Je vais me faire un café. Tu en veux un ?

Elles avaient discuté amicalement pendant un quart d'heure et Carol n'avait pas sourcillé lorsque Sara avait amené la conversation sur le sujet du camping, pas très subtilement d'ailleurs.

— Un festival ? s'était-elle étonnée, avec à peine une once de condescendance. Oh, écoute, si ça vous fait plaisir.

Mais elle avait spontanément proposé sa tente ainsi que tout son équipement dernier cri. Sara avait oublié à quel point, derrière son snobisme et ses jugements à l'emporte-pièce, c'était une fille bien.

La remarque pessimiste de Neil sur la météo ne voulait rien dire. Il était encore plus excité que Sara, si c'était possible, de partir en week-end. C'était dingue comme une bonne programmation pouvait vous changer l'humeur d'un homme. En l'occurrence, un mélange sans surprise de vieux bluesmen hipsters, barbus et capricieux, et deux ou trois punks à la retraite. Pour Sara, l'intérêt du week-end était ailleurs : quarante-huit heures à proximité immédiate de Lou et Gavin, et même en leur compagnie. D'ordinaire, ils étaient assez avares de leur temps : une soirée par-ci, un après-midi par-là, et toujours l'impression que d'autres gens, d'autres priorités les appelaient ailleurs. Ce week-end, ils seraient tout à eux.

— Est-ce qu'on pourra attraper nous-mêmes notre dîner, maman, comme dans *Man Versus Wild*[1] ? demanda Patrick à l'arrière.

Sara se sentit un peu mal. Elle avait peut-être un peu exagéré le côté autarcie complète.

— Je ne sais pas si on va l'attraper, mais le faire cuire, ça oui. J'ai acheté des saucisses.

1. Littéralement « Seul face à la nature », équivalent britannique de Koh-Lanta.

— C'est nul, les saucisses. On peut pas attraper un lapin et le dépecer ?

— Genre tu sais tuer un lapin, ironisa Caleb. Déjà que t'as pleuré quand le cochon d'Inde est mort !

Ce qui donna lieu à une bonne bagarre sur le siège arrière.

— Personne ne va tuer personne, dit alors Neil.

— Même s'il y a de quoi faire du tir à l'arc, précisa Sara tout sourires, en leur faisant passer la brochure. Regardez.

— Festival Lush… deux… mille… quatorze, se mit à lire laborieusement Patrick. Medlar's Farm… Devon, avec… à l'affiche… Crawdaddy, The Jeremiahs, They… Might Be Giants. C'est pas intéressant !

— Lis plus loin, insista Sara. Tu te débrouilles très bien. Regarde là où est écrit « Spécial jeune public ».

— … contes, poursuivit-il, tir à la corde… quoi ? Atelier cirque… atelier d'écriture de chansons.

— C'est pour toi, ça, Caleb ! Est-ce que vous ne vouliez pas monter un groupe avec Dash ?

Sans même répondre, Caleb se tourna vers la vitre.

Une grosse goutte de pluie s'écrasa sur le pare-brise et Neil alluma les essuie-glaces, qui firent quelques allers-retours pour rien pendant quelques minutes, puis il les éteignit.

— Tiens, tiens, dit-il un peu plus tard en jetant un œil dans son rétroviseur. En voilà une coïncidence.

Sara se retourna sur son siège.

— Incroyable !

La Humber était juste derrière eux. Lou avait posé ses pieds nus sur le tableau de bord, et Gav était coiffé d'un stetson ridicule. Pour des gens qui venaient de quitter Londres par l'autoroute à l'heure de pointe, ils avaient l'air particulièrement détendus.

— Mais comment ils ont fait ? dit Sara.

Patrick avait enlevé sa ceinture et s'était mis à faire des

grimaces et des gestes obscènes par la vitre arrière. Lou lui rendait la pareille en riant.

— Ils ont dû mettre un sacré bout de temps, dit Neil. En même temps, elle en a sous le capot, cette bagnole.

Comme pour le lui prouver, à un endroit où la route était plus large, Gavin déborda sur la droite, si bien que les deux véhicules roulèrent côte à côte pendant quelques secondes angoissantes. Lou baissa sa vitre et cria quelque chose que Sara n'entendit pas, puis Gavin appuya sur l'accélérateur et, dans un vrombissement assorti de coups de klaxon et de grands gestes, ils passèrent devant.

— Rattrape-le, papa ! supplia Patrick, en trépignant sur son siège.

— Oui, dépasse-le ! dit Caleb, parfaitement indigné.

Pendant quelques secondes de folie, Sara souhaita elle aussi que Neil lâche les chevaux et montre à Gavin de quel bois il se chauffait mais, non, il resta à 70, faisant remarquer que ces routes de campagne n'étaient pas vraiment faites pour se tirer la bourre et qu'il avait envie d'arriver entier.

Pour un événement local, le festival avait provoqué un sacré chaos sur les routes. Ils quittèrent l'A 35, laissant les Mercedes et les Audi rouler en direction de la côte avec leur hors-bord sur la remorque, et rejoignirent une file de Combi VW, de Morris Minor sans âge, de Citroën et de Saab, qui arboraient aussi fièrement leur carrosserie cabossée que leurs mandalas arc-en-ciel et leurs autocollants militants.

— Je le sens bien, ce truc, dit Neil, ravi, tandis qu'un type sympathique, coiffé de dreadlocks, avec un gilet jaune et d'énormes trous dans les oreilles, leur passait au poignet un bracelet fluo et leur indiquait où se garer. Je me demande pourquoi je ne suis pas venu avant.

Ils déchargèrent la voiture et rejoignirent un flot d'arrivants tous vêtus de jeans troués, de tongs, et de bonnets ou de chapeaux de brousse. Tandis qu'ils transportaient leur glacière et leurs grands sacs IKEA sur le site principal, le nouveau contingent se mêlait à tous ceux qui, sur place depuis vingt-quatre heures, s'étaient déjà bien lâchés et flânaient entre la scène, les toilettes transportables et le stand de falafels ou la tente infirmerie, en tutu et Doc Martens, grenouillère ou déguisement de Schtroumpf. De temps en temps, un test sono produisait un son à vous déchirer les tympans, qui traversait la vallée tout entière.

Avec l'aide d'une sympathique famille hollandaise, ils trouvèrent leur emplacement, idéalement situé entre les toilettes et le coin des enfants. Ils ne manquèrent pas de conseils non plus au moment de monter la luxueuse tente de Carol. Les voyant se débattre, une jeune femme qui se présenta sous le prénom de Twink abandonna sa compagne qui donnait le sein à un bébé costaud sur les marches de leur camping-car pour leur proposer un coup de main. Avec une dextérité impressionnante, elle assembla les piquets rétractables, leur expliqua ce qui allait dans quoi et revint ensuite avec du renfort pour les aider à hisser le tout, qui au final avait une allure luxueuse et élégante parfaitement déplacée dans le contexte. Mais, là encore, personne n'eut l'air d'y prêter la moindre attention car les règles normales de la société étaient inversées : plus l'installation était artisanale et branlante, plus on en tirait de fierté.

Il ne restait plus qu'à ouvrir une bière pour fêter cela et attendre l'apparition de Lou et Gavin.

— J'espère qu'il ne leur est rien arrivé, dit Neil. Vu l'allure à laquelle ils roulaient…

— Mais non. Ils s'en sortent toujours très bien.

Il hocha la tête et but au goulot. Il avait rajeuni et avait l'air détendu, se dit Sara. Elle aimait bien l'ombre naissante de sa barbe, et sa coupe de cheveux qui datait un peu laissait maintenant apparaître quelques boucles juvéniles. Elle parvint même à oublier l'immonde chemise hawaïenne, car pour une fois il avait eu du flair, vu le nombre de papas rockers grotesques tout autour d'eux. Elle se pencha et l'embrassa sur les lèvres, ce qui leur valut des protestations dégoûtées de la part des garçons.

— Pourquoi n'allez-vous pas explorer un peu les alentours, les gars? suggéra Neil, en tendant un billet de dix livres à Caleb. Tenez. Allez vous acheter un hamburger ou un truc comme ça.

Ils s'éloignèrent, Patrick en sautillant, et son frère en traînant les pieds derrière.

— Et si on testait le matelas de Carol? proposa Neil en passant la tête à l'intérieur de la tente.

— Quoi… maintenant?

Elle abandonna vite ses réticences en se disant qu'un peu de spontanéité ne pouvait pas leur faire de mal et le suivit à l'intérieur.

Le matelas gonflable rebondissait beaucoup et sentait atrocement le caoutchouc. Elle regretta de ne pas avoir pris une deuxième bière. Il faisait sombre dans leur alcôve mais encore clair dehors, et elle entendait les allées et venues des familles autour d'eux. Daisy que l'on félicitait pour être allée sur le pot, Elijah qui ne voulait pas manger ses pâtes intégrales… Elle leva les bras en l'air, permettant à Neil de lui ôter son T-shirt, tenta bien de le dissuader du regard lorsqu'il voulut lui enlever son soutien-gorge, mais baissa finalement les yeux avec soumission.

— Hmm, qu'ils sont beaux, dit-il en prenant un de ses seins dans le creux de sa main tout en la regardant dans les yeux.

C'était bizarre. Elle se pencha pour l'embrasser mais, avant qu'elle ait pu, il avait déjà baissé la tête et lui léchait le sein gauche avec ardeur. Elle eut un petit sursaut, davantage de surprise que de plaisir. Il s'arrêta puis recommença avec l'autre, comme s'il voulait égaliser deux boules de glace. Il continua avec toujours plus de vigueur, et semblait y trouver un réel plaisir. Elle ferma les yeux et tenta de se laisser aller. C'était assez excitant d'être seins nus, en jean avec ses bottes, mais elle réalisa alors que lui était encore habillé et qu'il fallait peut-être y remédier. Elle s'employa à déboutonner sa chemise, mais il lui prit la main et poursuivit sans brutalité mais avec insistance son entreprise. Il changea de sein et elle commença à se détendre. Il tournait tout autour de son téton sans jamais s'en approcher, finit-elle par remarquer. Cela commençait à être bon, mais le fait qu'il refuse de prendre le téton dans sa bouche à la titillait et elle sentit qu'il éprouvait un malin plaisir à la faire attendre. Elle gémit et il leva la tête avec un air un peu provocateur, tout à fait conscient de ce qu'elle désirait. Elle avait le téton dur à présent, dressé comme jamais, et délicieusement parcouru de terminaisons nerveuses à vif. Elle l'approcha de sa bouche, mais il se détourna encore, délibérément. C'était donc un jeu. Il ralentissait là où elle aurait voulu qu'il accélère, se reculait lorsqu'elle voulait l'attirer à elle et elle voyait chaque fois l'expression sadique de son visage, sa satisfaction de l'effet obtenu sur elle. Envolée sa théorie sur le fait qu'ils devaient jouir l'un après l'autre. Au lieu de ça, cette technique vicieuse de suçon adolescent avait l'air de les combler tous les deux. Quand il s'allongea sur elle, elle était dans un état tel qu'il dut lui plaquer la main sur la bouche pour faire taire les gémissements qu'elle n'avait même pas conscience de laisser échapper. Elle avait déjà entendu parler de femmes qui parvenaient à jouir seulement en se faisant caresser les seins, mais n'avait jamais cru que c'était possible. Et elle n'y serait peut-être pas parvenue si son sexe en la pénétrant n'avait pas effleuré ainsi le point sensible du sien. Mais il le fit, elle jouit.

*
* *

— Eh bien ! dit-elle ensuite.

— Oui, hein ?

Il tira de sa poche un mouchoir en papier tire-bouchonné et le lui tendit.

— Merci, dit-elle en le passant entre ses cuisses.

Ils n'allaient tout de même pas rendre à Carol un matelas avec une tache douteuse.

— Bien joué, dit-elle en s'étirant, comblée, les bras repliés au-dessus de la tête.

— C'est vrai, acquiesça-t-il, en se penchant pour attraper un rouleau de papier toilette dans le sac à dos.

— J'aurais dû t'emmener à un festival plus tôt.

— Hmm.

Il avait l'air presque gêné de lui avoir fait un tel effet.

Il sortit de la partie chambre et laissa retomber la porte en toile derrière lui.

— Je sors pisser, dit-il.

Elle l'entendit fermer sa ceinture et mettre ses chaussures qu'elle connaissait si bien : sur une, le lacet était cassé et ne montait pas jusqu'en haut. Elle écouta ensuite le bruit de ses pas qui s'éloignaient.

Elle demeura ainsi, dans un état de langueur post-coïtale, la tête penchée sur ce matelas trop rebondi. Elle prit entre ses doigts un brin de caoutchouc qui dépassait tout en écoutant les conversations dehors : des enfants et des adultes qui se chamaillaient, se disputaient ou bien négociaient. Toutes les familles heureuses se ressemblaient, disait-on, autrement dit, elles étaient mortellement ennuyeuses. Mais pas la sienne, pas ce week-end en tout cas. Comme c'était bon de sortir de sa zone de confort, de sa routine. Et de faire l'amour sous une tente, en plein jour, s'il vous plaît. Pour ça et pour bien d'autres choses, ils pouvaient remercier Gavin et Lou. Elle se souvint comme elle s'était sentie toute petite et sans importance pendant leur crémaillère. Aujourd'hui, c'était différent. Peu importait si la Humber les avait laissés sur place sur la petite route de campagne. Peu importait que Lou et Gav n'aient pas encore fait signe. Peu importait (ou presque) que Lou lui ait laissé ses enfants sur les bras pour partir en France le mois dernier. Ce n'était pas grave parce que Lou admirait son talent et que Gav la faisait craquer. Et ce n'était pas grave parce que tous les deux appréciaient vraiment Neil. Pas grave parce que tous les quatre étaient capables d'improviser des soirées en semaine jusqu'à 2 heures du matin et d'avoir quand même la pêche le lendemain. Pour la première fois, cet après-midi de mai, tandis que la semence de son mari se figeait entre ses cuisses et qu'une odeur de cannabis flottait dans l'air, elle se dit que cette amitié était exactement ce qu'elle souhaitait.

18

Dans son rêve, elle entendait une voix d'enfant.

— C'est celle-là, maman, la bleue.

Elle était dans le vestiaire de l'école. Une mère et son enfant cherchaient un manteau qui devait être accroché là. Elle ne voyait que leurs jambes et voulait dire à la femme qu'elles se trompaient, que ce manteau était le sien et pas celui de la petite fille, mais aucun son ne sortait de sa bouche. Pourtant sa propre voix la réveilla et elle comprit alors que la petite fille de son rêve était en fait Zuley. Elle l'entendait parler et dire que c'était leur *tente*, la bleue. Elle se dégagea tant bien que mal du matelas.

— La vache, mais c'est pas une tente, c'est un palace ! s'exclama Gav.

Sara n'avait même pas fini d'enfiler son jean lorsque la fermeture Eclair de la tente s'ouvrit. Elle se cacha la poitrine d'une main et se figea, mais le visage de Lou apparut alors.

— Oups, désolée, dit celle-ci non sans jeter un rapide coup d'œil à sa poitrine dénudée, avant de s'adresser de nouveau à elle.

— Pas de problème ! dit Sara. Je faisais la sieste. Ce doit être le grand air…

— Ce n'est pas ce qu'on m'a raconté, répondit Lou d'un ton moqueur.

Elle portait un rouge à lèvres vermillon et un foulard sur la tête, un de ces looks dont elle seule avait le secret.

— Prends ton temps. Neil nous donne un coup de main

pour monter la tente. On est tout au fond, près du poteau télégraphique. Viens boire une bière avec nous quand tu seras prête.

Sara récupéra son soutien-gorge là où l'avait jeté Neil et l'enfila. Elle eut tout d'abord l'impression que de petites feuilles s'étaient glissées à l'intérieur parce qu'il lui démangea les seins aussitôt. Mais son jean aussi serrait et lui chatouillait la peau comme s'il sortait de la machine, ce qui n'était pas le cas. Elle se tortilla dans tous les sens, mais la sensation perdurait, et ce n'était pas désagréable. Sans doute un effet des hormones ou juste de l'hyperstimulation que lui avait fait subir Neil, tout autant excité qu'elle par l'atmosphère de l'endroit, ou bien en conséquence d'un mystérieux alignement des planètes. Elle sourit en y repensant, puis installa un miroir grossissant sur l'étagère rétractable et s'accroupit devant, équipée de sa trousse à maquillage. Elle se passa du gloss sur les lèvres et regarda pensivement son image dans le miroir. La lumière douce de la tente était flatteuse. Disparue la citadine de banlieue qui ne sortait jamais sans sa couche de fond de teint. Au lieu de ça, une nymphe de la forêt, illuminée de l'intérieur par l'esprit du lieu. Elle allait mettre du mascara mais, satisfaite de son reflet, elle rangea le tube dans sa trousse et referma le tout. Elle n'avait besoin de rien d'autre.

Retrouver Lou et Gav fut toute une aventure. Elle avait naturellement pensé que leurs tentes seraient proches l'une de l'autre et elle s'efforçait de ne pas regretter trop que ses amis, à cause de leur arrivée tardive, soient si loin. Au départ, elle s'était réjouie que leur tente à Neil et elle soit plus près du cœur de l'événement, à quelques pas de la scène principale, et tout à côté des toilettes. Mais elle ne pouvait s'empêcher de trouver à présent que l'emplacement de Lou et Gav, surélevé et avec une vue panoramique, loin du tohu-bohu et des effluves de cuisson, était de loin plus enviable. Il y avait davantage d'ombre, grâce aux chênes qui parsemaient la pente de la colline, et l'herbe était encore verte et épaisse dans ce coin-là, et non boueuse et labourée par la foule comme en bas. Elle s'arrêta un instant et mit la main en visière pour contempler la vallée. Une légère brume de début de soirée donnait au ciel une teinte laiteuse et diffusait une lumière crépusculaire vaguement sinistre en bas, là où s'entassaient les tentes. Des fanions voletaient dans la brise et de la fumée s'échappait tandis que des lanternes s'allumaient peu à peu. On entendait au loin un orchestre celtique. On aurait dit qu'une armée de lutins, amateurs de hamburgers raffinés et de matelas gonflables, avaient surgi de leur forêt dans la Terre du Milieu pour s'approprier ce coin idyllique du Devon.

Elle aurait reconnu la tente de ses amis entre mille, avec son style flamboyant et son confort très relatif, même s'ils n'avaient pas été assis devant, entourés de bouteilles de bière.

— Waouh, mais c'est Party Central[1] ici!

— Salut, répondit Lou du fond de sa torpeur.

Neil bougea pour lui faire de la place sur le tapis. Seul Gav se leva pour l'accueillir vraiment et l'embrasser avec enthousiasme. En respirant son odeur de bière, de tabac et de sueur, elle eut soudain l'impression qu'un grand vertige s'emparait d'elle. Elle s'assit en tailleur et Neil lui tendit une bière.

— Où sont les enfants? demanda-t-elle.

— Les garçons ont accompagné Zuley au trampoline, répondit Lou.

---

1. Titre d'un court-métrage animé de Pixar dans lequel des monstres du film *Monstres et Cie* organisent un week-end délirant.

— Ah, c'est gentil, dit Sara tout en scrutant l'horizon d'un air soucieux.

— Détends-toi, lui dit Lou en lui tapotant la main. Ce festival est comme un grand kibboutz. Il ne peut littéralement rien leur arriver.

Puis elle ajouta en avisant la tenue de Sara :

— Tu n'as pas chaud ?

— Il devait pleuvoir, répondit Sara, sur la défensive, tout en considérant la robe vintage à fleurs de Lou, ses chevilles fines, ses ongles de pied turquoise.

Ils avaient tous opté pour une tenue adaptée à l'esprit du festival : Gav avec son stetson ridicule, et même Neil dans sa chemise grotesque. Avec son jean, son T-shirt et ses grosses chaussures, sans maquillage, on aurait dit qu'elle participait à un séminaire féministe en plein air.

Elle but une gorgée de bière et regarda autour d'elle. À droite, une tente en forme de dôme tout à fait inoffensive ; à gauche, un tipi d'où s'échappaient des bruits étouffés de frottement et de petits gémissements de plus en plus forts.

— On dirait que Pocahontas est en train de s'envoyer en l'air, fit remarquer Gav, goguenard, en penchant la tête pour entendre mieux.

— Oh, mon Dieu, j'espère qu'ils ne vont pas faire du bruit toute la nuit, dit Lou d'un ton excédé.

— Tu veux dire, plus que vous deux ? se moqua Neil.

— Ah ben, tu peux parler, toi ! rétorqua Lou en faisant mine d'être choquée.

Sara sentit le rouge lui monter aux joues.

— Il y en a qui savent se contenir, pas vrai, Gav ? poursuivit Lou, d'un ton faussement moralisateur.

— Ne parle pas trop vite, lui dit Gav tout en glissant deux doigts sous sa robe. Je n'ai pas dit mon dernier mot.

Lou l'arrêta d'une tapette de maîtresse d'école et Sara détourna le regard, le visage en feu, à la fois envieuse et émoustillée par la scène.

— Bon alors, dit-elle après quelques secondes pour dissiper sa gêne, qui a envie d'aller écouter les Jeremiahs tout à l'heure ?

— Mon Dieu, dit Gav, j'imagine qu'on n'a pas le choix.

— Mais ils sont bons, non ? dit Neil.

— En tout cas, c'est l'avis de Caleb, ajouta Sara.

Et c'était un euphémisme. C'était le seul groupe de tout le festival qui l'intéressait. Si elle ne l'emmenait pas pour le voir, autant dire que tout ce qu'elle avait raconté aux garçons pour qu'ils aient envie de venir était du vent.

— Oui, Dash les aime bien aussi, dit Gavin en attrapant un joint, mais bon, pour nous les adultes…

— C'est des super musiciens, insista Neil, qui venait juste de télécharger leur deuxième album.

— C'est sûr, acquiesça-t-il, mais un peu trop folk, non ? Je veux dire, si on aime ce délire-là, comment peut-on aimer la vraie bonne musique : Jeff Buckley, Tim Hardin, Flatt and Scruggs, tout ça quoi !

— Ils sont tous morts, non ? fit remarquer Neil.

— Pas faux, répondit Gav en riant. Le seul truc, c'est que, si on va les écouter, on sera obligés d'aller les voir ensuite.

Et cela n'avait pas l'air de l'emballer.

— Tu les connais ? demanda Sara, incrédule.

— On connaît leur manager, fit Lou. Sympa. Il habitait au-dessus de chez nous à Soho. Un vrai feignant à l'époque.

— Et encore plus aujourd'hui, je parie, dit Gavin. Avec tout le fric qu'il s'est fait. Tu sais qu'ils ont eu un disque de platine !

Sara observait ses doigts tachés de nicotine en train de déposer une bonne dose de hasch dans le tabac qu'il s'apprêtait à rouler.

— Moi, ça m'est égal, dit-elle alors.

Son mensonge lui donna mauvaise conscience vis-à-vis de Caleb, qui aurait fait n'importe quoi pour rencontrer le

groupe, et elle se mit à gratter tristement l'étiquette de sa
bouteille de bière.

— Ne décidons pas tout de suite, suggéra Neil en se
levant. Je vais préparer le barbecue. Vous avez pensé à la
pâte à feu ?

Lou leva les yeux au ciel.

— Elle est dans le coffre de la voiture.

— Tiens, mon grand, dit Gav en lançant les clés à Neil,
qui les attrapa nonchalamment et commença à partir.

— Gav ! protesta Lou en riant.

— Quoi ? fit-il, étonné.

Elle lui jeta un regard exaspéré et se hissa sur les pieds.

— Attends, Neil ! Je viens avec toi !

La contrariété que Sara avait commencé à ressentir pour
son mari fut aussitôt remplacée par ce plaisir inespéré de
passer un peu de temps seule avec Gavin.

— Quel feignant ! lui lança-t-elle sur un ton plus admiratif
que réprobateur lorsque les deux autres se furent éloignés.

Il glissa un filtre au bout du joint avec adresse et fit glisser
amoureusement ses doigts sur toute la longueur avant de
le tendre à Sara.

— Ça va m'achever, le prévint-elle tout en portant le
joint à ses lèvres.

— On ne vit qu'une fois, répliqua-t-il en approchant
une allumette.

Elle tira tout doucement. Il était trop tôt et la soirée
devenait bien trop intéressante pour qu'elle risque de
tout gâcher en perdant le contrôle. Elle détourna la tête
et fit semblant de tirer une deuxième bouffée puis, avec
un hochement d'approbation, elle le lui rendit. Gavin
n'avait pas les mêmes scrupules et il fit se consumer la
moitié du joint en une seule aspiration. Il ferma les yeux
et renversa la tête en arrière et, au moment où elle ne
pensait plus cela possible, il exhala la fumée dans un
panache impressionnant. Ils ne se dirent rien pendant

un moment. Il fumait et elle consultait le programme. Il lui demanda ensuite de lui énumérer les groupes qu'elle avait envie d'entendre et il les critiqua gentiment les uns après les autres. Si bien qu'elle finit par lui tendre la brochure en lui demandant de lui dire qui trouvait grâce à ses yeux. Il examina la liste et secoua la tête. Elle fut secouée d'un rire nerveux, arracha une poignée d'herbe et la lui jeta à la figure, mais il courba la tête et l'herbe tomba sur sa nuque.

— Ah zut ! s'écria-t-elle en essayant de réparer sa maladresse, mais sans parvenir à autre chose qu'à enfoncer l'herbe plus encore.

Elle s'agenouilla et plongea la main le long de son dos dans sa chemise puis la retira avec un rire gêné lorsqu'elle se rendit compte du caractère intime de son geste.

— Pardon, dit-elle.

— Il n'y a pas de quoi, répondit-il.

Elle sentait sur sa main la moiteur de son dos. Elle se rassit et ils se turent un moment.

Les bras posés sur les genoux dans une posture de boy-scout, Gavin se pencha en avant et l'examina avec intérêt.

— Tu es drôle, Sara, lui dit-il, le regard vitreux mais l'air sincère.

— Vraiment ? se contenta de répondre prudemment Sara.

Il n'en dit pas davantage, mais continua de la fixer du regard d'une manière à la fois flatteuse et déconcertante. Pour se donner une contenance, elle renversa sur sa langue sa bouteille de bière et but les dernières gouttes. Elle savait très bien qu'il l'observait et que son geste était provocant.

— Tu commences à me plaire, dit-il d'une voix basse et même un peu rauque.

— Ah bon !

— Non, mais ne te méprends pas. Je t'ai toujours appréciée, ajouta-t-il en lui donnant un petit coup dans le genou en guise de reproche. C'est juste que je ne te voyais pas.

— Et ça devrait me faire plaisir, c'est ça ? répondit-elle d'un ton bougon. D'être devenue visible ?

En fait elle était plus que contente, elle était folle de joie. Quel plus grand compliment pouvait-elle recevoir de la part d'un artiste ?

— Tiens, dit-il en se penchant en arrière pour attraper une bière dans la glacière et la lui donner.

Comme elle tendait le bras pour la prendre, il se rétracta en riant. Puis la lui tendit de nouveau et de nouveau la mit hors de sa portée. Avec une moue indignée et ravie à la fois, elle se jeta péniblement en avant. Il se recula et elle tomba en riant sur le tapis, et resta allongée là, à se débattre comme un insecte sur sa carapace, tandis que son visage à lui se découpait dans le soleil couchant.

— On ne peut pas vous laisser seuls deux minutes, vous deux, hein ? dit alors Lou sans aucune forme de reproche, mais plutôt amusée par la scène.

Sara se releva si vite qu'elle en eut un éblouissement. Elle se recoiffa, un peu gênée, et se mit à boire au goulot d'une bouteille qu'elle n'avait pas décapsulée.

— Mais pourquoi vous avez mis si longtemps ? demanda Gavin sans le moindre embarras ni remords. On trouvait le temps long par ici.

— On ne trouvait pas la voiture, figure-toi, dit Neil en s'avançant avec un sac rempli de charbon de bois.

Gav secoua la tête avec indulgence.

Pendant les vingt minutes qui suivirent, il y eut une activité fébrile autour du barbecue. Torse nu, les hommes s'accroupissaient chacun à son tour pour souffler sur les braises et faire partir le feu. (Gav était plus agréable à regarder que Neil, ne put s'empêcher de se dire Sara.) Les femmes se glissaient entre eux deux pour aligner les saucisses sur le gril, et couper le pain pour les hot-dogs, ouvrir les boîtes de coleslaw, tout en se servant du *merci*, du *s'il te plaît* et du *je t'en prie* en veux-tu en voilà. Jamais, depuis leur rencontre, il n'y avait eu entre elles cette sorte de politesse gênée. Sara ne savait pas sur le compte de quoi la mettre et plus elle essayait d'être naturelle, plus cela sonnait faux.

Rien ne s'arrangea avec l'arrivée des enfants. Sara les vit la première, qui remontaient la colline dans sa direction, insouciants et chahuteurs, comme des enfants normaux, mais comme ses enfants à elle n'avaient pas été depuis longtemps en fait. Patrick ouvrait la marche. Au fur et à mesure qu'il s'approchait, elle vit son expression changer. En lieu et place de son insouciance enfantine se lut bientôt de l'incompréhension, puis de l'indignation. Elle se souvint alors, trop tard, qu'elle lui avait promis qu'il ferait cuire lui-même sa viande, au moment où, comme au ralenti, Lou faisait passer la grille chargée de saucisses carbonisées dans un plat pour les garder au chaud. Bientôt tous les enfants furent autour du barbecue, essoufflés, excités et affamés.

— Tiens, Patrick, dit Lou. Premier arrivé, premier servi !

Mais il ignora le hot-dog qu'elle lui tendait et fixa sa mère avec un air de reproche.

— Mais ça se fait pas ! s'exclama-t-il.

— Je sais, mon chéri, mais si on voulait être à l'heure pour aller voir les Jerem…

— Je m'en fous des Jeremiahs !

Il avait la bouche qui tremblait et faisait visiblement des efforts pour ne pas pleurer devant les grands.

— Je te conseille de prendre ça, Patrick, si tu veux dîner ce soir, répéta Lou en perdant un peu patience.

— Non, je mangerai pas ! répondit-il avant de se retourner brusquement et de s'en aller, furieux.

— Eh bien, dis-moi, dit Lou. En voilà un qui ne s'est pas levé du bon pied ce matin !

— Il voulait faire cuire lui-même son dîner, expliqua Sara à voix basse. Je le lui avais promis.

— Chez nous, dit Lou en tendant le hot-dog à Dash, « je veux » ne signifie pas forcément « donc j'aurai ».

Sara en resta bouche bée. Quelle ironie ! Le petit prince qui obtenait tout ce qu'il demandait en train de manger le hot-dog de Patrick, tandis que sa mère donnait des leçons d'éducation !

— Tu peux en mettre un de côté pour lui plus tard, dit-elle à mi-voix.

— Eh bien, si tu veux, mais personnellement je pense qu'une petite leçon de modestie ne lui ferait pas de mal.

Incrédule, Sara la regarda fixement. Que Lou lui parle de modestie ! La même qui les avait tous bassinés pendant des semaines avec son film prétentieux, qui s'était pavanée au festival du film d'Ann Harbor pour caresser dans le sens du poil un autre ramassis de narcissiques dans l'espoir qu'ils lui renverraient l'ascenseur, alors que pour finir cette autosatisfaction générale se conclurait par une subvention gouvernementale complaisante avant de tomber dans l'oubli. Tant de mauvaise foi était insupportable. Sara lui tourna le dos et s'en alla avant que son envie de plaquer la tête de Lou contre la grille du barbecue ne prenne le dessus.

19

Patrick n'était pas très loin, et se tenait la tête entre les mains, tout en creusant le sol avec un orteil. Il lui tournait le dos, mais Sara voyait bien qu'il essayait de ne pas pleurer.

— Pat, l'appela-t-elle.

Il tressaillit et partit en courant, s'approchant de plus en plus de la foule, où elle risquait de le perdre des yeux très vite. Du coup elle le suivit, tout en restant à une certaine distance. Il finit par ralentir, et prit un air indifférent un peu macho qui la bouleversa plus encore que sa déception de tout à l'heure. Il s'arrêta devant un stand et fit mine de s'intéresser aux bâtonnets lumineux.

— Tu en veux un ? dit-elle en s'approchant.

Il lui lança un regard noir et haussa les épaules.

— Une livre pièce, annonça le jeune homme derrière le stand. C'est cinq livres les six.

— On pourrait en rapporter aux autres. On ne les voit pas bien pour le moment, mais si tu les plies en deux ils se mettent à br…

— Je sais ce que c'est, maugréa-t-il. On en a eu à la fête de l'école.

— Absolument, renchérit Sara.

L'espace d'un instant, elle se retrouva transportée dans la cour de l'école par un après-midi d'été, au son d'un orchestre de cuivres et dans les effluves de curry, tandis que des *pearly kings*[1] distribuaient des falafels et que des Somalis en habit traditionnel servaient du thé. Elle avait été responsable de la tombola, qui, à elle seule, avait rapporté soixante-quatre livres et cinquante pence au profit de leur école jumelée au Malawi. Tout ça lui semblait maintenant à des années-lumière.

Elle prit un bâtonnet, le brisa et s'émerveilla de le voir briller.

— Incroyable, dit-elle, en le posant en couronne sur sa tête. Je me demande comment ça marche. Fais-moi penser à regarder sur Google quand on sera à la maison. On pourrait peut-être en fabriquer nous-mêmes. Ce serait un super projet de science.

— J'ai pas envie, dit Patrick.

— Alors tu ne seras pas obligé, répondit-elle, conciliante. Ce qu'il y a de super avec l'école à domicile, c'est que vous pourrez faire ce que vous avez *envie* de faire. Des trucs sympas.

— Avec elle, ça sera pas sympa.

— Mais enfin, Pat, attends, dit Sara en se baissant devant lui, Lou ne voulait pas être méchante. Elle ne savait pas que je t'avais promis de faire cuire les saucisses.

Tout en disant cela, elle sentait remonter en elle l'amertume ressentie devant l'attitude de Lou et elle inspira à fond.

— Ce sera très bien d'apprendre avec elle. Elle a des tonnes d'idées. Tu savais qu'elle avait une amie dont le métier est de fabriquer des marionnettes ? Des marionnettes vraiment cool. Elle va lui demander de venir faire un atelier avec nous.

— Je suis pas un bébé.

1. Personnes vêtues de costumes sur lesquels sont cousus des centaines de boutons (en guise de perles) et faisant partie de la tradition dans les milieux populaires anglais.

— Je sais, mon chéri. Mais il y aura d'autres choses aussi. Des choses de grand. De bien plus grand que ce que vous faisiez à Cranmer Road parce qu'on n'aura plus à s'occuper de ceux qui… ceux qui n'ont pas envie d'apprendre.

Il la regarda sans comprendre.

— Ce que je veux dire, c'est que, si on réfléchit bien, il y avait combien d'enfants dans ta classe à l'école ? Trente ?

— Trente et un, parce que le garçon qui parlait pas anglais est arrivé après.

— Exactement, dit Sara. C'est ce que je dis. Mlle Nicholls doit s'occuper de trente et un élèves, dont au moins un ne sait pas bien parler anglais.

— Il ne sait pas parler anglais du tout.

— Oui et c'est bien. C'est très bien, mais ce que je dis, c'est que Mlle Nicholls est toute seule pour faire la classe à trente et un élèves.

— Oui, enfin, trente maintenant puisque je suis parti.

— Oui, bon, trente. Et au moins un qui se débrouille comme il peut en anglais.

— Il se débrouille pas. Il ne sait pas parler anglais.

— Oui, enfin bon, c'est très compliqué pour Mlle Nicholls. Mais toi, dit-elle en lui adressant un sourire radieux qui éveilla sa suspicion, toi, tu travaillais très très bien. Alors imagine un peu si, au milieu de trente autres enfants, tu t'es débrouillé si bien, les progrès que tu vas faire dans une classe de quatre élèves !

— C'est pas vraiment une classe.

— Mais si. C'est une petite classe et tu auras deux professeurs, pour quatre, ce qui fait ?

— La moitié d'un pour chacun.

— Mais oui, tout à fait, dit-elle en lui ébouriffant les cheveux. Ou un pour deux en moyenne.

*
* *

Après avoir fait un tour, ils remontèrent ensemble vers la tente de Lou et Gavin. Patrick semblait consolé et mangeait son *burrito* avec une application joyeuse. Lorsqu'ils furent presque arrivés, il se mit à courir, impatient de donner les bâtonnets aux autres.

Lou était accroupie devant le robinet et rinçait la vaisselle.

— Salut, dit Sara, un peu tendue.

Lou, toujours accroupie, se retourna, plissa les yeux et l'accueillit avec le sourire désarmant de celle qui n'a pas du tout conscience d'avoir été blessante.

— Ah, tu es revenue !

— J'aurais pu le faire, dit Sara en désignant la vaisselle.

— Oh, ce n'est rien. Je me suis juste dit que si on voulait aller voir les Jeremiahs…

— On y va alors ?

— Les garçons ont l'air d'avoir envie.

Sara fit de son mieux pour lui rendre son sourire. C'était gentil de sa part de faire la vaisselle, et c'était gentil d'aller au concert pour faire plaisir aux enfants. On ne pouvait pas dire le contraire, c'était gentil.

— D'accord, mais je veux bien passer me changer d'abord.

— Tu n'as pas besoin de te changer, dit Lou en lui crochetant le bras avec le sien. Tu es très jolie comme ça.

Les autres étaient déjà en chemin, tous en file indienne, Zuley perchée sur les épaules de son père, et les garçons tout joyeux, en grande discussion, parés de leur bâtonnet fluorescent, comme une version psychédélique de la famille Von Trapp en route pour la frontière suisse.

Il y avait foule devant la scène lorsqu'ils arrivèrent, mais l'atmosphère était bon enfant, et c'était tant mieux parce que Lou et Gavin n'hésitèrent pas à jouer des coudes pour se mettre tout devant. Tenant les garçons par la main, Sara, un peu gênée, se faufila derrière eux, surprise de constater combien les gens sont prêts à vous céder du terrain si on prend l'air bien déterminé. Une fois parvenus à leurs fins, les quatre adultes se mirent à boire la tequila qu'ils avaient apportée pendant que le soleil se couchait.

Le public était jeune, mais Sara le trouva plutôt branché. Des ados longilignes dans des jeans déchirés partageaient des joints avec des parents qui refusaient visiblement de vieillir, et dont ils étaient les copies conformes, avec les mêmes tatouages, les mêmes piercings. Si c'était ça, les fans des Jeremiahs, elle ne voyait pas du tout pourquoi Gavin faisait le difficile.

Enfin, dans un tonnerre d'applaudissements, le groupe surgit sur la scène, une bande de jeunes gens bien comme il faut en justaucorps, un foulard autour du cou, de vraies crinières sur la tête et du duvet sur le menton. Ils jouèrent les premiers accords de leur tube et, toute contente de s'apercevoir qu'elle connaissait les paroles par cœur, Sara se mit à chanter, en regardant avec attendrissement Caleb et Dash qui battaient la mesure en rythme. Elle se laissa aller encore un peu plus sur la deuxième chanson et esquissa des pas de danse. Neil, quant à lui, avait l'air au septième ciel, il dodelinait de la tête et fermait les yeux à demi, tel un nourrisson qui cherche le sein de sa mère, et même s'il avait l'air un peu crétin Sara ne put s'empêcher d'envier le plaisir qu'il y prenait. Gavin avait lui aussi l'air content maintenant, mais peut-être ses petits balancements en rythme n'étaient-ils destinés qu'à faire rire Zuley toujours perchée sur ses épaules. Lou en tout cas n'avait pas l'air enchantée du tout. À deux ou trois reprises, elle se hissa sur la pointe des pieds pour dire quelque chose à l'oreille de Gav, qui lui répondit d'un hochement de tête et d'un sourire ironique.

*
* *

Après un dernier éclat de cuivres, et une dernière poussée vocale, le concert s'acheva. Le public cria, siffla, hua, puis commença à se disperser, dans un contentement général.

— Alors ? Vous voulez faire quoi maintenant ? demanda Gav tout en faisant descendre Zuley de ses épaules, malgré ses protestations, et en se frottant la nuque. Si on se dépêche, on pourra voir la fin de Billy Bragg sous le chapiteau.

— Je croyais qu'on allait dans les loges, dit Sara.

— Houla, vraiment ? fit Gav, en tordant le nez.

— Je crois qu'il vaudrait mieux, Gav, fit Lou. En fait je suis presque sûre que Will m'a vue.

— Qui est Will ? demanda Sara.

— Le clavier, répondit Lou d'un air condescendant.

Au moment où ils passaient le cordon de sécurité pour accéder au Village des Artistes, Sara se mit à regretter. Le bâtiment dans lequel on les fit entrer n'était rien de plus qu'un grand préfabriqué vide sur lequel se détachait en grandes lettres le mot « hospitalité », mais le simple fait d'y être admis conférait un prestige dont elle se sentait indigne. Lou et Gavin, comme toujours, étaient parfaitement à leur aise. Même Neil passait très bien avec sa barbe de vingt-quatre heures et ses Converse, mais elle portait toujours le même T-shirt et le même jean depuis le matin. Elle avait des auréoles de transpiration sous les bras, le visage luisant et le cheveu mou. La seule chose qui donnait un peu de classe à cette tenue était le bracelet « accès autorisé » qu'elle portait au poignet.

La pièce elle-même était très simplement meublée, afin de répondre aux besoins élémentaires du groupe. Il y avait une table où se trouvaient des bouteilles et de quoi grignoter. Les deux fauteuils à moitié défoncés étaient occupés par les petites copines des musiciens, qui avaient l'air de mourir d'ennui. Les membres du groupe vaquaient, torse nu, une bière à la main, l'air épuisé mais ravi. Gavin et Lou firent le tour de tout le monde, distribuant une bise à droite, donnant une accolade à gauche ou soufflant des baisers de loin. Ils présentèrent Dash et Caleb comme de grands fans et les musiciens se prêtèrent au jeu des selfies. Neil se mit à parler avec l'ingénieur du son et Sara se balada puis, un peu lasse, alla se servir un verre. Une ambiance de fête commençait à se faire sentir, et de plus en plus de gens arrivaient, en même temps que montaient les décibels. La pièce se remplissait de personnes dont la présence avait l'air parfaitement justifiée et Sara se sentait de moins en moins à sa place. Lou et Gavin discutaient avec un beau gars d'une cinquantaine d'années qui, malgré ses yeux tombants et sa bedaine, avait encore un certain charisme de rocker. Elle devina qu'il s'agissait de Mick, le manager du groupe. Gav lui racontait une histoire en faisant de grands gestes, un bras négligemment posé sur son épaule, mais le type n'avait d'yeux que pour Lou. Ni la présence de sa petite fille endormie sur sa hanche maternelle, ni celle de son mari ne lui faisaient dévier le regard de son décolleté, auquel il adressait chacune de ses remarques. Cela n'avait pas du tout l'air de contrarier Lou, bien au contraire. Sara en était presque malade pour Gav, mais elle savait bien qu'il prenait un certain plaisir à ce petit jeu lui aussi.

Des voix s'élevèrent et attirèrent leur attention. Dash et Caleb étaient en train de se chamailler autour du baby-foot. Ça commençait à s'envenimer un peu et des invités s'étaient mis à les regarder d'un œil désapprobateur. Sara s'avança ver eux, mais Lou l'intercepta :

— Oui, il vaudrait peut-être mieux qu'ils rentrent maintenant, lui cria-t-elle. On vous rejoint tout de suite, dès qu'on a fini de dire au revoir. Et puisque tu emmènes les garçons… tu veux bien aussi prendre Zuley? Je me doutais qu'on abusait un peu en venant avec les enfants.

Sur ce, elle lui colla Zuley endormie dans les bras.

— Non mais on me prend pour qui, moi, ici? La nounou? dit Sara en traversant tant bien que mal le camping, la tête de Zuley tapant contre son épaule à chaque pas.

— Tu vas la réveiller, dit Neil en la rejoignant. Donne-la-moi.

— Je n'ai même pas dit que je m'en allais. Elle a juste considéré que c'était normal, ajouta Sara.

— Sara, lui dit Neil sur un ton de reproche, arrête, les garçons vont t'entendre.

Elle s'arrêta et lui fit face.

— Je m'en fous. Elle a un de ces culots!

Zuley leva la tête et murmura quelque chose. Sara prit l'air désolé.

— Pauvre petit bout! Elle devrait être couchée depuis des heures. Ce n'était pas spécialement fait pour les enfants, ce truc, si? Avec toute cette fumée! Et, au fait, qui a permis aux garçons de boire du Red Bull?

— Ils se sont servis tout seuls, répondit Neil. Encore heureux qu'ils se soient contentés de ça et pas du Jack Daniel's. Mais je ne comprends pas pourquoi tu en veux à la terre entière comme ça. C'est toi qui as insisté auprès de Gav pour qu'on aille dans les loges!

— Oui, parce que je pensais que ce serait juste pour un petit autographe rapide et puis voilà! Pas une partouze! Tu as vu ce pervers qui louchait sur les seins de Lou. Je ne savais pas où me mettre. Et puis il n'y a pas que ça: à un moment, c'est le pire groupe de la planète et c'est une vraie corvée d'aller les écouter, et le moment d'après, c'est: « Putain, Will, vous avez été incroyables! » ou : « Salut,

Mick, mon frère, ça fait un bail ! » C'est vrai, on ne sait jamais à quoi s'en tenir ! Tu ne trouves pas ?

Ils finirent par rejoindre leur tente. Neil fit glisser la fermeture Eclair et Sara se faufila pour déposer Zuley sur le matelas gonflable de Carol. La couche de la petite était trempée, mais on ne pouvait rien y faire. De l'autre côté, Neil tentait de calmer les garçons. À les entendre, le Red Bull commençait juste à faire son effet.

20

— Toc, toc, toc ? Des amateurs pour un café ?

Sara ouvrit les yeux et la lumière du jour l'agressa. Elle avait la tête comme une citrouille. Elle tenta de se lever, mais elle était coincée par Patrick qui dormait à côté, et dont l'haleine chaude lui chatouilla les narines. Avec précaution, elle s'extirpa en prenant soin de ne pas le renverser sur le tas d'enfants endormis tout autour d'elle.

— J'arrive, répondit-elle, irritée, en tâchant de se frayer un chemin.

Elle défit la fermeture de la tente et sortit.

— Bonjour ! s'exclama Lou en lui présentant une caissette en carton, dans laquelle Sara prit, sans enthousiasme, un des trois cafés.

— Houla ! Toi, tu as une sale tête ! On est dans le même état, je crois !

Sara considéra sa tenue de nuit informe avant de regarder Lou, fraîche comme une rose, dans son short à franges et ses bottes, les cheveux joliment coiffés en deux petites tresses. Elle ne sut pas quoi répondre.

— Quelle fête hier soir, hein ? dit Lou.

Sara fit la grimace.

— Vous êtes rentrés à quelle heure en fin de compte ?

— Oh, pas si longtemps après vous, fit Lou. On est passés chercher les enfants, mais tout était si calme qu'on a préféré ne pas vous déranger. Vous les avez couchés en un temps record visiblement.

— Euh, pas vraiment non.

Lou eut la délicatesse de prendre un air contrit et il y eut quelques secondes de gêne.

— Il est bon, ce café, finit par dire Sara.

— Oui, n'est-ce pas ? Il vient du Guatemala. Et j'ai aussi de quoi faire un bon petit déjeuner. Venez quand vous n'aurez plus la gueule de bois. On va vous préparer tout ça.

— Vous ne pourriez pas plutôt tout descendre par ici ? Pour nous éviter d'avoir à monter les enfants jusque chez vous ?

— C'est un peu… bondé par ici, non ? Et puis, on a un invité de marque qui sera content d'être un peu à l'abri des regards, répondit Lou avec un sourire plein de mystère.

Sara savait qu'il était inutile de chercher à en savoir plus.

— OK, super. Comme tu veux, dit-elle.

Pourtant, lorsqu'ils remontèrent jusqu'à la tente de Lou et Gavin avec Neil un peu plus tard, sa mauvaise humeur se dissipa. Elle était contente de voir Gav et curieuse, à dire vrai, de découvrir l'identité de l'invité mystère. Qui pouvait-il être pour vouloir se cacher des regards dans un festival où il n'y avait que des camés archi-relax ?

Ils arrivèrent enfin et eurent la réponse : Ezra était assis dans un fauteuil de camping, vêtu d'un T-shirt *Occupy Wall Street* et d'un short kaki.

Sara l'appela joyeusement. Il ne réagit pas vraiment et Lou dut se pencher vers lui et lui glisser quelque chose à l'oreille.

— Sara ! Neil !

— Qu'est-ce qui t'amène ici ? demanda Sara en fonçant sur lui pour l'embrasser timidement sur les deux joues.

— Je ne fais que passer, répondit-il.

— Il s'est éclipsé du festival de littérature de Budleigh Salterton, expliqua Lou avec un petit rire et en levant un pouce admiratif. Tout le monde est à sa recherche.

Sara et Neil s'assirent à côté de leurs amis sur le tapis, devant un délicieux petit déjeuner composé d'œufs frits et de chorizo.

— Il faut bien leur reconnaître ça, les nanas aiment lire en Angleterre, dit Ezra, un peu de jaune d'œuf au coin des lèvres.

— Elles aiment te lire, toi, précisa Lou.

— Elles aiment lire n'importe qui. Que ce soit le type qui raconte son enfance malheureuse, ou la vie d'un chef cuisinier, ou encore celle d'un ancien dictateur, ou ce con de Deepak Chopra[1]. Elles lisent tout ce qui sort.

— Ce n'est pas un peu méprisant de dire ça ? demanda Neil.

— Évidemment, si tu aimes Deepak Chopra…

Neil ne se démonta pas.

— Oui, enfin, je comprends ce que tu veux dire, concéda Ezra, tout en enfournant un morceau de pain dans sa bouche sans s'arrêter de parler. J'exagère exprès. Mais si tu avais été retenu en otage pour une signature par toute une flopée de nanas, parce que c'est toujours à quatre-vingt-dix pour cent des nanas, une file d'ici jusqu'à…

Il se mit à agiter la main vers le lointain.

— Jusqu'à Hay-on-Wye, ajouta Gav, compatissant.

— Oui, eh bien, je peux te dire, tu serais gavé toi aussi !

— Moi qui pensais que tu aimais les femmes, lui dit Lou sur un ton de reproche.

— J'aime *certaines* femmes, répliqua-t-il, avec un regard ambigu.

— Que lis-tu toi en ce moment ? s'aventura à lui demander alors Sara.

— Eh bien, en ce moment, Sara, je découvre l'œuvre de votre Doris Lessing.

---

1. Penseur et auteur à succès d'origine indienne intéressé par la spiritualité et la médecine alternative.

— Ça alors ! Je n'aurais jamais cru que c'était ta tasse de thé !

— Pourquoi ? C'est quoi ma tasse de thé ?

— Non mais, je veux dire, elle était très féministe, non ?

— Au contraire, je dirais qu'elle était à mille lieues de tout politiquement correct. Elle était vraiment dans la transgression, comme devrait l'être tout vrai artiste.

Il la regarda alors et leva un sourcil, d'un air suggestif.

Elle rougit de plaisir et d'incrédulité. Qu'est-ce que cela voulait dire ? Il soutint son regard, et lui adressa un sourire entendu et provocateur. Il l'avait lu. Il avait lu son roman. Elle devint pivoine et tenta tant bien que mal de se calmer, à la fois surprise et flattée. En plus de ça, elle se sentait prête, car l'argument du politiquement correct était celui auquel elle était le plus sensible, mais elle avait déjà fourbi ses armes dans des conversations imaginaires qu'elle avait eues avec lui, ces conversations étant son deuxième fantasme préféré.

— Oh, mais bien sûr, dit-elle en sentant un flot d'adrénaline lui colorer le visage. Je suis tout à fait pour la transgression. Je pense juste qu'on peut y parvenir sans renforcer les stéréotypes négatifs.

— Ah vraiment ? lui demanda-t-il, intrigué.

— Oui, vraiment. Je veux dire, d'accord, mon personnage de dealer est noir, ce qui fait de moi une cible parfaite pour au mieux les débusqueurs de stéréotypes, et au pire les antiracistes, mais je refuse de m'excuser de quoi que ce soit parce que tout ça est cohérent avec le décor.

L'air perplexe, Ezra alluma une cigarette.

— Mais si tu penses que c'est pour cette raison que j'ai décidé de lui attribuer un passé trouble, d'en faire un personnage moralement ambigu avec un passé qui démontre combien il est capable de se racheter, eh bien, c'est faux. Il a vraiment besoin de cette dualité pour expliquer sa fascination pour Nora, qui, pour sa part, ne se contente pas d'être le stéréotype de la masochiste. Ça aurait été un peu trop facile, tu comprends, d'en faire juste un voyou et rien de plus, mais j'ajouterais que vouloir lui donner de la profondeur n'est pas une histoire de politiquement correct, c'est juste de la meilleure littérature.

Elle se tut, assez contente d'elle-même. Ezra tira une bouffée, souffla la fumée et secoua la tête.

— Ce n'est pas faux, dit-il.

— Quoi ? Tu veux dire que tu es d'accord avec moi ? demanda Sara, sans trop y croire.

Elle aurait aimé qu'il se montre un peu plus combatif.

— J'imagine que oui, sauf que je n'ai pas la moindre idée de ce dont tu me parles.

Elle le dévisagea, et sentit de nouveau la chaleur monter à son visage, sous l'effet de l'humiliation cette fois-ci. Il se tenait assis là dans son fauteuil de camping, tel un demi-dieu de la littérature, sa cigarette entre ses doigts noueux, et les pieds croisés, l'air à la fois poli et stupéfait. Mais comment avait-elle bien pu croire un seul instant qu'il allait lire son manuscrit ? Il était évident qu'il ne l'avait jamais ouvert, pas plus qu'il ne se souvenait qu'on lui en eût fait la demande. D'ailleurs, il devait même à peine se souvenir de l'avoir déjà rencontrée.

— C'est que… j'avais l'impression que tu avais peut-être lu quelque chose que j'ai écrit. Désolée, je me suis trompée.

Et elle regarda Lou, l'air misérable.

— Est-ce que quelqu'un ici pourrait enfin me dire ce que je suis censé avoir lu ?

— Le roman de Sara, Ezra. Je te l'ai envoyé.

Et elle ajouta sur un ton enthousiaste :

— Il est formidable, très prometteur. Tu devrais peut-être vérifier dans tes spams. Ça s'appelle *Le Retour*.

— *Le Détour*, corrigea Sara à mi-voix.

— *Le Détour*, oui, c'est ça. Peut-être que la pièce jointe était trop volumineuse.

**

Dans l'après-midi, les trois hommes partirent écouter un groupe de folk pendant que Lou et Sara emmenaient les enfants à un atelier cirque.

— Ça me rappelle des souvenirs, dit Lou tandis qu'ils faisaient la queue dans les odeurs d'herbe chaude et de toile de tente.

— Tu as de la chance, répondit Sara. Nous n'allions jamais au cirque, ma mère trouvait ça vulgaire.

— Oh, nous n'y allions pas non plus, non! Mais j'ai travaillé dans un cirque autrefois.

Mais voilà, évidemment, se dit Sara.

— Je ne t'ai jamais raconté mon histoire avec les Full Fathom Five? lui demanda Lou, étonnée elle-même de cet oubli. Enfin, techniquement ce n'était pas vraiment un cirque. Une forme de théâtre plutôt, à l'époque où ils n'étaient pas encore très connus. On s'entraînait sous un chapiteau comme celui-ci. La troupe avait été fondée par Jerzy Novak, un Polonais avec un talent fou. C'est le mari de Beth, tu sais, des Little Creatures, qui va venir fabriquer les…

— Les marionnettes, dit Sara, en hochant la tête.

Elle avait beaucoup réfléchi à cet atelier de marionnettes, aux leçons de guitare et à toutes les autres activités que Lou et elle devaient prévoir et mettre en place un de ces jours lorsque leur école à domicile débuterait enfin. Elle n'avait pas cessé d'y penser.

— Il est devenu alcoolique, c'est bien triste, poursuivit Lou. À l'époque, il était incroyable. Il faisait de ces choses avec son corps! J'étais un peu amoureuse de lui en fait. Ça rendait mes parents dingues et j'ai foiré mon brevet à cause de ça. Mais je sais toujours marcher sur les mains, regarde!

Et soudain on vit les semelles de ses chaussures en l'air, tandis qu'elle faisait des allers-retours devant les familles médusées, sa robe retombant sur sa tête, et vêtue seulement de leggings noirs. Elle se remit sur ses pieds avec agilité, provoquant un éclat de rire général et des applaudissements spontanés.

Une fois les enfants inscrits, tout le monde s'assit sur des bancs et deux instructeurs aux piercings improbables, Hepzibah et Dave, expliquèrent les règles de comportement et de sécurité. Lorsqu'ils énoncèrent la liste des activités proposées, un bruissement d'excitation se fit entendre. Un tapis de sol différent était prévu pour chaque discipline : acrobatie, funambulisme, vélo à une roue, etc. Dash et Caleb choisirent l'atelier jonglage, mais les deux petits passèrent d'un atelier à l'autre, sans pouvoir se décider, et le choix se réduisait de plus en plus.

— Acrobatie ! finit par crier Patrick en tirant Arlo par la manche, mais avant qu'ils aient pu s'emparer des deux dernières places Lou les avait rejoints et, penchée vers eux, les mains serrées entre les cuisses, elle leur faisait un sermon.

Au milieu du brouhaha général, Sara n'entendait pas, mais la voyait tourner la tête avec insistance et désigner un autre tapis de sol qui se distinguait par son peu de succès. Patrick regarda sa mère d'un air suppliant. Elle se leva pour intervenir mais, voyant que les dernières places en acrobatie venaient d'être prises, et que tous les autres tapis affichaient complet, elle se rassit, résignée.

— Ils vont faire du mime ! dit Lou d'un ton triomphant à son retour. J'ai toujours pensé que ce serait bon pour Arlo. Que ça l'aiderait à régler ses problèmes.

Sara allait rétorquer que ce n'était pas forcément ce que voulait Patrick, mais elle n'en eut pas le temps car celui-ci revint s'asseoir sur le banc, la bouche tremblante.

Sara tenta de passer le bras autour de ses épaules, mais il se débattit.

— Allez, Pat ! Tu adorais Mr Bean, lui dit-elle pour le consoler.

— Oui, quand j'avais cinq ans !

— Ça va être tellement bien ! s'exclama alors Lou, qui n'avait pas l'air d'avoir le moins du monde remarqué la déception du petit garçon et qui donna un petit coup de coude enjoué à Sara. Le type qui mène cet atelier vient de la troupe de la Complicité. Tu te rends compte de la chance que c'est, Patrick !

Elle se leva et lui tendit la main.

— Tu peux encore changer d'avis.

Il la fixa le visage fermé et Lou haussa les épaules avant de se rasseoir, non sans un regard de compassion pour Sara, comme si celle-ci avait élevé un délinquant.

Ils restèrent assis sur le banc et observèrent les différents groupes se livrer à leurs activités, et remplir le chapiteau de leurs rires et de leurs cris de joie. Sara se réjouissait qu'il y eût tant de bruit car elle n'avait aucune envie de papoter, et Patrick encore moins. Elle était presque autant en colère contre elle-même que contre Lou. Elle ne pouvait plus rien faire désormais pour contrer la perspective écrasante de cette école à domicile. C'était trop tard. Et tout le monde, Carol y compris, les attendait au tournant. Mais elle avait de sacrés progrès à faire pour prendre la défense de ses enfants, décidément.

Au bout d'un moment, elle remarqua que Lou s'agitait, passait la main sous le banc et tendait l'oreille vers le sol, comme si elle entendait quelque chose de bizarre, malgré le tintamarre ambiant. Sara ne réagit pas. Elle se refusait à se laisser encore une fois prendre à ce piège destiné uniquement à attirer son attention. En plus Lou n'avait même pas conscience que ce n'était que ça. C'était une vraie gamine. Pourtant elle continuait. Elle était maintenant à genoux sur l'herbe, cherchant à atteindre quelque chose de la main entre les pieds de Patrick.

— Qu'est-ce qu'il y a ? finit par lui demander Sara.

— Chut ! fit Lou, un doigt sur la bouche.

Intriguée malgré elle, Sara la regarda qui frottait doucement son pouce et son index l'un contre l'autre comme pour attirer une petite bête. Sara se recroquevilla, en se disant que c'était peut-être un rat. Lou avait l'air concentrée mais pas effrayée. Patrick avait lui aussi remarqué son manège et, s'il feignit l'indifférence au début, la curiosité l'emporta.

— Qu'est-ce qu'il y a ? demanda-t-il silencieusement à sa mère.

Celle-ci haussa les épaules et tous deux se tournèrent vers Lou de nouveau. Soudain, elle fit un bond en arrière. La bête avait dû bouger. Patrick poussa un petit cri et Lou fit un geste de la main pour qu'il se calme. Elle avança d'un mètre à quatre pattes et tendit la main comme pour donner à manger à la petite créature. Elle retenait son souffle, se penchait en avant, tout le corps crispé, et semblait sur le point d'avoir gagné sa confiance. Tout à coup, d'un geste brusque elle s'en empara et, dans une rotation maladroite de tout son corps, un sourire de triomphe sur le visage, elle se leva. Pendant quelques secondes, Sara n'y comprit plus rien : Lou chancelait encore, l'air ravi, et sa main droite caressait obstinément le vide, laissant croire qu'elle tenait dans ses bras un animal de belle taille, un lapin sans doute. Sara s'efforça de bien regarder, mais non, décidément, il n'y avait rien à voir. Elle se sentit alors presque gênée, honteuse pour son amie. Elle est vraiment folle, se dit-elle. Puis elle dévisagea Patrick, dont la rancune avait totalement disparu. Il s'approchait de Lou qui, sans mot dire, l'invitait à venir lui aussi caresser la créature invisible.

21

Lou n'avait pas menti à propos de l'intérêt éducatif de ce festival. Ce que les enfants en avaient retiré était discutable mais, pour Sara, il avait été très instructif. Notamment, elle avait appris que l'amour et la haine pouvaient coexister. Chaque fois qu'elle avait été sidérée devant le narcissisme égoïste de Lou, elle s'était immédiatement après laissé séduire par son charme, car celle-ci s'était montrée tour à tour aussi insensible que généreuse et chaque parole dure était suivie d'un témoignage d'affection. Sara s'était émue en voyant Patrick découvrir le pouvoir du mime à travers l'extraordinaire démonstration de Lou. Elle s'était alors souvenue de la raison pour laquelle elle avait tout fait pour gagner son amitié. Et pourtant une part de haine subsistait.

Le voyage de retour n'avait fait que confirmer la chose. On s'était mis d'accord pour qu'Arlo rentre dans la voiture de Neil et Sara, afin de laisser sa place à Ezra dans la Humber. Sara n'y avait pas vu d'objection jusqu'au moment où, une heure et demie après le départ, Arlo avait couvert de vomi le siège arrière.

— Est-ce qu'Ezra n'aurait pas pu prendre le train ? Ce n'est pas comme s'il ne pouvait pas payer ! avait murmuré Sara à Neil tout en tendant le rouleau de papier absorbant aux enfants.

— C'était difficile de refuser, non ? répondit Neil. Il était là, on avait une place et il leur en manquait une. Peut-être que si j'avais su qu'Arlo allait dégobiller mais, bon, je ne suis pas devin.

— C'est quand même marrant, dit Sara, amère, en baissant la vitre pour laisser entrer un peu d'air frais. On se retrouve toujours avec les gosses, nous. Oh non, il remet ça!

— Putain, papa! s'écria Caleb. Il faut que tu t'arrêtes! Il y a du dégueulis partout!

— Oui, bon, Caleb, attention à ce que tu dis. Figure-toi que je voudrais bien m'arrêter, mais on est sur l'autoroute.

Sara jeta un regard inquiet par-dessus son épaule. Patrick avait l'air anxieux et ne disait rien, mais il était lui aussi tout pâle.

— On n'est pas loin de chez ta mère, fit remarquer Neil, incidemment.

— Sérieux? dit Sara.

— Mais bien sûr que ça ne me dérange pas, dit la mère de Sara, entrez tous. Juste euh… comment s'appelle-t-il? Arlo? Si tu pouvais rester dehors une minute, mon grand, jusqu'à ce que je t'apporte de quoi te changer. Oh, mon Dieu, tu n'es vraiment pas frais, toi, hein?

La mère de Sara adorait les situations de crise. Elle s'agitait dans tous les sens, faisait couler la douche, allait chercher des vêtements propres, donnait des consignes au beau-père de Sara pour qu'il nettoie la voiture à fond. Mais Arlo n'avait pas l'air d'apprécier beaucoup cette gentillesse excessive. Il était habitué à un mode de vie spartiate, à la dure, où l'on ne tenait pas beaucoup compte de ses désirs. Au terme d'un week-end où il avait vu les quelques repères auxquels il était habitué voler en éclats, où il avait dormi et mangé n'importe quand, avait fréquenté des stars du rock, grimpé un escalier invisible et vomi dans une voiture qui n'était même pas la sienne, il se trouvait dans une maison douillette à l'excès, cajolé par une grand-mère parfumée, et c'était plus que sa constitution pouvait supporter. Il se recroquevilla dans un coin et se mit à sangloter discrètement.

— Le pauvre petit, il veut sa maman, hein, mon chou, c'est ça? dit la mère de Sara tout en lui tapotant le bras et en fouillant ses poches à la recherche d'un mouchoir.

— Ça va aller, maman, dit Sara. On va partir dès que la voiture sera sèche.

Sauf que maintenant qu'on lui avait mis cette idée en tête, Arlo n'allait pas en démordre.

— Je veux ma maman, beuglait-il entre deux sanglots, si bien qu'il semblait inhumain de ne pas passer un coup de fil à Lou.

— Je vais préparer du thé pour tes amis, dit la mère.

— Inutile, maman, s'empressa de répondre Sara. Ils ne viendront pas.

Richard jeta alors un coup d'œil à sa montre.

— Tu crois, Sara? C'est le pire moment pour arriver à Londres là.

Avec ces mots s'envola le dernier espoir de Sara d'éviter la collision de deux planètes éloignées et hostiles l'une à l'autre et elle se mit en position de sécurité en attendant la catastrophe à venir.

Une fois garée à côté des BWW et des Audi, la Humber avait l'air de venir d'un autre monde. Lorsque les portières s'ouvrirent, Sara huma ces effluves de cuir et du parfum si reconnaissable du clan Sheedy-Cunningham, un mélange agréable de l'odeur humide de leur maison, du parfum si particulier de Lou et d'un petit quelque chose de plus, une note d'érotisme peut-être.

— Juste une petite tasse de thé et on s'en va, murmura Sara à Lou pour s'excuser, tout en la guidant le long de l'allée large et pavée. Mes parents tiennent à vous recevoir.

Mais Lou n'avait pas l'air pressée.

— Madame Wells, quelle jolie maison, dit-elle avec un sourire irrésistible. Et comment vous remercier d'être venue au secours de notre Arlo !

— C'est Mme Wentworth-Wells si vous voulez bien, Louise, car je me suis remariée. J'ai été assez conventionnelle pour prendre le nom de Richard, mais bien sûr je ne voulais pas manquer de respect à feu le père de Sara, si bien que j'ai deux noms aujourd'hui. À vrai dire, je trouve cela un peu prétentieux lorsque les autres le font, mais voilà. Vous pouvez m'appeler Audrey.

— Bonsoir, Audrey, dit donc Gavin, avec un sourire conquérant.

— Vous êtes les voisins, c'est bien cela ? dit la mère de Sara en les observant d'un œil expert.

Sara avait espéré qu'elle ne fît pas le lien mais Lou et Gavin n'auraient pas pu avoir davantage l'air d'un artiste et d'une réalisatrice de films que là. Afin de limiter les dégâts, Sara était déterminée à éviter toute allusion au projet d'école à domicile, de crainte que l'abîme philosophique qui séparait les vues de sa mère de celles de ses amis sur le sujet ne devienne trop évident. Jusque-là un seul point positif apparaissait dans toute cette désastreuse histoire : Ezra avait décidé de rester dans la voiture.

Après avoir laissé leurs chaussures dehors comme on les en avait priés, tous entrèrent.

— Alors, mon pote, ça va mieux ? dit Gavin en prenant sur ses genoux Arlo tout droit sorti de la douche.

Le petit garçon fourra son nez dans le cou de son père.

— Sara était pareille, dit sa mère tout attendrie en faisant passer les tasses de thé. Tu te souviens ma, chérie ? Tu étais tout le temps malade en voiture quand on partait en vacances.

— Je me souviens d'une fois, c'est tout.

— Oh non, ça arrivait très souvent. La fois où nous sommes allés au mariage de Gail, nous ne roulions pas depuis dix minutes que tu...

— Merci, maman.

— Le tout, c'est d'avoir prévu. J'avais toujours quelques sacs en plastique dans la boîte à gants.

— On en avait.

— Et puis tu aurais dû asseoir le petit sur des journaux, si tu savais qu'il était malade en voiture.

— Mais il ne l'est pas d'habitude, dit Lou tandis que Sara secouait la tête, dubitative. C'est qu'il doit être habitué à notre vieille guimbarde et pas à une voiture neuve comme la vôtre. Cette odeur de synthétique peut être un peu... écœurante parfois. Et puis elles ne laissent pas passer un filet d'air, ces voitures modernes, si ? Pas comme notre tacot tout rouillé. Même avec les vitres fermées, on a force sept à l'intérieur.

Tout le monde sourit en pensant à cette voiture au charme unique dont tous les désagréments bizarres s'avéraient en fait être des atouts cachés.

— Alors bon, oui, conclut Lou, c'est peut-être la voiture, mais je pencherais plus pour la fatigue d'hier soir.

Sara serra contre elle le coussin du canapé mais, avant qu'elle décide si elle le jetait à la face de Lou ou bien si elle se mettait à le déchiqueter, Ezra fit son apparition.

— Pardon, la compagnie, dit-il. Est-ce que quelqu'un peut me dire où sont les chiottes ?

Une fois qu'on eut expliqué à la mère de Sara qu'en dépit des apparences Ezra n'était pas un clochard du Bronx atterri par mégarde dans son jardin de la grande banlieue, mais bien un écrivain majeur qui, maintenant qu'elle y repensait, avait donné une interview sur Radio 4, Sara comprit qu'ils n'étaient pas près de s'en aller.

— Ce n'est ab-so-lu-ment pas un problème, insista sa mère. J'ai au congélateur deux plats de lasagnes maison et Sara, pour être honnête, ta voiture ne sera pas sèche avant une bonne heure au moins. Le plus sage serait que vous restiez tous dormir.

— Oh non, maman, il faut qu'ils rentrent, répliqua-t-elle. On va juste dîner ici et puis on s'en ira.

Fascinant se dit-elle, cette façon qu'avait sa mère d'appliquer instinctivement les techniques de la *Realpolitik* de la guerre froide pour transformer une petite tasse de thé rapide en un dîner en bonne et due forme. Le plus fascinant sans doute était que tout le monde, y compris Ezra, eut l'air parfaitement satisfait de la proposition.

Sara tenta de persuader sa mère de servir le dîner dans la cuisine, mais elle ne voulut rien entendre. Au lieu de cela, ils s'installèrent dans la salle à manger sinistre, autour d'une table en acajou, où un couvert prétentieux était disposé.

— Ezra ? dit Audrey sur un ton désinvolte, mais qui ne masquait pas tout à fait la délectation qu'elle éprouvait à prononcer ce prénom exotique. Est-ce que des lasagnes vous feraient plaisir ?

Si Sara n'avait pas été aussi tendue, elle aurait sans doute souri de voir sa mère, dont la nature dominatrice pouvait largement rivaliser avec celle d'Ezra, si peu impressionnée par ce géant de la littérature.

— J'espère que vous n'allez pas me dire que vous êtes végétarien.

— Absolument pas, répondit-il en la regardant avec satisfaction lui servir une portion copieuse.

Il avait l'air très content et Sara se dit que, pour lui, tout cela était une expérience nouvelle qui lui offrait un aperçu d'un monde qu'il n'aurait pas connu autrement. Exactement comme elle, sur un plan purement anthropologique, aurait trouvé fascinant de manger du gruau de maïs en sauce avec une flopée de Texans confits en dévotion. Ezra était sûrement en train de prendre des notes mentales.

De son côté, Gavin n'avait pas l'air moins intéressé par cette occasion unique de découvrir les goûts de la classe moyenne en matière d'art. Sara eut un léger malaise en le voyant observer attentivement les tableaux accrochés aux murs de la salle à manger. Elle ne savait pas ce qui était le plus lamentable entre le manque total d'originalité des reproductions impressionnistes de sa mère et la vulgarité de l'authentique Jack Vittriano de Richard, fièrement exposé au-dessus du poêle à gaz. Elle croisa les yeux de Gav et, d'un regard qui se voulait bienveillant et amusé, tenta de lui signifier que tout cela était inimaginable, mais il fallait être tolérant parce qu'on ne choisissait pas sa famille.

— Si je comprends bien, vous êtes réalisatrice de films, Louise, demanda alors Audrey, tout en dépliant sa serviette dans un geste ample et en s'asseyant enfin.

— Scénariste et réalisatrice, précisa Lou.

— Ce doit être très intéressant.

— Oui, dit Lou, étonnamment peu diserte.

— Et quand pourra-t-on voir votre dernière œuvre ?

— Je doute qu'ils la passent ici, maman, dit Sara.

— Mais tu me connais, ma chérie, tu sais bien que je suis capable de *schleper* en ville s'il s'agit de culture.

Cette intrusion de l'argot yiddish dans la déclaration de sa mère était tout aussi surréaliste que de l'imaginer en train d'entreprendre un pèlerinage dans le quartier branché de Londres pour voir un court-métrage d'art et d'essai. Sara se retint de sourire.

— Oui, enfin de toute façon la sortie n'est pas prévue

pour tout de suite, répondit Lou, évasive, avant de se tourner vers Zuley pour l'aider.

Sara ressentit comme une petite gêne. Lou n'avait pas fait une seule fois mention de *Cuckoo* pendant tout le festival et, même si elle avait pour habitude d'être plutôt secrète, elle aurait certainement voulu partager la bonne nouvelle avec ses investisseurs si bonne nouvelle il y avait eu.

À l'autre bout de la table, Caleb et Dash semblaient être dans les meilleurs termes qui soient avec le beau-père de Sara.

— Alors, dites-moi, qui avez-vous vu à ce concert pop ?

— C'était un festival de musique, le corrigea gentiment Caleb. On a vu plusieurs groupes.

— Mais qu'est-ce que vous avez préféré ? Il faut que je me tienne au courant. Mes petits-fils à moi viennent nous voir demain.

— Les Jeremiahs, répondit Caleb.

— Ah oui, c'est des malades, eux ! renchérit Dash.

— Ah bon ? dit Richard qui cessa de manger et les contempla sans comprendre. Mais ils ont joué tout de même ?

Devant ce malentendu, Dash et Caleb se regardèrent, la mine réjouie.

— Oui, finit par dire Dash d'un ton sérieux. Ils ont quand même joué. Ils sont très professionnels. Ils ne voulaient pas décevoir leurs fans.

Caleb éclata de rire et sa mère lui lança un coup d'œil désapprobateur.

— Mais c'est peut-être là que ce jeune homme a attrapé ses microbes alors ! suggéra Richard en désignant Arlo qui picorait à peine, l'air misérable.

— Ça se pourrait, lança Dash sans sourciller. C'est peut-être une épidémie.

Cette fois, Caleb ne put plus se retenir et il tomba presque de sa chaise, écroulé de rire, à moins que, soupçonna Sara, il ne fût en train d'exagérer un peu pour flatter son ami. C'était cela sans doute, la flagornerie de son fils, plus encore que le côté faux jeton de Dash ou la méchanceté de leur blague, qui la fit exploser.

— Dashiell ! s'écria-t-elle, alors qu'il ouvrait la bouche pour en rajouter encore.

Il la regarda avec un air angélique. La conversation et le tintement des couverts stoppèrent net. Sara sentait les yeux de Lou posés sur elle. Elle soutint un moment le regard de Dash puis céda.

— Pourrais-tu me passer le pain, s'il te plaît ?

Ce qu'il fit avec une politesse exagérée. Il y eut encore un moment de silence et tout redevint normal. Neil se mit à parler golf avec Richard, Lou commença à ramasser les assiettes et les garçons se servirent du dessert.

— Je suis tellement contente d'avoir lu le roman avant de voir le film, disait Audrey, qui semblait avoir, de façon tout à fait inattendue, engagé la conversation avec Ezra pendant que Sara n'y prêtait pas attention.

— De quel livre parles-tu, maman ? demanda-t-elle, vaguement inquiète.

— *La Couleur des sentiments*. Nous parlons littérature américaine avec Ezra. L'adaptation n'est pas mauvaise, mais on n'imagine jamais exactement les personnages tels qu'on les voit ensuite à l'écran. Je suppose que c'est encore plus frustrant lorsqu'on les a créés soi-même. Est-ce que vos livres ont été adaptés au cinéma, Ezra ?

— Non, madame. Je n'écris pas ce genre de livres, j'imagine.

— Sérieusement, Ezra, dit Gavin. Personne n'a cherché à adapter *Appalachia* ? Ça m'étonne. J'aurais bien aimé voir ce que les frères Coen en auraient fait.

— Eh non, répondit Ezra en secouant sa tête grisonnante avec regret. Mon agent était en pourparlers avec l'équipe de Coppola, mais ça ne s'est pas fait. Et si le type qui fait les meilleurs films du monde te dit que ton livre n'est pas adaptable, je suppose que tu l'as dedans, et bien profond.

Sara jeta un coup d'œil inquiet en direction de sa mère, qui n'avait pas l'air d'en vouloir à Ezra pour ses écarts de langage.

— *Le Parrain 2 !* lança alors Richard à la cantonade depuis le bout de la table.

Tout le monde se tourna vers lui.

— Il a oublié de prendre ses médicaments, expliqua Audrey à voix basse.

— T'as raison, mon pote ! s'écria Ezra en retour tout en pointant son couteau vers Richard. Le 2 sans hésitation. Plus subtil que le 1, et plus émouvant que le 3. Voilà un gars qui s'y connaît.

On termina le dessert et on ramassa les assiettes. Puis on servit le « café », si insipide que même les cappuccinos du Rumbles étaient un vrai délice en comparaison. Ils n'allaient enfin pas tarder à être délivrés de cet enfer et ils allaient bientôt pouvoir partir, se disait Sara. Sa conversation d'experts avec Ezra lui ayant donné des ailes, Audrey s'en prenait désormais à Gavin. Elle avait déjà entendu souvent son nom même si elle ne pouvait pas prétendre être une grande connaisseuse d'art contemporain. Est-ce que par hasard ce n'étaient pas ses œuvres qu'elle avait vues récemment dans la cour d'un manoir provençal dans le magazine *Country Living* ? Gavin en doutait.

— Ce n'est pas grave, lui dit-elle en étendant le bras en travers de la table pour lui tapoter la main, comme si le fait qu'elle soit incapable de se souvenir de son travail était la preuve de son manque de notoriété à lui, plutôt que de son ignorance à elle. Vous pouvez me décrire ce que vous faites.

Sara était mortifiée, mais Gavin n'avait pas l'air le moins du monde vexé.

— Eh bien, j'imagine que l'on peut appeler cela de la sculpture, expliqua-t-il, puisque je produis des œuvres figuratives en trois dimensions, mais je n'aime pas beaucoup cette étiquette parce qu'elle cantonne mon travail dans une tradition avec laquelle je ne suis pas très à l'aise. Elle sous-entend quelque chose de monolithique, gravé dans le marbre, alors que pour moi l'art n'est pas sérieux, c'est un truc d'enfant. Moins vous vous attachez à l'idée de créer de grandes œuvres d'art, plus vous avez de chances d'y parvenir. C'est pour cette raison que, jusqu'ici au moins, j'ai travaillé avec des matériaux bon marché, du plâtre et du fil de fer. Une fois terminées, mes œuvres pourraient très bien servir de base au travail d'un autre sculpteur, comme des maquettes en fait.

— Donc, si je comprends bien, ce sont des statues de plâtre blanches ?

Audrey faisait la même tête que lorsqu'elle se lançait dans un sudoku, force 3.

— Oui, des silhouettes, plutôt que des statues en fait, et en général pas grandeur nature. J'essaye de travailler sur la texture de la surface également, et donc j'utilise des objets que je trouve, du verre cassé ou des plumes, des capsules de cannettes de Coca, vous voyez ? Pour que ce soit un peu moins propre.

— Vous aimez que ce soit… sale ?

Elle faisait visiblement un effort cérébral inhumain, et Sara ne put plus se retenir.

— Tout n'est pas toujours obligé d'être joli, maman, dit-elle d'un ton sec. Ce que dit Gavin, c'est que la forme de l'œuvre contribue à son sens. S'il s'agit par exemple d'un être humain en train de souffrir, on peut concevoir une forme qui ne soit pas lisse, et où apparaissent comme des tumeurs cancéreuses ou des bosses, pour exprimer un sentiment, pour créer une relation émotionnelle avec le spectateur. Et ce n'est pas parce que c'est juste difficile à « dépoussiérer » que ce n'est pas de l'art. C'est tout le contraire en fait.

— Je vois, répondit Audrey, meurtrie, les larmes aux yeux.

Sara jeta un regard circulaire autour de la table, où les adultes avaient l'air gênés.

— Bon, eh bien, dit enfin Lou avec un sourire conciliant, quelle délicieuse soirée.

Et elle se tourna vers Audrey.

— Merci infiniment pour votre hospitalité. Je n'arrive pas à croire que vous ayez fait apparaître ce merveilleux repas si vite. On va devoir y aller maintenant, pour mettre tous ces enfants au lit.

22

À leur retour, ils trouvèrent que la maison avait l'air un peu abandonnée, comme s'ils avaient été absents plus longtemps qu'un week-end. Des publicités s'étaient accumulées sur le paillasson, de la poussière agglutinée dans les coins, et l'ampoule de l'entrée avait grillé. Sara s'affaira pour tenter d'y redonner vie : elle mit le linge à laver dans la buanderie, rangea les provisions qu'ils n'avaient pas mangées, les boîtes de céréales défoncées ainsi qu'une pauvre pomme un peu abîmée. Elle fit couler un bain aux garçons et plaça des bouillottes dans leur lit. Ce n'était plus la saison pour faire ça, mais il ne faisait pas chaud à l'intérieur.

Plus tard, une fois couchée, Sara se mit à chuchoter dans le silence de la chambre.

— Je n'aurais jamais cru que j'aimerais le camping.

— Hmm…

— On devrait s'acheter notre propre tente, ajouta-t-elle en cherchant à attraper la main de Neil sous la couette.

— Peut-être.

Elle se lova contre lui et nicha la tête dans le creux de son bras. Ils restèrent comme ça un moment sans rien dire.

— Ce truc que tu m'as fait…, murmura-t-elle.

— Hmm ?

— J'ai adoré.

Neil posa alors la main sur son sein, avec la maladresse de celui qui consent à faire un petit effort pour une bonne cause. Elle fit mine de pousser un petit cri, mais il ne bougea pas sa main. Comme elle l'invitait à poursuivre en frottant le bout de son orteil contre sa cuisse, il fut assez magnanime pour lui pincer le téton, puis sa main se relâcha et sa respiration se fit plus profonde. Lorsqu'elle fut certaine qu'il était endormi ou du moins bien décidé à en avoir l'air, elle glissa une main entre ses jambes et se résigna silencieusement à se donner elle-même du plaisir.

Elle fut réveillée par le parfum citronné et vif de son après-rasage, qu'il ne mettait que les jours où il travaillait.

— Je vais demander à Steve Driscoll de jeter un œil à cette fissure. J'ai peur que ce soit sérieux, déclara-t-il.

Qu'est-ce que tu veux que ça me fasse, se dit-elle alors.

— OK, marmonna-t-elle en refermant les yeux.

— Sara.

Tais-toi.

— Sara ?

— Quoi ?

— Tu m'as demandé de m'assurer avant de partir que tu étais bien réveillée. C'est le premier jour du trimestre, tu te rappelles ?

Elle se sentit alors toute joyeuse : elle allait déposer les garçons à l'école et passer la journée à envoyer des mails à des éditeurs.

Mais soudain elle se rappela.

— Oui, oui, je suis prête.

Ce qu'elle n'était pas, mais alors pas du tout. L'ampleur de la tâche la décourageait et la déprimait. Elle se sentit à la fois immédiatement coupable d'avoir de telles pensées et fâchée contre Neil d'en être à l'origine, mais pour le coup ce n'était pas la première fois qu'elle ressentait de la rancune contre lui.

*
* *

— Y a quoi là-dedans ? demanda Patrick en découvrant la longue rangée de boîtes colorées sous la fenêtre de la cuisine, chacune portant une étiquette différente.

— Du matériel pour les leçons, répondit Sara. Des livres, des objets, des énigmes…

— Je peux faire une énigme ? s'enthousiasma soudain Patrick.

— Et si tu t'habillais d'abord ?

— Non.

Quel mal y avait-il à ce qu'il reste en pyjama ? se dit Sara. C'était justement tout l'intérêt de l'école à domicile : effacer la frontière entre la vie et l'étude, et rester décontracté.

— Tiens, lui dit-elle en lui tendant une feuille imprimée.

Elle fouilla dans ses affaires et trouva une énigme adaptée à l'âge de Caleb sur le même sujet. Caleb y jeta un coup d'œil poli puis, en lui adressant son plus beau sourire, il plia la feuille pour en faire un magnifique avion et l'envoya voler dans la cuisine. C'est le genre de choses dont aurait été capable Dash, se dit-elle, une provocation délibérée. Elle n'allait pas se laisser provoquer. Elle alla ramasser l'avion et l'examina avec attention.

— Pas mal, dit-elle.

Caleb eut un sourire déplaisant mais, avant qu'il ait pu riposter, la sonnette de la porte d'entrée retentit et il se précipita pour ouvrir.

— La vache ! s'exclama Lou en entrant et en embrassant distraitement Sara. Cette conne !

— Qui ça ?

— La nounou. Je te jure que je l'aurais virée depuis longtemps si seulement j'en avais trouvé une autre. C'est tellement flagrant !

— Quoi ?

— Que Gav lui plaît ! Enfin, bon, c'est pas la fin du monde. Pas comme si c'était la première.

Sara se détourna pour remplir la bouilloire.

— Mais elle n'essaye même pas de le cacher. Et elle ne cache pas non plus qu'elle ne peut pas me voir.

Constatant que Lou était de mauvaise humeur, les garçons en profitèrent pour s'échapper.

— On peut peut-être en parler plus tard ? suggéra Sara.

— Tu sais ce qu'elle m'a dit ? poursuivit Lou en s'asseyant et en attrapant son paquet de cigarettes. Désolée, juste une. Tu vois l'état dans lequel elle me met ! se justifia-t-elle en secouant la tête.

— Je vais ouvrir la fenêtre. Il ne faut pas polluer la salle de classe.

Et elle s'exécuta.

Sara jeta un coup d'œil inquiet dans le jardin, où les garçons avaient commencé à jouer au ballon, Patrick toujours en pyjama.

— Elle a dit quoi ? demanda-t-elle en remplissant la cafetière.

— D'abord elle pense qu'elle est voyante, ce qui me fait hurler de rire quand je vois le manque de lucidité qu'elle a sur elle-même. Ensuite elle a le culot de me dire qu'il y a quelque chose qui cloche avec l'aura de Zuley.

Sara pointa un index contre sa tempe en ouvrant des yeux comme des soucoupes.

— Non, mais je veux bien admettre que l'aura des gens existe, reprit Lou. C'est juste cette idée que Mandy est capable de la voir. Tu ne peux pas imaginer quelqu'un de moins susceptible d'avoir ce don-là !

— Je vois, dit Sara, jugeant que c'était la réponse la plus prudente.

— Apparemment, quand elle a commencé à s'occuper d'elle, l'aura de Zuley était violette, expliqua Lou en éclatant de rire et en soufflant un nuage de fumée. Et maintenant elle serait gris foncé !

— Oh, mais ça alors ! s'écria Sara en apercevant par la fenêtre Dash qui faisait un méchant taccle à Patrick. Les garçons ! cria-t-elle.

— Et donc, madame se demande si tout va bien à la maison. Si Zuley mouille son lit, par exemple. Eh ben, euh, non, figure-toi. Elle est propre depuis qu'elle a neuf mois.

— Ah bon ?

— C'est plutôt Arlo qui ferait ça.

— Ah bon.

— Bref, je vais commencer à chercher.

— Une nouvelle nounou ?

— Oui. Elle croit qu'elle me tient, mais Zuley est très adaptable. En même temps c'est dommage parce qu'elle est heureuse chez elle et elle adore Sky.

— Sky ?

— La petite fille de Mandy. Enfin bon, bref, je suis désolée, mais ça me soulage de te raconter tout ça, finit-elle par dire tout en jetant par la fenêtre sa cigarette à peine entamée. Quelle belle journée !

Sara regarda le ciel. En effet il faisait un temps magnifique, et l'air était doux.

— Si on commençait par une session physique et mentale dans ton jardin ?

— Physique et mentale ?

— Un peu de yoga. C'est super pour la concentration. Je pourrais faire une séance de méditation, histoire de voir où ça nous mène.

— Qu'est-ce que tu veux dire par là ?

— D'un point de vue créatif. Voir ce que ça leur donne envie de faire ensuite : peindre, écrire, jouer de la musique, je ne sais pas…

— Ah, d'accord.

Sara avait prévu une séance autour de la symétrie, en s'aidant de miroirs qu'elle avait achetés exprès.

— C'était super ce week-end au fait, dit Lou, passant du coq à l'âne.

— Oui, j'ai trouvé moi aussi, répondit Sara en se forçant à sourire et en cherchant au fond d'elle-même un résidu d'affection pour Lou. L'ambiance était géniale. Il faut absolument qu'on y retourne l'an prochain.

Lou approuva joyeusement.

— Et ta mère ! Quel personnage !

— Oui, je sais.

— Non, mais vraiment je l'ai appréciée. Elle a été super. Et Richard aussi. Tu as de la chance, Sara, je t'envie.

Sara n'en revenait pas mais, avant qu'elle ait pu répondre, Lou s'était levée et appelait les garçons par la fenêtre ouverte.

— Allez, tout le monde, on va faire quelque chose de sympa là ! Trouvez un endroit où vous pouvez vous tenir les uns à côté des autres, bras étendus, sans vous toucher.

Ils prirent un air sceptique mais, à la surprise de Sara, envoyèrent le ballon dans l'abri et firent ce qu'on leur disait.

— Oui, corrigea Lou avec autorité, c'est ça. Plus loin encore, et sans se toucher du tout, j'ai dit.

Voyant l'état de la maison lorsqu'il rentra ce soir-là, Neil eut l'air plutôt enjoué. Il s'ouvrit une bière et but au goulot puis commença à charger le lave-vaisselle. Sara était affalée à la table de la cuisine, un verre de vin à la main. Elle n'avait plus l'énergie de faire quoi que ce soit.

— Dure journée ?

Elle le regarda sans rien dire.

— Il faut sans doute que tu t'habitues.

— Merci, je sais.

Il rabattit la porte du lave-vaisselle d'un coup de genou et le mit en marche.

— Est-ce qu'il ne faut pas ranger ce reste d'argile avant que ça sèche? demanda-t-il.

— C'est pas un reste, c'est Urlik le massacreur.

— Okaaay...

Il déplaça avec précaution la grossière figurine et se mit à nettoyer la toile de plastique. Sara parvint tout juste à rassembler assez de forces pour écarter son verre de vin.

— Et voilà, dit-il joyeusement en rangeant la toile cirée dans l'évier et en s'asseyant. Il fit mine de trinquer avec Sara et défit son nœud de cravate pour se mettre à l'aise.

— Allez, vas-y, dit-il. Raconte-moi cette journée.

Il adoptait avec elle une attitude de DRH qui tente de résoudre un problème.

— Oh, j'en sais rien, répondit-elle. C'est juste que... je m'attendais pas à ce que ce soit si...

La gorge nouée, elle ne parvint pas à finir sa phrase.

— Bien, et après? avait demandé Lou en faisant rentrer tout le monde dans la cuisine, elle-même essoufflée et les joues rosies par ses salutations au soleil.

— Pourquoi pas un peu de poésie?

Sara avait alors fouillé dans sa boîte réservée à l'anglais et en avait sorti une anthologie de poésie pour enfants. Les garçons s'étaient assis autour de la table, calmés, l'air décidé à s'y mettre, et elle avait feuilleté son livre, à la recherche du meilleur poème qui soit afin de profiter de leur réceptivité, quelque chose de sympa et de profond.

— Ah voilà, dit-elle en lissant une page, et en les regardant tous un par un, avant de s'éclaircir la voix. *Ma poésie*, de Benjamin Zephaniah, lut-elle.

Ma poésie est comme une pluie qui tombe
Des langues de feu qui lancent des bombes
Du coin de l'œil elle remarqua le petit sourire de Dash

qui donnait un coup de coude à Caleb, lequel poussa un gémissement avant de baisser la tête.

Ma poésie est pour être déclamée
Ou pour être dansée ou pour être chantée

Dash se mit à ricaner, puis il plaqua les deux mains sur sa bouche et fit mine d'avoir honte, tandis que Caleb gardait la tête baissée.

Ma poésie va te bercer, viens suis-moi
Comme un mouton qui ne sait où il va.

Elle s'entendait prononcer ces vers et avait conscience d'imiter davantage l'accent écossais que celui des Caraïbes, et comme elle perdait confiance c'était de pire en pire. Dash rougissait à force de contenir son fou rire et Patrick la suppliait du regard de bien vouloir s'arrêter.

Ma poésie n'est pas politique
Ni pour tous ceux qui...

— OK, c'est bon !

Elle referma bruyamment le livre et le posa sur la table.

— Après tout, vous avez qu'à le lire vous-mêmes !

*
* *

— Je te trouve très dure avec toi-même, dit Neil. Ce n'est pas parce que la première journée ne s'est pas passée comme prévu que ça ne vaut pas le coup de continuer. Il va sûrement falloir un peu de temps pour mettre tout ça en place. L'essentiel, c'est que tu aies rebondi. Je veux dire, regarde, la journée s'est passée. Personne n'est mort. Et vous avez fait de la poterie quand même !

Il désigna la figurine rudimentaire sur la table.

— Je t'en prie, ne me donne pas de conseils, Neil. Je me suis creusé la cervelle pour que tout soit prêt pour aujourd'hui.

— Je sais. Je sais très bien.

— Et Lou n'a rien fait du tout… enfin à part nous faire miroiter des tas de rencontres avec des gens hypothétiques qu'elle va faire venir pour des ateliers, un jour, quand l'alignement des planètes sera le bon.

— Non, mais bon…

— Du coup, c'était un petit peu énervant que, juste après ma déconfiture, elle les fasse improviser de la poésie urbaine.

— Énervant ? Mais j'aurais pensé que tu serais contente au contraire !

— Ah oui, enchantée, vraiment, répondit Sara, amère. Elle fait tout naturellement. Les gosses l'adorent. Aucune protestation, aucune moquerie. Tu les aurais vus en train de se défoncer pour inventer ce super poème. On aurait dit du Kate Tempest, putain. De la vraie poésie urbaine !

— Mais… est-ce que… ce n'est pas exactement… ça que tu veux les voir faire ? demanda Neil avec prudence.

— Si, exactement, répondit-elle, ironique. Qu'ils aillent puiser dans leur créativité, et qu'ils libèrent leurs énergies. Et, demain, devine quoi.

Elle secoua la tête et se mit à imiter la voix chaude et mystérieuse de Lou :

— On va peut-être en faire une petite performance.

Neil prit un air compatissant.

— Enfin, si et seulement si la muse consent à être parmi nous, précisa Sara. Et si nos chakras coïncident.

— Sara…, commença-t-il à dire.

Elle le fusilla du regard.

— Je sais bien que Lou est difficile à suivre. Elle a mille idées à la minute, et beaucoup de charisme…

Sara souleva la figurine d'argile de Dash et la soupesa.

— … mais je pense que ce serait dommage qu'un esprit de compétition s'immisce entre vous.

Sara serra l'argile si fort que sa main en tremblait.

— Il s'agit de nos enfants. Je sais qu'elle a ses défauts.

Qu'elle est un peu imprévisible. Et pas du tout aussi méthodique que toi.

Sara ouvrit la main et laissa retomber la figurine déformée, puis elle leva le poing au-dessus.

— Mais elle a quand même du gén… Houla !

Le coup fut si violent qu'il en fit sauter les verres.

— C'est bon, dit Sara en décollant calmement la galette d'argile de son poing. J'ai compris. Merci.

23

Lou continua de passer pour géniale une quinzaine de jours durant. Puis elle commença à se mettre aux abonnés absents. Un jour, elle surveillait l'atelier papier mâché, et le lendemain Sara l'apercevait par la fenêtre en train d'arpenter son jardin, son téléphone collé à l'oreille. Incroyable de constater combien, par la plus grande des coïncidences, la vie de Lou en général était devenue soudain plus compliquée et plus prenante depuis que les cours à la maison avaient démarré. Elle devait s'occuper de l'administratif pour Gav, gérer ses propres obligations professionnelles toujours dans le plus grand mystère, et puis il y avait La Maison. À la façon dont elle en parlait, on aurait pu croire qu'elle était la seule à en avoir une, et de surcroît parfaitement identique à celle de Sara et dans laquelle elles étaient à ce moment même assises, tandis que les enfants de Lou étaient justement en train de saccager tout ce qui pouvait encore l'être. Elle parlait de sa maison comme d'une ennemie, une hydre à plusieurs têtes qu'il s'agissait de tuer. Rien n'allait jamais : des problèmes dans l'aménagement du sous-sol, des factures à contester, des procédures d'assurance compliquées liées au fait que c'était aussi un local professionnel, et qui sait quoi encore. Son téléphone portable posé sur le coin de la table de la cuisine sonnait sans arrêt et chaque fois il fallait faire avec.

Puis commencèrent les retards et les départs anticipés, les pauses déjeuner interminables au prétexte qu'il y avait

« une queue surréaliste » à la poste. Et aussi toutes ces fois où elle avait ses règles ou bien pensait couver quelque chose, ce qui l'obligeait à s'arrêter plus tôt, mais ne l'empêchait pas de rentrer en taxi à 2 heures du matin, dans un état d'ébriété avancé dont elle faisait profiter le voisinage. Pour autant, malgré toutes ces absences, Sara s'obstinait à la voir bien trop souvent pour que leur amitié soit saine.

En revanche, elle voyait Gavin bien trop peu à son goût. Leur badinage sur le chemin de l'école lui manquait, ou leurs conversations autour d'un café. Tout comme lui manquaient leur façon de flirter en faisant mine de se disputer lorsqu'ils étaient un peu éméchés, leurs plaisanteries absurdes et l'impression qu'elle avait de combler un manque chez lui. Le soir où ils avaient évoqué tous ensemble la possibilité de faire l'école à la maison, il s'était montré très impliqué. Il avait promis d'aider les garçons à fabriquer un kart et de les emmener chercher des trésors sur la plage dans le Sussex. Il le ferait peut-être un jour, mais cela semblait de moins en moins certain.

D'après Lou, il avait trop de choses en tête déjà. Cette résine l'épuisait. C'était une toute nouvelle façon de travailler, d'apprendre à utiliser l'espace en creux. C'était comme, enfin c'était la seule comparaison qu'elle avait trouvée, tenter de marcher à nouveau après un accident de voiture. Sara se demandait bien ce qu'il aurait pensé de cette manière d'exagérer les choses. Il aurait probablement ri. Elle l'avait aperçu par hasard depuis son poste d'observation par la fenêtre de sa chambre et il ne lui avait pas semblé particulièrement tourmenté. Il ne montrait aucun signe extérieur de lutte existentielle, au contraire, elle l'avait vu qui sifflotait tout en sortant du coffre de sa voiture des tuyaux d'époxyde industriels, l'avait regardé s'éloigner pour faire une de ces courses dont il avait le secret, chantonnant, ses écouteurs dans les oreilles, au son d'une musique inaudible. Et, quand il leur arrivait de sortir leur poubelle au même moment, il se montrait tout aussi joyeux et séducteur que d'habitude.

Elles étaient toutes les deux en train de surveiller un des ateliers de création à la fois merveilleux et étranges de Lou lorsque la sonnette retentit. Sarà se leva avec un certain soulagement pour aller ouvrir. Il n'était que 9 h 45, mais elle en avait déjà assez. Le batik convenait sans doute très bien à un collectif de femmes yoroubas, comme sur la vidéo de YouTube, mais enseigner une technique de teinture compliquée à base de cire chaude à quatre garçons turbulents ne lui semblait pas l'idéal.

Trop contente de tomber sur Gav sur le pas de sa porte, elle s'efforça de le cacher en se montrant presque agressive.

— Qu'est-ce que c'est que cette barbe ?

— Tu n'aimes pas ? fit-il en se passant la main sur le menton avec gêne.

— Si, si, c'est très bien. Je me suis juste demandé une seconde si le cochon d'Inde de Caleb n'avait pas ressuscité !

— Très drôle, merci, Sara, de me mettre à l'aise.

— Oh, désolée, non vraiment, c'est très beau.

Elle était sur le point de lui caresser la joue lorsque Lou apparut, en parfaite épouse pleine de sollicitude.

— Que se passe-t-il, mon chéri ? dit-elle en s'immisçant entre eux avec l'agilité d'une championne de basket.

— Rien de grave. Je me demandais juste si tu pouvais user de tes talents pour me dépanner avec cette foutue imprimante. Elle m'a fait un bourrage papier en plein milieu du contrat pour le Cube Blanc.

Sara n'en croyait pas ses oreilles. Jamais Neil ne l'aurait dérangée pour une bêtise pareille, ou s'il l'avait fait… Mais Lou était déjà au milieu du jardin, gloussant, pour se moquer non de l'incompétence lamentable de sa moitié, mais de la régularité avec laquelle la technologie foutait en l'air la vie des artistes. Gav haussa les épaules d'un air contrit et s'apprêtait à suivre sa femme quand Sara eut une idée.

— Tu peux utiliser la nôtre si c'est urgent.

— Super! s'exclama-t-il en la suivant à l'intérieur.

— Est-ce qu'on ne lui…? suggéra Sara en montrant Lou qui s'éloignait, mais il fit un geste désinvolte.

— De toute façon, il faut la réparer, dit-il.

Sara le précéda dans l'escalier qui conduisait au bureau.

Elle rangea quelques papiers au passage, tira pour lui le fauteuil, appuya sur un interrupteur, et l'imprimante se mit en marche.

— Voilà, c'est prêt. Tu n'as qu'à télécharger ton document et c'est bon.

Elle avait à peine descendu l'escalier qu'il la rappela. Elle entendait des éclats de voix dans la cuisine, ils se chamaillaient, une fois de plus. Elle hésita un instant, en pensant à la teinture indélébile, à la cire chaude, et aux plus petits qui avaient sept ans… Puis Gav l'appela de nouveau.

— Pardon, mais c'est ton travail? Je n'étais pas sûr qu'il était sauvegardé.

— Oh, là, là, c'est gênant, dit-elle en se penchant pour pianoter sur le clavier, et tenter désespérément d'effacer le paragraphe compromettant.

Elle sentit au passage la chaleur et l'odeur de terre qui émanaient de ses cheveux.

— Désolé, dit-il en se tournant vers elle de sorte que leurs joues s'effleurèrent. Je n'avais pas l'intention de lire. C'est ton nouveau roman, c'est ça?

— C'est nul, dit-elle brusquement, en repensant à sa prose surchargée, la pléthore d'adjectifs, les scènes de sexe… Je n'en suis pas satisfaite du tout. Je vais tout effacer.

Tiens, voilà. Je t'ai mis sur Safari. Je vais aller retrouver les enfants, moi.

— Hé, dit-il en faisant pivoter le fauteuil et en lui attrapant la main. Ne sois pas fâchée contre moi. Il faut que tu t'habitues à ce que les gens te lisent quand tu seras publiée.

— Oui enfin, bon, ça n'est pas près d'arriver, répondit-elle en essayant de se dégager.

— Aies confiance en toi, voyons ! Lou adore ce que tu fais.

Il la regarda, l'air sincère, et elle aperçut une touche minuscule de brun dans le gris de ses yeux. Elle se mit à respirer plus fort.

— Elle est gentille, c'est tout. Je ne sais pas écrire. Tu as bien vu.

Il fallait qu'ils arrêtent de se fixer de la sorte. C'était ridicule. *Détourne le regard*, se disait-elle à elle-même, *détourne le regard*.

— Ce que j'ai vu n'était pas abouti, répondit-il avec douceur. Personne n'y arrive du premier coup. Il faut que tu t'autorises à être une artiste, Sara. Il faut que tu t'autorises à réussir.

C'était tellement ce qu'elle avait envie d'entendre qu'elle ne put répondre. Elle avait la gorge serrée, la main moite. Gênée, elle fit mine de fermer la page Word, mais il l'en empêcha. L'air était lourd autour d'eux. Du pouce, il caressa sa paume et elle se sentit fondre complètement et instantanément. Ce sur quoi elle avait fantasmé depuis des mois était en train de se produire. Il croisa son regard et lui sourit en la poussant à s'asseoir sur ses genoux. Le fauteuil s'affaissa légèrement et elle sentit son désir presser contre sa cuisse. Elle gémit et enfouit le visage dans son cou. En bas, les cris s'intensifiaient, mais plus rien de tout ça n'avait d'importance.

Leur baiser fut violent, maladroit, brutal et follement excitant. Elle se cambra pour s'éloigner un peu et défit sa ceinture, furieuse d'avoir mis un jean. Il se baissa pour l'aider et le bruit de la fermeture Éclair acheva d'attiser son désir. Elle avait descendu son pantalon jusqu'à mi-cuisse lorsqu'elle entendit des pas qui montaient l'escalier à toute vitesse, et des hurlements qui l'appelaient.

Au moment où la porte s'ouvrait, elle était debout, rhabillée et à un bon mètre de Gavin, mais encore en lévitation.

— Il faut que tu viennes ! s'écria Patrick, le visage blême, en lui prenant la main. Viens !

Elle dévala l'escalier, affolée. De la cuisine s'échappait un cri étrange et inconnu. Paniquée et se sentant terriblement coupable, elle courut vers la cuisine.

— Arlo, mon chéri !

Arlo était à genoux par terre, le visage dans les mains. Caleb était accroupi à côté de lui, et tentait de le réconforter, tandis que Dash leur tournait autour, un peu fuyant. Sara retira doucement la main de l'enfant de son visage et eut le souffle coupé. Une boursouflure rouge vif lui barrait la joue jusqu'à la tempe. Il avait la paupière gonflée et luisante sous une pellicule de cire en train de se solidifier.

— Qu'est-ce qui s'est passé ? demanda Sara, la voix brisée.

Les deux grands commencèrent à parler en même temps, mais Gav apparut à ce moment-là et ils se turent, intimidés. Il poussa Sara, s'agenouilla et prit le visage de son fils entre les mains.

— Mon Dieu ! murmura-t-il. Arlo, mon grand. Mais qu'est-ce que vous avez foutu ?

Il jeta un coup d'œil circulaire et vit sur la table les bouts de tissu froissé, le bol de cire renversé, les outils en métal éparpillés partout, puis fixa Sara, un regard bref, dur et rempli d'incompréhension. Elle se précipita à l'évier et commença à mouiller une serviette pour faire une compresse bien froide. Patrick la suivit et lui toucha le coude.

— C'est Dash, chuchota-t-il, en regardant avec crainte derrière lui. Il a fait exprès de jeter de la cire sur la figure d'Arlo, parce qu'il gardait l'outil trop longtemps.

Au milieu du chaos – le robinet qui coulait, les pleurs de l'enfant, la panique générale – Sara ne réalisa pas ce qu'il lui disait. Après coup, elle en aurait froid dans le dos.

On sonna à la porte.

— C'est sûrement Lou, dit Gavin, et tout le monde fit silence une seconde.

— J'y vais, dit Dash.

— Dis-lui de démarrer la voiture, cria Gavin. Dis-lui qu'on part à l'hôpital.

Plus tard, Sara se calma un peu, en se répétant toutes les raisons pour lesquelles Lou n'était pas moins coupable qu'elle. Le batik, c'était son idée après tout, non ? Et c'était elle qui s'était échappée pour réparer l'imprimante, laissant quatre petits garçons sans surveillance, non ? Elle était en colère, mais sa colère était tempérée par un sentiment de honte et de culpabilité partielle, tandis que Lou n'avait pas le moindre état d'âme. Elle avait fait irruption dans la cuisine tel un justicier, et crié sur tout le monde : sur Sara qui avait laissé tout cela se produire, sur Gav qui n'avait pas appelé l'ambulance, sur Patrick et Caleb qui n'avaient rien à faire là. Même le pauvre Arlo en prit pour son grade, parce qu'il pleurait tellement qu'elle ne s'entendait pas penser. Apparemment, seul Dash était innocent, et l'ironie de la chose n'était apparue à Sara que plus tard.

Lorsqu'ils furent partis, Sara commença à remettre de l'ordre dans la pièce. Caleb et Patrick l'aidèrent, pleins de bonne volonté et assez contrits. Seul Dash restait imperméable à la gravité de la situation et continuait à bavarder gaiement. Tout en décollant au couteau la cire durcie sur la table de la cuisine, il expliqua qu'Arlo faisait de grands gestes avec cet outil, et menaçait tout le monde, et qu'il avait donc essayé de le lui enlever des mains pour ne pas qu'il se fasse mal, mais qu'Arlo l'avait alors lâché et que le bol de cire s'était renversé et lui avait éclaboussé la figure, et c'était bien fait pour lui après tout. Cet enfant est un psychopathe, se dit alors Sara.

Plus tard, elle entendit la clé de Neil dans la serrure.

— C'est moi, Sara !

À sa voix enjouée, elle en déduisit qu'il n'était pas seul. Des bruits de pas sur le carrelage de l'entrée le confirmèrent et, tout droit venus du monde réel, les deux hommes apparurent.

— Je te présente Steve, qui travaille avec moi, dit Neil. Il est inspecteur de travaux et je vais lui montrer notre fissure.

— Bonsoir, dit Sara. Neil, est-ce que je peux te parler une sec… ?

— Tu as fait disparaître les monstres ? l'interrompit Neil. J'avais prévenu Steve que tu serais en plein boum. Il va juste jeter un coup d'œil et repartir tout de suite.

Ils s'éloignèrent un moment. Sara n'entendait pas ce qu'ils se disaient, mais elle percevait le ton autoritaire et professionnel de la voix de son mari. Quand cette journée prendrait-elle fin ? Elle rêvait d'un verre de vin, mais ça ne lui semblait pas très convenable avant d'avoir eu des nouvelles d'Arlo. Pour se distraire, elle alla dans le salon regarder les informations. Elle était nerveuse et se sentait mal, sans pouvoir s'ôter Gavin de l'esprit, même si ce souvenir se mêlait désormais à la honte et à l'inquiétude que lui causait la blessure de l'enfant. Peut-être cela se passait-il toujours comme ça quand on avait une aventure. Mais il faut dire qu'elle était dans un sacré pétrin. Elle habitait la maison d'à côté, était devenue la meilleure amie de sa femme, avait réorganisé sa vie tout entière et même l'éducation de ses enfants autour d'une idée que ce couple si charmant semblait incarner à la perfection. Et elle envisageait pourtant de faire voler tout cela en éclats.

Neil passa la tête dans le salon.

— Tu veux bien couper le son une seconde ?

Lui et Steve entrèrent et s'assirent, et avec eux cette odeur si particulière de papier buvard…

— Donc les voisins sont des amis, c'est ça ? demanda Steve.

— Oui, répondit Sara, sans grande conviction.

— Tant mieux parce que j'aurais besoin d'aller jeter un œil de l'autre côté. Vous ne savez pas si la fissure apparaît chez eux aussi ?

Elle était montée à l'étage chez Lou et Gavin de nombreuses fois, mais n'avait jamais pensé à vérifier. Elle secoua la tête.

— Pas grave. Je reviendrai voir ça. Il vaut mieux le faire en plein jour de toute façon.

— On est assurés, non ? demanda Sara, pour avoir l'air de s'intéresser.

— Sans doute, répondit Steve. Ça dépend de la cause. Ça peut être différentes choses : un affaissement du sol, une racine, et au pire un tassement lié à des travaux. Vous m'avez dit qu'ils en avaient fait à côté, non ?

Au moment où Steve repartait, la Humber se gara. Sara vit Gav détacher Zuley et la sortir de son siège-auto, avant de prendre aussi Arlo dans ses bras. Celui-ci avait le visage en grande partie caché par un pansement. Il les porta sans aucun effort jusqu'à la maison. Sara admirait sa puissance virile avec tant d'attention qu'elle ne vit pas approcher Lou.

— Pour toi, lui dit son amie en lui tendant un bouquet de fleurs sauvages. Désolée.

— Mais pourquoi ?

— J'étais en panique. Je t'ai traitée de tout.

— Eh bien… merci, répondit Sara, gênée. Comment va Arlo ? Qu'ont-ils dit ?

— Oh, ce n'est pas si grave que ça en a l'air. Une brûlure au premier degré seulement. Il aura peut-être une cicatrice, mais son œil n'a rien.

— Ouf. Je ne me le serais jamais pardonné.

— Non, non, non, lui dit alors Lou, un doigt vers le ciel, pas ta faute.

Sara la serra dans ses bras.

— En tout cas, c'est un avertissement, dit Lou. Je réfléchis à ça depuis quelque temps, ce n'est pas bon pour nous de travailler tout le temps toutes les deux.

— Alors quoi ? Tu ne veux pas continuer ?

En dépit de toutes les frustrations des semaines passées, Sara se sentit soudain désemparée.

— Oh, non, non, répondit Lou. Je me dis juste que pour de très bonnes raisons on s'est trop focalisées sur les enfants, et on a perdu de vue nos propres besoins. Et je pense qu'il faut remédier à ça, pour leur bien et pour le nôtre. Je pense qu'il faut que l'on soit un peu plus égoïstes, Sara. Je pense qu'il nous faut du temps pour nous. Quand est-ce que nous avons fait quelque chose ensemble pour la dernière fois ? On ne va même plus à la piscine.

Si Sara n'avait pas été dans de si bonnes dispositions à l'égard de Lou, elle lui aurait objecté que si elles n'étaient plus allées à la piscine c'était parce que Lou n'avait jamais le temps. À la perspective stressante de ce festival du film britannique qui approchait à grands pas, elle avait supprimé la piscine de son emploi du temps. Et Lou semblait avoir oublié que, qu'elle ait ou non envie d'entretenir sa forme physique en faisant de l'aérobic, une bonne poire devait bien accompagner les garçons à leur cours de taekwondo. Et depuis cinq semaines, la bonne poire, c'était Sara.

Que cela n'avait pas vraiment dérangée d'ailleurs. Elle

aimait bien cet endroit, son éclairage bon marché qui rendait l'atmosphère un peu nostalgique et l'odeur réconfortante de chlore et de frites qui y régnait. Elle était bien pour écrire à la cafétéria. Personne ne la connaissait, personne ne la jugeait, ni hipster en pantacourt ni superwoman en leggings. Et on n'y trouvait qu'une sorte de café : chaud, léger et mousseux.

C'est pourquoi elle avait été très étonnée la dernière fois d'être interrompue en plein milieu d'une phrase par une voix familière.

— Tiens, une revenante !

Carol était engoncée dans sa doudoune à manches courtes comme dans une armure. Ses cheveux mous et humides lui encadraient le visage. Dans la lumière peu flatteuse de la cafétéria, les efforts qu'elle faisait depuis quarante-deux ans pour être parfaite marquaient ses traits. Pourtant Sara, à sa grande surprise, fut contente de la voir.

— Bonjour, dit-elle en fermant son ordinateur et en le glissant discrètement dans son sac. Tu fréquentes de drôles de quartiers, dis donc !

— Oui, je sais, répondit Carol en baissant la voix et en désignant de la tête Holly qui faisait la queue au comptoir. J'ai laissé tomber mon club de gym. C'est tellement cher, cette école privée !

Un silence embarrassé s'installa. Sara poussa une chaise en plastique en direction de Carol, qui s'assit malgré sa gêne.

— Elle s'adapte, ça va ? demanda Sara.

— Oh, tu sais, déclara Carol avec un mouvement de tête difficile à interpréter, ce n'est pas facile tous les jours, mais elle va s'y faire. Et toi, comment ça se passe ton…

— Mon école à domicile ? Oh, très bien, vraiment.

Carol hocha la tête.

— Tant mieux.

Puis de nouveau un silence.

— Elle déteste cette école, finit par dire Carol. Chaque jour, j'ai envie de courir la sortir de là. C'est trop compétitif et trop sectaire, et elle est dans les derniers partout. Elle pleure tous les soirs, je n'en peux plus.

— Oh non! s'exclama Sara, sincèrement désolée, en posant sa main sur celle soigneusement manucurée de Carol. Tu as envisagé de la remettre là-bas? demanda t-elle, pleine d'espoir.

— Non, je ne peux pas. Maintenant que toi et Celia êtes parties. J'en parlais avec Deborah Parry et elle me disait que c'était devenu une zone de guerre. Elle m'a dit texto: « Carol, je n'exagère pas, c'est Sarajevo ici. » Non, plus j'y pense, plus je me dis que c'est toi qui avais raison.

— Oui, enfin, je ne serais pas aussi affirmative. Ce n'est pas une partie de plaisir, l'école à domicile, je peux te le dire. C'est épuisant de les occuper toute la journée et, avec la meilleure volonté du monde, Lou est parfois un peu…

Le regard de Carol s'éclaira soudain et Sara s'aperçut trop tard qu'elle lui avait tendu un piège. Elle aurait pu l'éviter, mais décida plutôt d'y sauter à pieds joints.

— Pour être honnête, elle peut être infernale. Elle a plein de bonnes idées, mais elle oublie que Patrick et Arlo sont encore petits et du coup ils se sentent oubliés et sont dissipés. En plus elle a un de ces caractères!

— Oh, ça, je suis au courant! Un jour, j'ai eu le malheur de gronder son aîné parce qu'il avait envoyé son ballon contre la porte de notre garage. Eh bien…

— Et puis elle disparaît sans arrêt et me laisse seule à la barre, l'interrompit Sara. Et sa façon de me prendre de haut quand ce que je propose n'est pas assez créatif! Alors que bon ses idées sont géniales sur le papier, mais la plupart du temps ça ne va pas plus loin. Elle était censée faire venir

Beth Hennessy, tu sais de Little Creatures, pour animer un atelier avec les garçons.

— Ah oui, ce serait dingue !

— Oui, eh bien, je peux toujours attendre. J'ai lu quelque part qu'ils sont en tournée en Europe de l'Est. Elle se la raconte tout le temps, Carol. Et il n'y a qu'elle qui l'intéresse. Je ne sais pas comment Gavin la supporte.

— Ah, le merveilleux Gavin, dit alors Carol, d'un ton ironique.

— Il est plutôt sympa, répondit Sara, consciente d'avoir déjà été honteusement déloyale.

— Mais il est tellement faux jeton. Il fait genre on est copains quand tu le croises dans la rue, mais tu vois bien qu'il se fiche complètement de ce que tu lui racontes.

— Je ne suis pas d'accord, rétorqua Sara avec vigueur. Je le trouve très authentique au contraire. Et il ne la ramène pas avec son art non plus. Pas du tout.

— Encore heureux, franchement. Sans blague, Sara, je ne suis pas totalement hermétique à l'art et j'aime l'art moderne comme la moyenne des gens, mais avec Simon nous avons vu deux de ses œuvres dans une galerie à Copenhague, on s'est regardés et voilà quoi.

— Ah bon ?

Sara sentait l'agacement la gagner. Elle avait oublié combien Carol avait l'esprit étroit, et considérait que tout ce qu'elle ne comprenait pas ne valait rien.

— Moi, je trouve ça plutôt beau. À mon avis, il a beaucoup de choses à exprimer sur la condition humaine et je pense que, au prétexte que son art est figuratif, on en déduit qu'il n'y a pas grand-chose à en dire.

— Bon, oui bien sûr, tu connais son œuvre mieux que moi, et je m'incline devant ta grande expertise.

Un mur s'était de nouveau dressé entre elles.

— Mais, poursuivit Carol, si tu veux le fond de ma pensée…

Sara n'en eut pas connaissance car au même moment les garçons firent irruption dans la cafétéria, en nage et surexcités par leur séance d'art martial. Le temps que Sara les calme et leur donne de la monnaie pour le distributeur de boissons, Carol avait pris congé.

Au souvenir de cette conversation, alors qu'elle se tenait devant chez elle, le bouquet de fleurs offert par Lou à la main, et en train de l'écouter lui proposer de recommencer à faire des choses ensemble, elle se sentit soudain coupable.

— J'ai vu un stage de yoga dans le Kent, suggéra Lou avec enthousiasme. Je connais Shami, la responsable, du coup elle nous ferait un prix d'ami.

— Génial.

— Je vais les appeler. Mais ce sera peut-être dans une semaine ou deux. La semaine prochaine, c'est ateliers portes ouvertes, et la suivante c'est mon anniversaire.

— Alors, ça y est ! Le cap des quarante !

— Oui et, justement, réservez votre soirée. On veut vous inviter au restau.

24

— Signe ici, dit Sara à Neil en lui mettant sous le nez la carte d'anniversaire de Lou.

Il termina sa dernière tartine, se lécha les doigts et griffonna une signature à la va-vite.

— C'est tout ? Tu ne l'embrasses pas ?

Elle avait fait un brouillon sur le papier qui avait servi d'emballage à la carte, afin que son message soit bien tourné et spontané.

Chère Lou Lou chérie,

Tous mes vœux pour cette quarantième année. Ton amitié nous est très précieuse. Nous avons hâte de fêter ça avec vous.

Je t'embrasse bien fort très affectueusement,

Sara XXX

Neil reprit la carte et ajouta deux croix à côté de sa signature.

— C'est sa quarante et unième année en fait, fit-il remarquer.

— Elle a quarante ans, Neil. Je sais ce que je dis.

— Oui, du coup, elle entame sa quarante et unième année !

— Oh, mais on s'en fout ! s'exclama-t-elle en reprenant la carte.

*
* *

Il l'horripilait ces jours-ci avec toutes ses petites manies : sa façon de porter son jean trop haut, son habitude de conserver à tout prix la nourriture dans des sachets sous vide, et la dernière en date : cette façon obsessionnelle de vérifier son haleine en soufflant dans sa main. Difficile de ne pas le comparer à Gav, dont les vêtements tombaient toujours impeccablement, qui montrait un désintérêt charmant pour les affaires domestiques, et qui, de par son attitude désinvolte vis-à-vis de l'hygiène corporelle, dégageait une odeur terrienne et animale qui la rendait folle.

Elle l'avait peu vu ces derniers temps, mais il n'y avait rien d'étonnant à ce qu'il cherche à l'éviter. Après tout, les sentiments qu'ils éprouvaient l'un pour l'autre ne pouvaient les mener nulle part, excepté dans un lit évidemment. Sara ne pensait qu'à cela depuis l'autre jour. Elle avait honte d'admettre que cette étreinte avec le mari de sa meilleure amie avait été le moment le plus érotique de toute sa vie, mais c'était pourtant le cas. Non pas qu'elle ne se fût jamais éclatée auparavant. Si. Et même avec Neil d'ailleurs. Mais le désir ne l'avait jamais transportée au point d'en oublier qui et où elle était. Et ça n'avait même pas été un vrai baiser, plutôt un contact un peu maladroit qui avait duré au plus trois secondes. Leurs dents s'étaient entrechoquées et sa lèvre avait même un peu saigné, tandis que dans la barbe de Gav avait coulé un filet de salive. Par la suite elle s'était demandé si, assise ainsi sur son sexe, elle ne lui avait pas causé une douleur qui n'avait rien d'érotique. Ils s'étaient jetés l'un sur l'autre avec maladresse, comme des bêtes, et pourtant le souvenir de la scène la faisait fondre chaque fois. Elle était même allée s'enfermer dans les toilettes en plein jour pour assouvir sa frustration à son aise.

Elle était heureuse dans son couple, et ne se tourmentait jamais en imaginant ce que sa vie aurait pu être si... Pas plus qu'elle ne s'était laissée aller à la tentation facile, sabotant du même coup son mariage. De fait, elle n'avait été tentée qu'une seule fois. Il s'agissait de Tom Hugues, son chef direct dans son premier boulot, qui lui avait paru si romantique et séduisant pendant trois semaines, jusqu'au soir où elle était allée prendre un verre de vin avec lui et avait remarqué comme son cou était étrangement long. Et tout avait été fini. Elle aimait Neil. Elle aimait son sourire à la fois charmeur et présomptueux, comme celui d'un gosse sur une photo d'école. Elle aimait sa virilité brute, son assurance, et la façon dont il occupait l'espace. Elle aimait son côté joueur et sérieux à la fois. Elle aimait ses mains, fortes et rassurantes, et la manière dont il tenait entre elles sa vie et celle de leurs enfants.

Pour autant l'avait-il déjà fait chavirer ? L'avait-il déjà fait se sentir si vivante, si ultra-sensible à ses caresses, qu'elle se sente comme un volcan proche de l'éruption ? Cette histoire avec Gavin l'obsédait. Elle comprenait qu'il l'évite, et ne l'en respectait que davantage, mais elle n'avait pas la même discipline. Elle était sa pire ennemie, s'éternisant sur le palier pour le seul plaisir coupable de le voir fumer sa cigarette dans le jardin, multipliant plus que nécessaire les voyages pour décharger la voiture, parce qu'à chaque voyage elle apercevait sa nuque tandis qu'il regardait la télévision, assis sur son canapé. C'était une forme de folie, elle en était bien consciente, mais elle n'y pouvait rien. Et plus elle était privée de lui, plus cette pensée l'obsédait.

Un matin, elle était en train de faire la vaisselle lorsqu'elle le vit sur son vélo, avec Zuley sur le porte-bagages. Elle savait qu'il avait pour habitude de s'arrêter pour acheter le

Guardian en rentrant de chez la nounou. Elle jeta un coup d'œil à la pendule. Elle avait vingt minutes avant que Lou n'arrive avec les garçons. Elle monta enfiler un haut plus seyant et se parfumer.

— Je fais un saut chez Samir, dit-elle à Caleb, mais sa voix se perdit dans les clameurs d'un dessin animé.

Elle sentit la fraîcheur de l'air en sortant. Il était presque l'heure pour les écoliers de rentrer en classe. Elle marchait aussi lentement que possible, tout en faisant mine d'avoir un but. En arrivant à proximité du magasin de presse, elle prit son téléphone et fit défiler ses mails, tout en surveillant le coin de la rue. Les vingt minutes s'étaient presque écoulées et toujours pas de signe de lui.

Elle entra dans le magasin et rôda entre les allées étroites, comme une voleuse, sous le regard vigilant de la caméra de surveillance. Il semblait plausible d'acheter de la colle et elle se mit à examiner les trois marques disponibles comme si elle était en train de faire une étude comparative. Elle finit par en choisir une et, en se dirigeant vers la caisse, elle traîna devant les journaux pour lire les gros titres. Elle demeura ainsi plus d'une minute, tendant l'oreille au petit bip électronique signalant l'entrée d'un client. Gav allait d'une seconde à l'autre arriver derrière elle et lui saisir le coude. Mais la file d'attente des clients maintenant en route vers leur travail avait disparu et il ne restait plus qu'elle dans le magasin. Il avait dû faire une entorse à sa routine. Elle paya en soupirant et se hâta de rentrer, hors d'haleine, captant au passage son reflet, celui d'une folle, dans la vitrine du pressing. Elle prit l'allée de chez elle, sortit sa clé et, au même moment, entendit le vélo arriver et monter sur le trottoir avec ce petit bruit de pneus caractéristique.

— Bonjour, Sara, lança-t-il joyeusement.

Elle se retourna et aperçut le sommet de sa tête, qui disparut aussitôt derrière le troène, puis entendit le claquement du portillon que l'on fermait.

**
* *

Situé dans une petite rue de Camberwell, en contrebas de la chaussée, le Lupercal était bien dans le style de Gavin et Lou. L'enseigne était si discrète que Neil et Sara avaient largement dépassé le quart d'heure de politesse lorsqu'ils finirent par y arriver, même si leurs hôtes eux-mêmes n'étaient pas encore là. Le maître d'hôtel les dirigea vers un box confortable, aux murs couverts de boiseries, éclairé par une lampe rétro montée dans une bouteille de vin, et leur dit qu'il allait revenir prendre la commande des apéritifs.

— Je t'avais dit qu'on serait en avance, murmura Sara sur un ton de reproche.

— Ce n'est pas nous qui sommes en avance, ce sont eux qui sont en retard.

Il se serra contre elle sur la banquette et s'assit sans le faire exprès sur sa robe. Elle soupira et tira sur le tissu pour le décoincer.

Le serveur revint et Neil commanda sans hésiter deux martinis secs, ce qui surprit Sara.

— Super restau, déclara-t-il en examinant le menu. Un peu cher quand même.

— On s'en fiche. C'est eux qui payent.

— Tu crois? On va les laisser payer le jour de l'anniversaire de Lou?

— Ah non, bien sûr, rétorqua Sara, ironique. Invitons-les, en plus de lui offrir son cadeau. Ah oui, et puis pourquoi pas payer la baby-sitter tant qu'on y est?

Elle était de mauvaise foi sur ce dernier point. En effet, lorsque Lou l'avait appelée un peu plus tôt pour lui dire que sa baby-sitter s'était décommandée, la mère de Sara avait tout de suite proposé ses services.

— Amenez-les donc ici, je vous en prie, Louise, avait-elle insisté, trop contente de se rendre utile une fois encore auprès de cette charmante famille qui avait introduit un prix Pulitzer dans son salon.

— Plus on est de fous, plus on rit.

Mais, si c'était une chose d'accepter cette gentille proposition, c'en était une autre de larguer les enfants avec une heure d'avance, histoire d'en profiter pour faire un saut à une « projection privée » avant d'aller au restaurant.

— Ben dis donc, tu es d'une humeur ! C'est ta mère qui a proposé, non ?

— Oui, mais elle ne connaît pas encore Dash.

— Tu lui en veux vraiment à ce gosse.

Elle le regarda sans rien dire. Le dîner commençait bien. Neil inspira profondément.

— Tu as une jolie robe. C'est nouveau ?

— Je ne l'ai pas achetée exprès pour l'occasion, si c'est ça ta question.

— Mais tu aurais pu.

— Oui, mais non.

C'était faux. Elle était allée en ville acheter un cadeau pour Lou et en avait profité. On aurait dit une robe tout droit sortie de *Mad Men*, décolletée sur les épaules et qui mettait sa poitrine en valeur. Rien à voir avec ce qu'elle portait d'habitude, mais elle l'avait enfilée et, dès lors, n'avait plus cessé de penser au moment où Gavin la lui enlèverait. Du coup elle l'avait achetée. Elle s'était sentie tellement coupable qu'elle avait dépensé deux fois plus que prévu dans le cadeau de Lou.

Elle but une gorgée de martini. Délicieux, sec et glacé, tranchant comme un scalpel. Elle en oublia de trinquer avec Neil.

— Au shaker, pas à la cuillère, précisa celui-ci en prenant la voix de Sean Connery.

— Pitié ! s'exclama-t-elle.

*
* *

L'arrivée de Lou et Gavin causa un certain émoi dans
le restaurant, soit parce que les autres clients les recon-
nurent, soit à cause de leur allure de stars, difficile à dire.
Lou ne passait certes pas inaperçue avec sa jupe de cuir et
son T-shirt Nirvana moulant. En la voyant, Sara fut prise
d'un gros doute quant à sa tenue à elle, jusqu'à ce qu'elle
repère le regard appuyé de Gavin sur son décolleté, ce qui
la rassura instantanément.

Lorsqu'on eut fini de s'embrasser et de se souhaiter bon
anniversaire, tout le monde s'assit et Neil fit signe au serveur
d'apporter deux martinis supplémentaires.

— Désolé, on est en retard, s'excusa Gavin. Il fallait
qu'on fasse une apparition à la projection privée d'un copain.

— C'était bon ? demanda Neil.

— Du tout, non.

Ils éclatèrent de rire, puis, pendant les quelques minutes
qui suivirent, se mirent à l'aise et tentèrent d'oublier tous
ces regards qui convergeaient vers leur table.

— Mmm, c'est mortel, ça, dit Lou en sirotant son
martini avec bonheur.

Gav se tourna vers le serveur et, d'un geste circulaire de
la main, commanda une deuxième tournée.

Sara avait déjà un peu la tête qui tournait après le premier
verre, mais la présence de Gav la rendait si nerveuse qu'elle
but une grande gorgée du deuxième. Il était toujours bien
habillé, mais ce soir il avait peaufiné sa tenue jusqu'à atteindre
la perfection. Il portait une chemise en jean noire sous une
veste qui, tout en étant en tricot, était mieux coupée que
la veste Jaeger en serge de Neil. Il avait le regard brillant
dans cette lumière tamisée et la mâchoire plus carrée que
jamais. Pourtant il semblait étrangement vulnérable, sans

qu'elle sût dire pourquoi. Soudain, elle comprit : il s'était rasé la barbe. Elle regretta de s'être ainsi moquée de lui, tout en étant ravie. Quel idiot, quel adorable idiot ! Elle aurait voulu lui dire que ce n'était pas la peine, qu'elle l'aimait de toute façon.

Neil lui donna un petit coup de coude et, se ressaisissant, elle fouilla dans son sac à la recherche du cadeau et de la carte.

— Pour moi ? fit Lou, les yeux écarquillés, éperdue de gratitude comme si elle ne s'était pas du tout attendue à recevoir un cadeau le jour de son anniversaire.

Elle lut la carte et fit une petite moue émue, puis elle ouvrit le paquet. Elle était plus belle, et moins apprêtée que jamais. Même les cheveux ramassés en arrière en un chignon vite fait, sans maquillage à l'exception d'un trait d'eye-liner, elle donnait à Sara l'impression d'être elle-même ordinaire et banlieusarde, avec sa robe hors de prix et ses joues rosies par l'alcool.

— Ce n'est pas grand-chose, dit Sara sans conviction. Je n'étais pas sûre que tu aimerais, mais ils ne feront aucune difficulté pour échanger. Il y en avait deux ou trois différents, mais c'est celui que j'ai...

En posant la main sur la sienne, Lou répondit d'un ton désinvolte :

— J'adore, c'est très beau.

Elle posa le bracelet et son emballage sur le côté et s'intéressa au menu.

— Alors, de quoi j'ai envie ? Du confit de canard ? Du riz noir avec de la lotte ? Oh, mon Dieu, je n'arrive pas à choisir. Neil, commande pour nous, tu veux bien ?

Neil leva les yeux, l'air inquiet, comme si la maîtresse lui avait demandé de surveiller la classe, mais il accomplit la mission avec une autorité qui fit craindre à Sara qu'il n'ait même outrepassé la consigne. Peu après ils étaient attablés autour d'un festin digne des derniers jours de l'Empire romain, et les plats s'enchaînaient, composés de mystérieux morceaux de chair animale ou de quelque feuille de salade dont Sara ignorait jusqu'au nom. Pour couronner le tout, Gavin commanda une bouteille de vin à quatre-vingts livres qu'ils terminèrent en une demi-heure et firent suivre d'une seconde.

Quel dommage, se disait vaguement Sara, de ne pas prêter plus d'attention à ces sauces délicates, à ces assaisonnements subtils, à ces garnitures inattendues! Qui sait quand elle aurait l'occasion de refaire un tel dîner? Pourtant, elle aurait tout aussi bien pu être en train de manger de la sciure. Comment se concentrer sur ce qu'elle goûtait alors qu'elle avait tant à admirer? Elle avait souffert pendant des semaines de ne pas voir Gavin ou presque et voilà qu'il se tenait ici, à quelques centimètres d'elle, avec son sourire en coin, et sa façon de faire tourner sa fourchette en l'air pour appuyer ce qu'il avait à dire. Il racontait quelque chose à propos d'un type qu'il avait rencontré à la projection, un petit gars trapu, prénommé Matt, avec une énorme moustache et une toute petite voix.

— Je savais que je le connaissais, expliqua-t-il. Mais pas moyen de me rappeler d'où. Et, tout à coup, le déclic! C'était Matilda, cette fille que j'avais rencontrée pendant mes études d'art. Elle s'était fait opérer! Vous imaginez le choc! En même temps, c'était super. Il était tellement épanoui, tellement plus lui-même qu'avant.

Sara secoua la tête en souriant, son verre suspendu entre ses lèvres et la table.

— Alors, moi, j'étais genre: « Matt, c'est super de te revoir. Bienvenue chez les mecs! Juste, si tu pouvais t'éloigner un peu avec tes tablettes de chocolat, parce que j'ai vraiment l'air de rien, moi. »

Tout le monde éclata de rire, mais au même moment Neil se lança dans un exposé sur les présupposés et les normes en matière de genre, ce qui plomba un peu l'ambiance. Et Gavin, tout en continuant d'opiner du chef et de sourire, commença à palper ses poches à la recherche de son tabac à rouler. Sara tenait sa chance. Avant qu'il ait eu le temps de se décider, elle se leva la première et annonça qu'il fallait qu'elle aille faire pipi. Elle s'extirpa et fonça vers les toilettes pour dames. Là, elle se regarda dans le miroir et fit fonctionner le sèche-mains pour être crédible, avant de faire un petit détour furtif par la cour, où elle savait qu'il se trouverait.

— J'en prendrais bien une, dit-elle.

Il était assis sur les marches, en partie caché par un arbrisseau taillé.

— Je t'en prie, répondit-il, d'un ton sérieux.

— Merci bien.

Il lui céda la cigarette qu'il venait de rouler et commença à en rouler une deuxième. Puis il alluma son briquet et tous deux se penchèrent. En voyant son visage dans la lueur de la flamme, ses yeux tombants, sa bouche fine et moqueuse, elle ressentit un désir violent.

— Mmm, fit-elle en inhalant la fumée, au cas où il aurait eu des doutes sur le plaisir qu'elle était en train de prendre.

— Fais attention quand même. Ne te rends pas malade.

— Honnêtement, je crois que je ne me suis jamais sentie aussi bien.

Elle avait juste assez bu pour être désinhibée, mais pas assez pour ne plus savoir ce qu'elle faisait en toute lucidité. Elle prit dans sa main son menton fraîchement rasé.

— Tu n'étais pas obligé de te raser, tu sais.

— Je sais.

— Mais je suis touchée que tu l'aies fait.

Elle laissa tomber sa cigarette à peine fumée et, en lui prenant les mains, le fit se lever. Elle sentait l'odeur de laine de sa veste, et celle, plus piquante, de son eau de toilette, sans oublier celle, légèrement acide, de sa peau, qu'elle aimait désormais plus que toute autre odeur au monde. Ils n'allaient pas s'envoyer en l'air ici, non, mais elle se contenterait d'un baiser. Un baiser, le jour de l'anniversaire de Lou, ce serait déjà bien. Elle attira son visage vers le sien et ferma les yeux.

— Je suis désolé, murmura-t-il, et elle respira son haleine acidulée où se mélangeaient le vin et le tabac.

— Ne le sois pas, répondit-elle en approchant la bouche de la sienne.

Mais il lui prit le menton dans la main pour arrêter son geste.

— Non, dit-il avec douceur. Je suis *désolé*.

25

Comme en transe, elle marcha jusqu'au bord de l'eau, où venaient mourir les vagues dans un bouillonnement d'écume, et sentit ses pieds s'enfoncer un peu plus dans le sable à chaque pas. Elle ramassa un bout d'algue visqueuse sur la plage, qu'elle soupesa un instant. Tout léger qu'il fût, il lui paraissait plus substantiel que sa vie. Elle le leva devant son visage tel un voile. Elle avait besoin de se cacher ainsi derrière cet écran putride et dégoulinant, cette vie végétale primitive. Elle venait de l'eau et y retournerait. Inexorablement, elle s'enfonça, l'eau tourbillonnant autour de ses chevilles. Lorsqu'ils vinrent à sa recherche le matin suivant...

— Sara?
— Tu m'as fait peur! s'écria-t-elle en se retournant.
— Tu fais quoi?
Neil avait les yeux embués de sommeil. Il était vêtu de son seul bas de pyjama et elle remarqua les poils broussailleux sur son torse.
— J'écris, répondit-elle.
— À 2 heures du matin?
— Ça te dérange?
— Je n'arrive pas à dormir.
— Je n'y peux rien, si?
— Mais viens te coucher.

— Et j'écrirai quand du coup?

— Le week-end.

— C'est toi qui sortiras les garçons alors?

— Oui, je pourrais sauf que…

Elle haussa les épaules et retourna à son écran, agacée, et en même temps flattée qu'il reste là derrière elle, à se sentir un peu coupable. Il soupira et ferma la porte. Puis s'assit dans l'affreuse bergère inconfortable héritée de sa mère. Sara fixait son écran avec obstination.

— Alors, tu fais quoi? Tu corriges? finit-il par s'aventurer à lui demander. Tu ne devrais pas attendre d'avoir le retour d'un professionnel?

Elle se tourna vers lui, des éclairs dans les yeux.

— J'ai déjà eu tout le retour dont j'avais besoin, merci. Ça, c'est quelque chose de nouveau.

— C'est pas parce que tu as eu quelques refus que tu dois tout effacer.

— Excuse-moi, mais qu'est-ce que tu y connais?

— Moi rien, mais Lou, si.

— Quoi? s'exclama Sara.

— Elle a lu ton livre et dit qu'elle l'avait adoré. J'imagine que son avis compte, non?

— Oui, enfin, ce qu'elle a dit…

— Pourquoi est-ce qu'elle ne penserait pas ce qu'elle dit?

— Mon Dieu, ce que tu peux être naïf quelquefois.

— Comment ça?

— Eh bien, on lui a prêté huit mille livres pour faire son film quand même, non? D'ailleurs, on n'est pas près de les revoir, si tu veux mon avis.

Il la regarda, médusé, et elle se rappela fugacement à quel point il était gentil, et combien cela l'avait séduite au début. Elle adorait sa façon de ne voir que le bon côté des gens, de croire au progrès et d'envisager le péché d'un point de vue sociologique et non moral. Toutefois, elle se désespérait de sa crédulité, de cet optimisme et de cette loyauté d'un autre âge, ce manque évident d'inquiétude existentielle. Peut-être l'époque avait-elle changé, en tout cas leur entourage, lui, avait changé et aujourd'hui cette confiance totale en la nature humaine dont il faisait preuve lui paraissait stupide. Stupide et tout sauf sexy.

— Tu crois que Lou fait des calculs ?

— Sans doute pas consciemment, mais je pense qu'elle joue un jeu. Tous les deux jouent un jeu. Ils se servent de nous.

— Mais c'est dingue ! Depuis quand es-tu cynique comme ça ?

— Peut-être depuis cette fois, la huitième ou la neuvième, je ne sais plus, où elle a déposé ses garçons chez moi parce qu'il fallait qu'elle téléphone à son agent ou remplisse une demande de financement. Ou encore, attends voir… ah oui, le jour où elle a *entièrement story-boardé son court-métrage pendant que je tentais d'empêcher ses gosses de s'entre-tuer.*

— Je croyais que tu la trouvais super créative comme prof.

— Oui, deux minutes, quoi ! Après elle s'ennuie.

Neil avait l'air effondré et Sara s'adoucit un peu.

— Tu veux la vérité ? Si j'avais su que ce serait comme ça, je n'aurais jamais sorti les enfants de l'école. Que j'aie foutu ma vie en l'air, c'est pas grave, mais je ne supporte pas l'idée qu'on ait gâché la leur. Au moins, à Cranmer Road, ils étaient heureux. Je te jure, c'est la dernière fois que je critique les profs. Je n'avais jamais réalisé l'énergie qu'il fallait, ni l'intelligence. Il faut toujours anticiper et tenter de rendre intéressantes les choses les plus ennuyeuses. Ça demande une disponibilité dingue. J'étais folle de croire que je pourrais faire ça et écrire en même temps.

— Tu es trop dure avec toi-même. C'est normal qu'il y ait des hauts et des bas dans un truc comme ça. Tu as vraiment pris une décision courageuse en essayant de donner un tour créatif à ta vie, de montrer cet exemple aux enfants et de leur offrir la possibilité d'être créatifs eux aussi, c'est énorme. Mais on n'a jamais pensé que ce serait facile. C'est un parcours semé d'embûches, c'est normal.

— Mais justement, répondit Sara en secouant la tête, on ne peut pas créer soi-même et offrir à ses enfants un environnement favorable à la création. On ne peut pas avoir le beurre et l'argent du beurre. Je finis par comprendre ce qu'Ezra veut dire quand il dit que créer est un acte égoïste. En tout cas, lorsqu'il s'agit de création artistique. Comment puis-je trouver du temps pour moi, tout en aidant les enfants à donner tout leur potentiel ? C'est impossible.

— C'est tellement pessimiste de dire ça ! Tu tombes dans la vision romantique de l'artiste qui crève de faim sous les toits, se tranche l'oreille, tout ce mythe du génie torturé.

— Comme si tu en savais quelque chose ! rétorqua-t-elle, horripilée. La seule décision un peu créative que tu aies eu à prendre, c'est de choisir la police de caractères pour ton rapport annuel.

Il eut l'air vexé, mais au lieu de se rétracter elle continua, d'un ton de plus en plus agressif.

— C'est peut-être difficile à comprendre pour toi, Neil, mais je peux te dire, pour le vivre, que la création artistique a un prix. Ce n'est pas une activité annexe. C'est tout ou rien. Pourquoi penses-tu que je sois debout au milieu de la nuit ? Pas parce que je suis plus inspirée à 2 heures du matin, crois-moi. C'est parce que c'est le seul moment que j'arrive à dégager. Du coup comment s'étonner que j'écrive de la merde ? Que je ne reçoive que des mails de refus ? Je suis un amateur, Neil, et j'écris comme un amateur. Pour être un vrai artiste, il faut faire des sacrifices. Il faut être prêt à ce que le travail vous dévore entièrement, vous et tous ceux qui vous entourent.

— Oh, par pitié, ne sois pas aussi dramatique. Regarde Lou et Gavin. Ils sont tous les deux artistes, mais ils n'en font pas tout un plat…

Elle se jeta en arrière dans son fauteuil, indignée.

— Non mais tu plaisantes, j'espère !

— Non, j'ai l'impression qu'ils s'en sortent plutôt bien, répondit Neil sur la défensive. Ils ont leur boulot, leur famille…

— Neil, leur famille, c'est *moi* qui m'en occupe ! Tu es au courant que c'est moi la nounou de Zuley en ce moment ?

— Ah bon ? répondit-il, surpris.

— Eh oui. Lou s'est séparée de Mandy, parce qu'elle la soupçonne de vouloir séduire Gavin. Du coup, je me retrouve à diriger une crèche. Tu nous imagines la semaine prochaine, en sortie à Tower Bridge avec Zuley dans les pattes ?

— Mais Lou sera là, évidemment, non ?

— Oui, c'est ce qu'elle dit, et elle est même sans doute sincère, mais tu peux être sûr que lundi matin il va se passer un truc et qu'elle n'aura pas le choix : il faudra qu'elle aille faire la queue au bureau des passeports, ou alors on lui aura réclamé des corrections urgentes sur un scénario ou je ne sais quoi d'autre. Je parie notre maison qu'elle sera à des kilomètres de Tower Bridge. C'est toujours comme ça avec eux.

— Non mais ça n'est pas inévitable, protesta Neil, peu à peu gagné à la cause de sa femme. Il faut juste que tu lui dises.

— Il faut que *je* lui dise ?

— Il faut que *nous* lui disions. On en parlera avec eux demain soir.

Très gênée que Neil ait payé l'addition au Lupercal et aussi sous l'effet de l'alcool, Lou avait insisté pour les inviter à dîner. « Anniversaire de Lou, deuxième round », avait-elle annoncé, en toute modestie.

Ce soir-là, Sara s'était contentée d'un sourire crispé, tout en se jurant qu'elle ne franchirait plus le seuil de ses voisins sous aucun prétexte amical, mais elle se dit alors qu'il pouvait finalement être utile de se rendre à cette invitation.

26

Sara se glissa dans l'eau brûlante du bain et regarda son corps prendre une couleur écrevisse. Seuls ses genoux, qui émergeaient, conservèrent leur teinte normale. Des perles de sueur apparurent au ras de ses cheveux et se mirent à glisser sur son visage, mais elle résista. C'était un test.

Plus tard, nue au bord de son lit, elle se passait du lait sur les jambes en songeant à la soirée qui s'annonçait. À la réflexion, décida-t-elle, ce serait une folie de laisser faire Neil. Après deux verres de vin, il allait leur manger dans la main. Elle était horripilée depuis quelque temps par sa façon de ramper devant eux, de rire aux blagues nulles de Gav, et de se montrer si indulgent vis-à-vis de la désinvolture de Lou. Il n'avait pas l'air de se rendre compte à quel point c'était pathétique. On ne pouvait presque pas leur en vouloir de lui marcher dessus tellement il s'écrasait devant eux. Mais hors de question qu'ils lui marchent dessus à elle. C'était bon là !

Elle se massait les cuisses avec tant de vigueur que des marques rouges commençaient à apparaître. Elle s'arrêta, choquée elle-même par sa violence, et surprit son reflet dans le miroir. Ses cheveux humides et lâches, pas coiffés, formaient une masse désordonnée, et ses yeux étaient aussi noirs que du charbon. On aurait dit une furie de la mythologie grecque, une déesse vengeresse à la tête couverte de serpents. Elle décida qu'il était temps de s'habiller et opta pour une robe moulante achetée sur un coup de tête un jour avec Carol. Le bustier qui lui pressait les seins avait un petit côté androgyne sexy. Exactement ce qu'il fallait pour que Gav sache ce qu'il manquait, ou plutôt *ce qu'il avait refusé*.

— On ne s'éternise pas, hein? murmura-t-elle devant la porte de Lou et Gavin.

— On verra bien, non? répondit Neil, s'efforçant de paraître joyeux. On va peut-être passer un bon moment.

Une silhouette sombre se découpa derrière la porte vitrée et on entendit la voix de Lou, légère, chaleureuse, assurée, tandis qu'elle faisait une remarque tout en venant les accueillir. Au moment où la porte s'ouvrit, en humant l'odeur humide et si familière de la maison qui lui chatouillait les narines, Sara sentit sa détermination fléchir un instant. Elle se rappela toutes les fois où elle s'était estimée si chanceuse d'être ici, de passer la soirée en leur compagnie, chanceuse de les connaître. Sa gorge se serra et elle tenta de se ressaisir.

Leur hôtesse se tenait là, dans un halo de lumière, sans soutien-gorge sous son T-shirt fané, avec un pantalon de pêcheur thaï. Une fois de plus, sa coiffure était improbable et elle avait les yeux plus maquillés que d'habitude.

— Bonsoir! s'exclama-t-elle comme s'ils ne s'étaient pas vus depuis des mois. Entrez, entrez!

Elle attira Sara contre elle, sans croiser son regard, et baissa la tête sur son épaule, comme dans un curieux geste de supplication.

— B'soir, dit Sara du bout des lèvres, en reculant légèrement.

Elle nota cependant que Lou et Neil se saluaient sans effusion aucune.

— Ça sent bon, dis donc, se força-t-elle à dire.

La vérité était qu'elle n'en revenait pas que tout soit prêt, car c'était la première fois. Peut-être une tactique de leur part : avaient-ils conscience d'avoir dépassé les bornes ? Espéraient-ils faire amende honorable en faisant appel à un traiteur ? Si oui, ils se mettaient le doigt dans l'œil.

En entrant dans la cuisine, elle faillit trébucher sur Gavin, perché sur le rebord de la fenêtre, les pieds croisés et une bouteille de bière à la main. Elle se croyait prête à l'affronter, mais sa présence lui fit tout de même un choc physique.

— Tiens, tiens, voilà ma voisine préférée, dit-il tout miel en l'attirant vers lui d'un geste théâtral.

Un instant, elle se retrouva dans cette cour de restaurant, à respirer l'odeur chaude de son corps, sa cuisse pressée contre la sienne. Il tendit le cou pour l'embrasser chastement, mais elle se détourna avec froideur. C'est alors qu'elle vit les autres invités.

— Alors, dit Gavin après une poignée de main virile à Neil, Neil, Sara, je vous présente Claudia et Chris.

Sara parvint à sourire. Elle aurait dû s'en douter. Elle aurait dû savoir qu'ils allaient lui couper l'herbe sous le pied, trouver un stratagème pour l'empêcher d'agir. Jusqu'à ce soir, ils n'avaient jamais dîné avec d'autres amis, mais toujours tous les quatre seulement. C'était comme une gifle. Cela aurait été acceptable si au moins ces invités avaient été comme tous les amis excentriques de Lou et Gavin, mais ces deux-là étaient d'un tout autre genre. Claudia ressemblait à une petite souris, habillée comme une vieille, avec un long cardigan et des boucles d'oreilles pendantes. N'importe quel coiffeur aurait pu faire quelque chose de ses cheveux blonds et sales, mais ils pendaient lamentablement de chaque côté de son visage. Quant à Chris, il n'avait pas le moindre charisme non plus, avec pour tout trait distinctif des sourcils beiges en bataille qui s'accrochaient sous son front dégarni comme des broussailles au bord d'un précipice. Il portait une chemise de sport, le col relevé. Il se leva d'un bond et leur serra la main, très enthousiaste. Neil lui-même avait l'air déçu, lui qui se montrait toujours bienveillant avec tout le monde. On avait l'impression que, flairant les embrouilles, Lou était allée pêcher le premier couple dans la rue pour désamorcer la situation. Cela dit, ils avaient droit à la totale : bougies, fleurs, un album de Sufjan Stevens en fond musical. Pendant que Lou préparait un plat mexicain, Gavin bavardait avec Chris en ayant l'air de s'intéresser. Claudia trinqua avec Sara en prenant un air coquin, comme si c'était une petite folie de boire du vin.

— Alors, comment connaissez-vous Lou et Gavin ? demanda-t-elle.

— Nous habitons la maison d'à côté, répondit Sara, à peine aimable.

— Sara et Neil nous ont pris sous leur aile à notre arrivée, ajouta Lou. On était dans un état ! Tu t'en souviens, Sara ?

Ah, ça oui, elle s'en souvenait. Elle se souvenait de son euphorie d'avoir la chance d'être l'amie choisie par Lou parmi toutes ses voisines. Elle se souvenait de ce premier café pris ensemble, elle écoutant avec ravissement Lou raconter son conte de fées espagnol, respirant à peine, tandis que les confidences lui parvenaient, pour que Lou se sente en confiance et ne s'arrête surtout pas de parler. Et là elle regardait Claudia éperdue d'admiration, qui buvait les paroles de Lou, et qui lui rappelait elle-même autrefois, crédule, reconnaissante.

— C'était tellement drôle de retrouver du monde, raconta Lou avec émotion. On était devenus si sauvages. Et puis la langue ! Je n'arrêtais pas de passer à l'espagnol.

N'importe quoi, se dit Sara. Le charme était rompu désormais et elle voyait clairement à quel point les efforts que faisait Lou pour impressionner son invitée étaient évidents et enfantins.

*
* *

Lou n'avait pas l'air elle-même ce soir. Il y avait quelque chose d'imperceptiblement différent chez elle. Elle avait l'air fatiguée et un peu tendue. Peut-être sentait-elle Sara s'éloigner d'elle.

— Cela a dû être difficile de s'adapter, non ? s'enquit alors Claudia. Londres est tellement anonyme, n'est-ce pas ?

— Oui, je vois ce que tu veux dire, répondit Lou, diplomate. Mais dans ce quartier on n'a pas cette impression-là.

— C'est un cliché, non ? lança Sara. Je n'ai jamais trouvé les Londoniens particulièrement désagréables.

— Oh, je ne voulais pas dire désagréables, se reprit Claudia, dont les joues s'empourprèrent brusquement. Un peu intimidants, je veux dire.

— Pourquoi ? D'où êtes-vous ?

— Eh bien, ma famille est du Derbyshire en fait, mais j'ai pas mal voyagé pendant mon enfance à cause du travail de mon père. On a sillonné l'Europe, littéralement.

— Claudia est la fille de Jerzy, expliqua Lou.

Sara ne savait plus très bien qui était Jerzy. Ah oui, ce M. Loyal avec un charme fou et un problème d'alcool. Elle comprenait maintenant. Ces deux gosses avaient beau avoir le charisme d'une huître, ils appartenaient à une dynastie. Ils étaient artistes par association.

— Ah, je vois, vous devez être impliqués dans Little Creatures, alors ?

— En fait non, répondit Claudia comme en s'excusant. C'est Beth, ma belle-mère, qui s'en occupe. Mais c'est merveilleux, elle fait ça avec passion. Moi, je ne connais pas grand-chose au théâtre.

Sara allait lui demander à quoi elle s'intéressait (même si elle s'en fichait éperdument) lorsque Lou posa un plat sur la table et une panière pleine de tortillas maison.

— Servez-vous, dit-elle en tirant un vieux tabouret.

Sara plongea une cuillère dans la préparation qui embaumait la coriandre, la versa dans la tortilla et roula le tout.

— Un peu de guacamole ? Ou de sauce ? proposa Chris en passant les plats comme s'il était le maître de maison, sous le regard approbateur de Claudia.

— Je pensais que vous viendriez avec les garçons, dit Lou, un peu étonnée.

— Ils n'avaient pas vraiment envie, répondit Sara, en la regardant avec dureté.

Elle était grisée par sa propre audace. Comme c'était libérateur de se lâcher complètement, sans se soucier de vexer ou non Lou, et même de faire *exprès* de la vexer.

— Oh..., fit Lou.

— Ils ne voulaient pas rater *Top Gear*, ajouta Neil, pour rattraper le coup.

En y regardant de près, Lou n'avait pas vraiment l'air dans son assiette. Elle avait un peu de couperose sur les joues et un bouton sur le nez. Non, pas un bouton, c'était le trou laissé par son anneau et qui semblait en train de s'infecter. Elle n'avait pas bonne mine. Pourtant, et c'était agaçant, elle s'arrangeait pour rester séduisante, telle une phtisique en train de mourir d'amour.

— On a eu tellement de chance de les avoir pour voisins quand on s'est installés, dit alors joyeusement Lou en se tournant vers Claudia. Les garçons de Sara et Neil ont exactement le même âge que les nôtres et ils s'entendent à la perfection. On ne les voit plus quand ils sont ensemble, pas vrai ? Ils disparaissent et...

Mais on n'entendit pas la fin car Lou fut interrompue par un cri perçant au milieu de sa phrase. Un bruit de cavalcade parvint de l'escalier et Dash fit irruption dans la pièce.

— Il faut que vous disiez à Zuley de sortir de ma chambre !

— Calme-toi, mon chéri, répondit Lou en faisant mine d'être gênée vis-à-vis de ses invités. Dis-moi plutôt ce qui se passe.

— Ce qui se passe, cria-t-il, c'est que Zuley et Arlo ont fait une cabane dans ma chambre !

— Mais c'est aussi la chambre de ton frère, mon chéri.

— Et ils ont pris ma couette et renversé tous mes Warhammer, alors est-ce que tu peux monter et les foutre dehors ?

— Dash ! fit Gavin, sans grande conviction, avec un air de reproche en direction de Lou, qui ne réagissait pas.

— Et si je montais, moi ? proposa Claudia en se faufilant derrière Sara.

Elle posa doucement la main sur l'épaule de Dash et le fit sortir de la pièce avec une fermeté surprenante. Malgré toute l'antipathie qu'elle éprouvait pour lui, Sara se surprit à le soutenir, et se réjouissait à l'avance de la réaction qui n'allait pas tarder à suivre dans une avalanche d'insultes, et ferait revenir Claudia la queue basse. Mais rien de cela n'arriva.

— Elle est incroyable, non ? dit Lou en voyant la stupéfaction de Sara. Et ils ne se connaissent que depuis mercredi.

— Mais je pensais que vous vous connaissiez depuis très longtemps.

— Nos familles, oui, mais Claudia et moi n'avons pas eu beaucoup d'occasions de nous voir. Je me sens proche d'elle parce que son père Jerzy était comme un père pour moi, j'imagine.

Un père avec qui tu rêvais de coucher, se dit Sara.

— Du coup, quand on a appris qu'ils cherchaient un point de chute, on s'est dit pourquoi pas ?

— Et vous êtes ici pour longtemps ? demanda Sara à Chris.

— Oh, juste quelques mois, dit-il, la bouche pleine de guacamole, jusqu'à ce qu'on trouve.

— Quelques mois ? En effet ! fit Sara.

— Chris et Claudia veulent acheter à Deptford, expliqua Gavin en se penchant vers elle pour lui resservir du vin.

C'était la première fois qu'elle le regardait vraiment depuis le début de la soirée. Elle réalisa qu'il lui plaisait toujours. Cela la remuait complètement de le voir. Elle pensait à ses mains sur elle, à sa bouche, sa langue… mais lui était très distant et il n'y en avait pas meilleure preuve que cette amabilité glaciale avec laquelle il la traitait depuis qu'elle était arrivée. Elle se rendait bien compte qu'il n'avait fait que jouer à la séduire, sans même sans doute s'en rendre compte ; le flirt était une seconde nature : Korinna, la femme de la galerie, Rohmy la prédatrice, Mandy la nounou, toutes avaient tenté leur chance avec lui, sans s'apercevoir qu'elles n'étaient que des figurantes dans un vaudeville où Lou et lui jouaient au chat et à la souris. Mais Sara s'était crue à part, au-dessus des autres, la préférée. Elle savait bien qu'il ne quitterait jamais sa femme, elle n'était pas idiote, mais elle croyait lui apporter quelque chose que Lou n'avait pas, elle en était presque certaine. De même qu'elle était presque certaine qu'ils feraient l'amour, que l'occasion se présenterait, et que cela changerait tout. Cela ne s'était pas produit et ne se produirait jamais. Elle devait se contenter de rester assise là à le regarder gâcher son charme devant ces gens insignifiants. Ils riaient et bavardaient, apparemment admis dans le cercle dont elle se sentait désormais exclue. Elle avait fait son temps.

— … parce que les prix ont monté de quatre-vingts pour cent ces six derniers mois, expliquait Chris. Alors c'est maintenant ou jamais.

Mon Dieu ce qu'il était ennuyeux !

— Eh bien, vous êtes en position de force, répondait Neil, en tant que primo-accédants.

— Je suppose, dit Chris avec un coup d'œil dubitatif en direction de Gavin. On espère juste qu'on n'aura pas de mal à obtenir un prêt, parce que je suis à mon compte et que Claudia n'est pas encore titulaire.

— Tu travailles dans quoi ? s'enquit aimablement Neil.

— Je suis comptable.

Sara réprima un bâillement.

— Alors, ça ne devrait pas poser de problème.

— J'espère, mais ils cherchent toujours la petite bête.

— Ne t'en fais pas, dit Gavin, en faisant tourner le vin dans son verre avant de le boire, on n'est pas pressés. C'est super de vous avoir ici. Ça nous sort de notre routine.

Claudia revint dans la pièce, détendue et apparemment satisfaite.

— Tout est calme sur le front de l'Ouest, annonça-t-elle. J'ai lu une histoire à Arlo et Zuley dort presque.

— Tu es un ange ! s'exclama Lou. Je vais aller la voir. Elle va m'en vouloir si elle n'a pas son câlin magique.

Un câlin magique ? Sara faillit s'étouffer avec son vin. Décidément, on aurait tout entendu ! Aurait-elle oublié que Sara n'ignorait rien de la manière dont se passaient les choses dans cette maison ? Mais, là encore, Lou était plus soucieuse de recruter de nouveaux membres pour son fan-club que de se montrer réellement elle-même devant une amie dont l'avis comptait visiblement un peu moins chaque jour pour elle.

— Elle est maligne comme un singe, hein ? dit Claudia en se préparant une tortilla avec gourmandise.

— Qui ? Zuley ? fit Gavin. Oui, assez.

— Assez ? Attends, elle est très en avance pour la lecture, je te signale.

— Ah bon ? Vraiment ?

— Pour quatre ans ? Ah oui, je peux te dire que j'ai enseigné la lecture à des enfants qui ne faisaient pas aussi bien.

— Alors, comme ça, tu es institutrice ? demanda Sara.

— Stagiaire, répondit Claudia en rougissant et en tripotant sa boucle d'oreille. Je vais rester suppléante encore quelque temps avant d'être titularisée.

— Comment ça marche ?

— On t'appelle quand quelqu'un est malade par exemple.

— Et le reste du temps ?

— Eh bien, je serai là, répondit joyeusement Claudia, je tâcherai de me rendre utile.

C'était clair à présent. Lou avait délégué son enseignement à la maison. Pas étonnant qu'elle et Gavin aient déroulé le tapis rouge à ces gens : ils valaient leur pesant d'or. Tandis que Claudia ferait profiter les garçons de ses talents d'enseignante, Chris ne manquerait pas de jeter un œil à la comptabilité de Gavin. C'était presque risible, tant c'était parfaitement calculé. Ne disait-on pas que les requins doivent perpétuellement rester en mouvement s'ils ne veulent pas se noyer ?

— Au fait, je précise que ce sont eux qui nous ont proposé, chuchota Claudia pour se justifier.

— Pardon ? dit Sara.

Cette pauvre femme n'en finissait jamais de s'excuser et de remercier.

— Ce sont *eux* qui nous ont proposé de nous installer ici. Nous n'avons rien demandé. J'ai juste appelé pour avoir des infos sur le quartier, je n'aurais jamais imaginé qu'ils nous offrent de nous héberger.

— J'imagine qu'ils ont besoin du loyer.

— Oh, mais nous ne payons pas de loyer. Ils ne veulent pas en entendre parler. Vu la taille de la chambre et vu qu'on ne sait même pas pour combien de temps c'est, ça en dit long sur eux, non ?

Gavin revint en sifflotant avec une bouteille de bourgogne.

— Il ne devrait pas être mauvais, celui-ci. Il est un peu vieux, mais c'est l'occasion. Est-ce que j'ai manqué quelque chose ?

— Non non, nous étions juste en train de saluer ton hospitalité. Qu'est-ce que l'on fête ?

— Lou ne vous a rien dit ? demanda Gav, étonné. C'est typique d'elle. On vient d'apprendre que la BBC allait sortir *Cuckoo* en DVD dans le cadre d'une série mettant à l'honneur les réalisatrices d'aujourd'hui.

— Fantastique ! s'exclama Neil.

Claudia et Chris étaient très admiratifs eux aussi.

Sara ne savait pas quoi en penser. Était-ce vraiment une bonne nouvelle ? La réalité, c'était que, lorsqu'un film sortait directement en DVD, on considérait cela comme un échec.

— Est-ce que cela signifie qu'il ne sortira pas en salles ? demanda-t-elle sans prendre de gants.

Sans parvenir à se réjouir pour autant non plus car, si le film ne gagnait pas d'argent, c'était elle et Neil qui y laisseraient des plumes.

— Oh, sans doute que si, répondit Gavin. Un jour ou l'autre. Mais, dans tous les cas, c'est incroyablement prestigieux. C'est un grand coup de pouce à sa carrière.

Lou revint dans la pièce, accueillie par des applaudissements flatteurs.

— Qu'est-ce que j'ai fait? demanda-t-elle en jouant l'innocente. Ah, le film? Oh, je vous en prie!

Gavin servit le vin avec cérémonie et se leva pour proposer un toast. Sans enthousiasme, Sara leva son verre comme tout le monde.

— À ma ravissante femme, aussi sexy que talentueuse. Merci de n'être jamais, jamais ennuyeuse.

— À Lou, ajouta immédiatement après Neil.

— À Lou, firent les autres à l'unisson, sauf Sara qui se contenta se faire semblant.

Lou esquissa un geste de la main pour mettre fin à ces éloges. Elle avait les larmes aux yeux et posa une main sur sa poitrine comme elle l'avait fait lors de l'avant-première, submergée par l'émotion. Elle s'assit pour se relever aussitôt.

— En fait…, dit-elle d'une voix enrouée par l'émotion, je suis désolée, Gav, mais tu ne vas pas t'en tirer comme ça.

Ses larmes redoublèrent.

— Cet homme…, dit-elle, en riant et en secouant la tête. Cet homme. Si on peut parler de talent me concernant, ce dont d'ailleurs je doute…

La petite assemblée de flatteurs se mit alors à protester à mi-voix.

— … alors il faut trouver un autre mot pour lui. Pour toi.

Elle se mit à regarder son mari dans les yeux, à l'exclusion de tous les autres.

— Je crois pouvoir dire honnêtement que, sans ton exemple, je ne serais rien ni personne. Ton art est au centre de notre vie et je remercie Dieu chaque jour pour ça, et pour toi.

Il y eut alors un silence puis une autre salve d'applaudissements obséquieux, qui eut pour effet de ramener Lou sur terre.

— Oh, et suis-je obligée de préciser qu'il n'est pas mal au lit non plus! ajouta-t-elle avec un clin d'œil grivois.

Les rires nerveux qui suivirent apportèrent à Sara la

preuve qu'elle n'était pas la seule à trouver cette confidence de mauvais goût. Lou se mit ensuite à débarrasser les assiettes et Claudia bondit pour l'aider avec le zèle d'une collégienne.

— C'était délicieux, Lou. Il faudra que tu me donnes ta recette.

Gavin changea le disque et remplit les verres, puis Lou, une fois qu'elle eut fait place nette, apporta un plateau de fromages, qu'elle nomma l'un après l'autre.

— … Ça, c'est du grazalema, dit-elle en posant un gros morceau sur un cracker qu'elle tendit à Claudia. Il vient d'Andalousie, là où nous vivions en Espagne. Je n'en achète pas souvent parce que ça me rend nostalgique, mais c'est l'occasion ce soir.

— Il est divin, dit Claudia tout en s'essuyant le coin des lèvres du bout des doigts.

Puis elle finit d'avaler et soupira.

— L'Angleterre doit sembler un peu étouffante, non, lorsqu'on rentre de l'étranger ?

Personne ne dit rien, chacun perdu dans ses pensées.

— Ah, tant que j'y pense, dit alors Sara, sur un ton faussement aimable. Vous vous rappelez Steve ?

Neil la regarda d'un air inquiet.

— Steve ? fit Gavin tout en cherchant à se souvenir.

— Tu sais bien, le type qui travaille avec Neil. Le chef de travaux ?

— Est-ce que c'est le moment de parler de ça ? dit Neil.

— Absolument, répondit Sara sans se laisser démonter.

— Steve, répéta Gav tout en plissant les yeux. Steve, Steve, Steve… Ah oui, le type avec le gilet jaune, tu te souviens, Lou ? Avec tout l'attirail.

Elle acquiesça en fronçant le nez, amusée.

— Ah oui ! On aurait dit un Playmobil, non ? Avec son casque et sa petite caisse à outils.

— Voilà, dit Sara. Eh bien, d'après lui, on a un vrai problème.

— Qu'on n'est peut-être pas obligés de traiter maintenant, insista Neil en lui faisant les gros yeux.

— Non mais attends, laisse-la dire ce qu'elle a sur le cœur, dit Gav en posant avec complaisance le bras sur le dossier de la chaise de Sara. Alors, quel est ce problème?

— Merci, répondit Sara. Et désolée, Claudia et...

— Chris, fit le Chris en question.

— Oui. Seulement je suis sûre que, lorsque vous serez propriétaires, vous verrez que l'endroit où vous vivrez ne sera pas juste une maison de brique et de ciment, mais bien plus que cela. Parce qu'on met beaucoup d'affect là-dedans. Patrick, mon dernier, est né ici. Cette maison était faite pour nous.

— Bon sang, Sara! fit alors Neil.

— Oui, eh bien, tu n'avais qu'à aborder le sujet, toi, comme il était prévu que tu le fasses!

— Ce qui se passe, c'est que la maison s'est affaissée, lança alors Neil brusquement, avant de lancer un regard noir à sa femme.

— Rien de nouveau jusqu'ici, déclara Gavin, un tout petit peu moins détendu. C'est normal qu'il y ait un peu de jeu avec les vieilles maisons, non?

— C'est plus sérieux que ça en fait, dit Neil dans sa barbe.

— Les travaux que vous avez fait faire, poursuivit Sara, déterminée à en venir au fait, ont fragilisé les fondations de l'ensemble. Je ne sais pas qui vous a fait les plans, mais c'est du grand n'importe quoi! Ton atelier, là où tu conçois tes œuvres admirables, si importantes et inspirantes, a complètement bousillé notre pauvre maison banale et ordinaire. Voilà ce que Steve avec son gilet jaune a trouvé, avec...

Elle forma des guillemets dans l'air :

— ... sa petite caisse à outils.

Tout le monde se raidit, et les sourires se crispèrent. Lou se leva brusquement et alla jusqu'au réfrigérateur. Elle l'ouvrit et sembla ne plus savoir ce qu'elle était venue y prendre. Elle le referma et revint se poster derrière Gavin, dont elle se mit à frotter nerveusement les épaules, tout en cherchant l'inspiration.

— Je ne pense pas que ce soit vrai, dit-elle avec un petit sourire gêné. Hein, Gav ? Parce qu'on a fait superviser les travaux par un très bon copain, Jérôme.

Comme elle se doutait, à juste titre, que Sara ne serait désormais plus sensible à quelque référence que ce soit, elle prit Claudia à témoin.

— C'est lui qui a fait la Pebble Gallery à St. Edmunds. On peut imaginer qu'il s'y connaît un peu, non ?

Claudia vint en renfort.

— Il a même eu un prix pour ça, non ?

— Écoutez, dit alors Neil tout en faisant un geste d'apaisement. Ne nous énervons pas. On est amis, n'est-ce pas ?

Tous firent comme si c'était le cas.

— Les premières analyses de Steve semblent montrer que vos travaux auraient pu contribuer à…

— Avec quatre-vingt-dix-neuf pour cent de certitude, murmura Sara.

— Qu'il est donc probable que vos travaux ont contribué à… euh…

— Je vois ! OK, OK, répondit Gavin, en posant les mains à plat sur ses cuisses. On a compris le message, je crois. Évidemment, on est comme vous, on veut en savoir davantage, afin d'éliminer cette hypothèse.

— Bonne chance pour y arriver ! dit Sara.

Cela lui valut un regard haineux de la part de Gavin, ce qui, même si elle l'avait cherché, ne la laissa pas indifférente.

— Alors dites-nous s'il vous plaît ce qu'on doit faire, conclut-il.

— Super ! s'exclama Neil. Merci. Rien de compliqué en

fait. Steve a juste besoin de voir l'original des plans, plus une copie du permis de construire, et que tu lui dises quel système vous avez utilisé pour l'étayage.

— L'étayage ?

Sara était allongée dans le noir à côté de Neil. Il avait les yeux fermés et le visage tourné obstinément vers le plafond. Elle savait qu'il ne dormait pas car il lui en voulait et ne parvenait pas à se détendre. Il détestait le conflit, de tout temps, mais elle n'était pas responsable de cette situation. Elle ne voyait pas pourquoi elle devrait payer les pots cassés pour la négligence de ses voisins. Et pourtant elle avait l'impression qu'il s'était rangé de leur côté.

Elle tendit la main dans le noir pour la poser sur la sienne. Il sursauta comme si elle avait la peste.

— Il fallait qu'on leur dise, Neil, souffla-t-elle. Et ça n'aurait jamais été le bon moment.

Il ne répondit pas. Bon, il fallait qu'elle gagne son pardon par d'autres moyens. Elle descendit doucement la main vers sa cuisse. Il se raidit, mais ne l'arrêta pas. Peu à peu elle se rapprocha de lui et sentit que son sexe réagissait. Elle fit mine de le toucher, mais il l'en empêcha.

Sans préambule ni préliminaires, il grimpa sur elle, tandis qu'elle retroussait sa chemise de nuit. Ses yeux étaient comme deux trous noirs dans son visage et il était un peu brutal. Ce n'était pas du tout dans ses habitudes. Malgré elle, elle eut envie de lui, à cause de cet effet de surprise sans doute. Il ne semblait pas vouloir l'embrasser, ni lui manifester aucune forme de tendresse complice. Le souvenir de la scène sous la tente était bien loin. Il se mit en position et après une seconde d'hésitation, histoire de concentrer son effort, il la pénétra sans aucun ménagement. Elle en eut le souffle coupé. Il n'y prêta aucune attention. Les ondulations habituelles, censées leur donner du plaisir, même si ce n'était pas vraiment le cas pour elle depuis toutes ces années, étaient soudain remplacées par des poussées bestiales. Et c'était bon. Comme clouée au matelas, les cheveux en bataille sur son oreiller, elle sentait son souffle contre son visage. Puis, soudain, elle ressentit une vive douleur qui lui fit pousser un cri de surprise. Quelque chose, comme un hameçon, s'était fiché dans la chair tendre de sa fesse et s'y enfonçait un peu plus à chaque coup de boutoir.

— Aïe! Arrête! J'ai super mal!

Mais il n'en fit rien. Encore deux trois poussées, et il allait jouir.

— Arrête, répéta-t-elle doucement. Arrête, j'ai quelque chose qui me fait mal.

Il roula sur le côté et elle tendit la main à la recherche de l'objet en question, l'extrayant de sa chair avec une grimace. Elle le tint un instant devant elle, entre son pouce et son index. Comment une chose aussi petite avait-elle pu lui faire aussi mal?

— Bon sang! fit Neil, furieux, avant de se pencher au-dessus d'elle pour allumer la lampe de chevet.

Un peu éblouie d'abord, elle plaça l'objet sous la lumière pour l'observer de plus près. C'était un anneau d'argent, de la taille d'un petit pois. Elle fronça les sourcils sans comprendre, puis regarda Neil, et vit alors qu'il l'avait reconnu, même s'il feignit tout de suite le contraire.

Il secoua la tête, lentement d'abord, puis plus vite, comme désespéré.

— Ce n'est pas ce que tu crois.

— Pas ce que je crois? L'anneau de narine de Lou se retrouve dans mon lit et ce n'est pas ce que je crois? Alors dis-moi plutôt ce que c'est! Elle t'a lu une histoire pour t'endormir, c'est ça? Non, non, je t'en supplie, n'aggrave pas ton cas. Je ne pourrais pas le supporter.

Elle se redressa dans le lit. Elle ressentait une douleur

tellement vive ! C'était dingue. Et elle entendit alors un son guttural, sans se rendre compte qu'il sortait de sa bouche.

— Sara, écoute-moi. Ça ne signifiait rien, absolument rien.

Et il se mit à prononcer des mots vides de sens : *accident... aucune importance... me sentais seul... tellement honte...*

Enfin, quand il eut fini, elle leva la tête, lentement, comme si elle émergeait, et elle le regarda, cet homme qui l'avait trahie, cet homme qu'elle ne reconnaissait plus.

— Quand ? lui demanda-t-elle. Quand t'es-tu retrouvé seul avec elle ? Ah si. Je sais. Le taekwondo. J'étais au club, pour accompagner les garçons. Magnifique. Parfait.

Il continuait à secouer la tête, les yeux fermés, comme un petit garçon qui s'est fait prendre, la main dans la boîte de biscuits.

Elle contempla de nouveau le minuscule anneau d'argent entre son pouce et son index. Ce n'était pas grand-chose, et pourtant tout était là. Rien et tout à la fois. Un petit O, un trou dans lequel venait de se perdre leur histoire.

— Parfait. Parfait. Parfait, continuait-elle de répéter, en se balançant d'avant en arrière, jusqu'à ce que ses mots se confondent en un long gémissement douloureux.

27

Dix-huit mois plus tard

C'était par un de ces matins d'hiver lorsque la mer, chapeautée de brume, vient mouiller les galets dans un murmure étouffé, et que la terre a l'air immaculée, comme anesthésiée par le froid. Même les détritus chassés par le vent le long de la digue ressemblaient à une œuvre de pop art. Le chien folâtrait et tirait dans tous les sens sur la laisse que tenait Sara, levant la patte contre la balustrade rouillée et aboyant après les mouettes. Elle n'avait jamais voulu d'un chien, et encore moins de ce petit roquet, mais, après le chamboulement du déménagement, elle n'avait pas eu d'autre solution pour faire passer la pilule auprès des garçons et mettre un peu d'animation dans une maison désormais bien calme. Elle était forcée de le sortir chaque matin et donc de se lever, ce qui était toujours mieux que de rester au lit à attendre que les premières lueurs du jour lui révèlent peu à peu les contours étranges de cette nouvelle chambre.

Elle faisait encore des rêves de son ancienne maison. Elle se tenait devant la porte à tourner en vain la clé dans la serrure, ou bien descendait les marches pour se retrouver en équilibre au bord d'un précipice. Une fois, elle rêva qu'elle ouvrait l'armoire à linge et trouvait l'accès à une aile secrète, avec une salle de bal et un orgue Wurlitzer. Elle s'était réveillée heureuse jusqu'au moment où elle avait compris qu'il n'y avait pas de salle de bal, ni même de maison. Plus pour elle en tout cas.

La promenade les avait menés plus loin que d'habitude, bien plus loin que la salle des fêtes, avant que le chien ne consente à faire ses besoins. Sara se pencha pour ramasser la crotte encore fumante dans un sac en plastique apporté à cet effet. Cependant même ce geste dégoûtant ne parvenait pas à dissiper l'optimisme que suscitait chez elle le ciel bleu et pur ce matin-là. Elle ne se sentait pas heureuse, non, mais réconciliée. Elle avait compris qu'elle ne pouvait raisonnablement pas attendre beaucoup mieux de la vie. Jusque peu de temps auparavant, elle n'en aurait même pas espéré autant. On ne pouvait pas se permettre de regarder en arrière. On ne pouvait pas se permettre de comparer. C'était comme si son monde avait subi une métamorphose qui en avait transformé toutes les coutumes. Il fallait perdre la mémoire, et laisser filer tous ses souvenirs. Si l'on ressassait tous les rituels de sa vie d'avant, si l'on endossait les vieux habits, on devenait fou de chagrin et de colère.

Caleb prétendait ne pas aimer sa nouvelle école mais, au moins, il ne s'y faisait pas martyriser, comme elle l'avait craint. Au contraire, pour autant qu'elle pouvait en juger en espionnant son compte Facebook, son air blasé et son accent cockney traînant lui assuraient une popularité incroyable. Pourtant, le week-end, il se morfondait dans sa chambre dont il n'émergeait que pour se servir un énorme bol de cornflakes et être désagréable avec tout le monde, en particulier Neil, qui n'était là que le week-end justement et dont les efforts pour se racheter malgré l'ambiance tendue pendant ses brefs séjours étaient touchants. Comme parent, il avait toujours été plus doué qu'elle. Il avait un instinct sûr et une tendresse invariable. Son autorité, qui trouvait son origine dans sa droiture, inspirait le respect. Mais, maintenant que cette droiture était mise en cause, son autorité avait disparu. Il se fiait à son instinct, mais faisait faux pas sur faux pas. Seul son amour demeurait inchangé, ce dont Caleb ne se satisfaisait visiblement pas.

C'était affreux de le voir descendu si bas aux yeux de son fils aîné, mais Sara avait du mal à ne pas y trouver une certaine satisfaction. Il n'avait que ce qu'il méritait après tout. Et il en était convenu durant leurs visites chez le conseiller conjugal. Il l'avait regardée dans les yeux et lui avait demandé pardon avant de se mettre à pleurer. Elle avait été tentée de lui pardonner, avait tendu la main vers lui, mais son cœur était resté de pierre. Le conseiller les avait écoutés lui raconter toute l'histoire, hormis un fait important que Sara s'était bien gardée d'avouer et qui n'aurait pas manqué de la desservir en l'occurrence. Au fil des semaines, elle était parvenue à dissocier sa colère contre Gavin et Lou de celle contre son mari. Elle avait fait du chemin.

Huit mois à vivre juste à côté de ses ennemis jurés lui avaient suffi. Huit mois à se cacher derrière la haie, à attendre que la Humber s'en aille avant qu'elle puisse sortir dans la rue. Huit mois à expliquer au facteur que non, en fait, ce n'était pas si commode pour elle de réceptionner le paquet de ses voisins. Huit mois à se répéter sans arrêt que les enfants n'étaient que des enfants, et qu'Arlo méritait qu'on le félicite sur ses prouesses en skate, même si le compliment ne suscitait qu'un regard hostile de sa part.

*
**

La colère, la stigmatisation et la paranoïa avaient fait de Sara, si liante autrefois, la paria de son quartier. Elle préférait traverser la rue plutôt que d'affronter les questions gênantes de ses voisins pourtant bien intentionnés, car elle savait qu'ils savaient, rien qu'à la manière dont tous la regardaient. De leur côté, Gavin et Lou n'avaient pas l'air de ressentir la moindre honte. Elle n'allait pas jusqu'à prétendre qu'ils recrutaient des alliés mais, en quelques mois, ils passèrent manifestement du statut de personnages singuliers et énigmatiques à celui de piliers de la communauté. C'étaient eux désormais qui réceptionnaient les paquets, nourrissaient les chats, signaient les pétitions, et organisaient les petites fêtes comme celle du lendemain de Noël.

Cela avait été un rude coup pour Sara. Assise dans l'entrée au milieu des emballages de cadeaux, la télévision allumée à fond pour couvrir les bruits de la réception dans la maison d'à côté, elle n'avait pu s'empêcher de jeter un coup d'œil chaque fois qu'elle entendait grincer le portail de ses voisins. Et tous les habitués étaient venus ce jour-là : les branchés de l'Est londonien, les intellectuels grisonnants et, plus douloureux à constater encore, des gens du quartier comme Bronte et Mac, Marlene, ou encore Sandra de la maison d'en face, avec son dernier-né. Aucun d'eux apparemment n'avait le moindre scrupule à trahir ainsi Neil et Sara au profit de ces nouveaux arrivés qui se disaient artistes, et connaissaient à peine leur nom, tout ça contre un verre de whisky et une part de gâteau.

La maison était en vente depuis six mois lorsqu'un promoteur qui savait flairer les situations désespérées leur en offrit six cent cinquante mille livres. Ils sautèrent sur l'offre. Tout pour sortir de cet enfer. Cela signifiait qu'ils ne pourraient pas se permettre d'acheter à Brighton, ou en tout cas pas assez grand, et que, comme Hastings n'était pas relié par le train tous les jours, Neil devrait se contenter de venir le week-end. À l'époque, Sara avait trouvé le châtiment appropriés car, même en admettant qu'il n'était pas responsable de l'affaissement de leur maison, c'était son comportement qui avait en grande partie rendu l'atmosphère toxique et le voisinage insupportable. Et c'était bien cela qui avait précipité les choses, y compris ce déménagement à perte. Au vu de tout ça, l'autoriser à dormir sur un futon dans la remise trois nuits par semaine était bien assez généreux.

Le chien continuait de tirer sur sa laisse, en tentant d'aller renifler l'arrière-train d'un labrador, dont le maître était trop occupé à examiner son téléphone pour s'en soucier. Il finit par lever les yeux et Sara intercepta dans son regard une lueur d'intérêt pour sa personne qui lui rappela qu'elle était toujours une femme, en dépit de son allure négligée à une heure aussi matinale. Elle fit mine de n'avoir rien remarqué, se contenta de rappeler son chien et de tirer doucement sur la laisse pour qu'il se résigne à la suivre, mais ce message subliminal lui confirma que cette journée était décidément placée sous les meilleurs auspices.

Non qu'elle s'intéressât aux hommes, pas du tout. S'il y avait une chose que toute cette histoire consternante lui avait apprise, c'était ça : de fixer le trottoir et de ne jamais plus lever les yeux. Son mariage avec Neil avait très bien fonctionné jusque-là, mieux que très bien même. En défaisant les cartons, après le déménagement, elle était tombée sur un tas de vieilles photos de vacances. Sur l'une d'elles, on la voyait avec Caleb assise sur les marches d'une caravane en Dordogne, en train de partager un sandwich au salami. À l'époque, elle était enceinte de plusieurs mois et Neil lui avait déconseillé les fromages non pasteurisés.

Le simple fait de se regarder sur cette photo, et de se

rappeler la tiédeur de la tôle d'aluminium sous la plante de ses pieds, le poids encombrant de son ventre, et le soleil qui la faisait cligner des yeux en attendant que son mari prenne la photo, lui avait donné envie de revivre ces instants. Même si à l'époque elle était un peu impatiente et agacée, elle était aussi — elle s'en rendait compte à présent — parfaitement heureuse. C'était de l'amour qu'on lisait dans son sourire crispé qui semblait dire à Neil de se presser, de l'amour aussi dans cette expression de patience contrainte avec laquelle elle consentait à prendre la pose. Cette photo transpirait l'amour, il s'en dégageait de partout : de la toile du parapluie qui la protégeait du soleil, des contours du mobilier de camping en plastique, et bien sûr de l'objectif du photographe.

Ils parviendraient à retrouver cela. Pas tout de suite, non, mais pour autant ils n'allaient pas sombrer. Même alors qu'elle sanglotait dans son lit, elle avait la certitude, quelque part dans un coin de sa tête, que son histoire avec Neil n'était pas terminée.

Pourtant, elle ne pensait pas que ce serait si dur. Leur danse nuptiale si élégante et dont elle n'avait jamais eu besoin d'apprendre les pas s'était transformée en une pantomime lasse et mal coordonnée. Des semaines après qu'elle était rentrée à la maison au bout de quinze jours complètement shootée sous antidépresseurs chez sa mère, des semaines après que le conseiller conjugal leur avait soi-disant trouvé une forme d'équilibre pour repartir ensemble, Neil et elle tentaient toujours de masquer la rancune qu'ils éprouvaient l'un pour l'autre sous un semblant de concessions mutuelles permanentes.

Un échange typique entre eux donnait à peu près ceci :

— Il y a ce truc à la télé à 21 heures mais si tu veux regarder le foot ça ne fait rien.

— Vas-y, change de chaîne alors.

— Non, pas si tu regardes le foot. Je veux dire, ils n'ont

pas marqué un seul but et c'est pas tes équipes préférées en plus, si ? Mais bon, si tu veux regarder…

— Change, je te dis. Je m'en fiche.

— Non, laisse tomber. De toute façon, j'ai loupé le début.

À ce stade de la discussion, Neil se levait et quittait la pièce, laissant Sara aussi déprimée que butée, assise devant le match de foot. Et encore, ça, c'était les bons jours…

C'était peu de dire que le départ de Londres avait été un soulagement, même si cela avait été un sacré déclassement. Tout, avec cette maison de Hastings, avait fait l'objet de compromis. À commencer par le choix de Hastings au lieu de Brighton, et puis l'emplacement de la maison, dans la vieille ville, mais pas dans une des plus jolies rues, l'absence de vue sur mer, à moins de se tenir debout dans le grenier et de regarder par le velux. Mais, la plus grande concession, ils l'avaient faite sur la maison elle-même. Comme il leur fallait une quatrième chambre, ils avaient opté pour Sea Crest, un ancien B & B dans une maison victorienne mitoyenne sans intérêt. La façade crépie, les huisseries peintes dans un bleu criard et les parpaings du muret, tout indiquait pourquoi le B & B avait fait faillite. À l'intérieur comme à l'extérieur, c'était le temple du kitsch, ce qui aurait fait hurler Carol, mais beaucoup amusé Lou et Gavin. Le fait que Sara ait hésité pendant cinq bonnes minutes à se séparer du bar années 1980 avec son grand miroir en disait long sur l'influence que ses ennemis et leurs goûts anticonformistes avaient encore sur elle. Cela dit, elle ne se sentait pas déprimée dans cette maison. Elle devait sans doute se dire qu'ils parviendraient peu à peu à la débarrasser de tout ce qui leur déplaisait, à abattre quelques murs, et à faire apparaître des trésors cachés derrière les placards et les cloisons, mais elle n'était pas pressée. Cela avait quelque chose de reposant d'assumer les choix d'autres personnes. De son côté, elle avait fait tant de mauvais choix ces derniers temps, même si ce n'était pas dans le domaine de la décoration intérieure.

Bref, pour l'heure elle fourra le petit sac à crotte dans une poubelle et traversa en direction de la maison, et pour la première fois elle eut l'impression de rentrer chez elle. Le facteur était passé et, après avoir refermé la porte d'entrée et détaché le chien, elle tira une grosse enveloppe de la boîte aux lettres qui débordait, faisant chuter à sa suite une cascade de papiers en tout genre sur le paillasson. La grosse enveloppe contenait le dernier numéro de la revue professionnelle à laquelle était abonné Neil et qu'il avait fait adresser ici, en dépit du fait qu'il n'y habitait pas en permanence pour le moment. Mais cela ne la contraria pas plus que ça en fait. Elle prit connaissance du reste du courrier : des rappels concernant l'assurance de la voiture, des publicités et quelques lettres apparemment sans importance pour les précédents habitants. Elle s'apprêtait à jeter tout ça au recyclage lorsqu'elle tomba sur une enveloppe ivoire écrite à la main, adressée à elle et à Neil.

28

— Je trouve qu'ils auraient pu penser à nous quand même, dit Sara en accélérant avec l'impatience de celle qui est restée coincée derrière une Honda pendant vingt kilomètres sur une route à une seule voie. Ils auraient pu louer une salle. Ce n'est pas comme s'ils ne pouvaient pas se le permettre.

— Ils ont le droit de recevoir chez eux si ça leur fait plaisir, répondit doucement Neil.

Elle ne pouvait pas dire le contraire, mais ça n'allait pas être facile de se retrouver dans le salon de Carol et Simon pile en face de chez Lou et Gavin. Elle espérait qu'elle avait bien fait d'accepter cette invitation. Elle n'avait pas hésité, se disant qu'il était temps. Soit ils effaçaient l'intégralité de leur vie d'avant, cessaient d'envoyer des cartes à Noël, de téléphoner de temps à autre, et décourageaient les garçons lorsqu'ils se montraient désireux de raconter leurs souvenirs, soit ils faisaient face. En répondant favorablement à cette invitation, elle espérait cautériser la plaie. Bien entendu, elle s'était assurée avant que Lou et Gavin n'étaient pas invités. Il y avait une différence entre cautériser la plaie et s'infliger une immolation par le feu. Pour autant, lorsque la voiture s'engagea dans ces rues familières, elle se sentit triste et légèrement nauséeuse à la fois.

— Les Glover ont enfin terminé leur extension, on dirait, fit Neil en regardant avec curiosité par la fenêtre du passager. Ça m'a l'air pas mal d'ailleurs. Et les voisins de Marlene ont l'air de s'être calmés. Elle a dû aller se plaindre à la mairie.

Il poursuivit ses commentaires sur les petits changements visibles qui s'étaient produits depuis leur départ, apparemment sans se soucier de son silence, jusqu'au moment où elle se gara.

— Bon, dit-il en se frappant les cuisses avec un peu trop d'enthousiasme et en faisant le geste d'ouvrir sa portière, on y va ? Tu viens ?

Mais Sara s'agrippait au volant comme à un radeau de survie. Objectivement, cette rue de la banlieue de Londres était semblable à des centaines d'autres, et pourtant elle connaissait si bien ces pavés, ces haies, ces murs de brique, qu'un sentiment d'appartenance et même d'identification à ce lieu l'envahit soudain. Elle vit la porte d'entrée de Carol peinte en vert en soutien au National Trust[1], puis le lampadaire légèrement enfoncé par Neil un jour où il avait reculé un peu vite en allant au bureau. La nuit qui tombait, le troène scintillant, la bruine qui se déposait en fine pellicule sur les poubelles, tout lui donnait un sentiment de nostalgie presque insoutenable.

Neil gravit les marches du perron de Carol et Simon avec énergie et frappa sans hésiter.

Sous prétexte de chercher sous son siège le cadeau pour Simon, Sara jeta un coup d'œil de l'autre côté de la rue. Leur maison était dissimulée derrière un échafaudage, en passe d'être transformée en trois « appartements spacieux ». En comparaison, celle de Gavin et Lou n'avait pratiquement pas changé, à l'exception d'un gros morceau de métal posé dans le jardin de devant, qu'elle supposa être une sculpture, mais qui ne ressemblait pas à ce que faisait Gav.

---

1. Association britannique de conservation des monuments et des sites d'intérêt collectif.

— Sara! Depuis le temps!

L'accent un peu traînant et banlieusard de Carol la remplit à la fois de plaisir et de gêne. Elle s'extirpa de la voiture et plongea dans un nuage de *Must* de Cartier et de cachemire.

— Bonsoir, Carol, parvint-elle tout juste à dire, la voix enrouée par l'émotion.

— Alors toi, s'écria Carol en l'attrapant par les épaules, je t'interdis de rester de nouveau si longtemps sans venir nous voir!

Ils prirent le thé sur la table en chêne ciré de la cuisine et Simon se fit traiter de tout pour ne pas avoir utilisé la passoire. Sara avait oublié les charmes de la conversation entre amis, cette familiarité confortable vieille de dix ans, et le fait d'être d'accord sur tout: les destinations de vacances, les livres à lire, les ambitions qu'on avait pour ses enfants. C'était un jeu, vraiment, un rituel visant à se sentir proches les uns des autres. Ils auraient tout aussi bien pu être des orangs-outangs ou n'importe quels autres mammifères à poils. Elle se demanda rétrospectivement ce qui l'avait conduite à rejeter tout ça, comment elle avait pu, du jour au lendemain, chercher à être si différente de ce qu'elle était réellement. Alors bien sûr Carol avait toujours tendance à se la raconter un peu et Simon pouvait être mortellement ennuyeux avec ses histoires d'investissement solidaire, mais ils étaient plus drôles, et plus capables d'autodérision, plus malins aussi que dans son souvenir. Le frère de Simon et sa femme les rejoignirent et ils refirent du thé tout en discutant des prix de l'immobilier sur la côte sud et de Margate où il fallait investir en ce moment, et même les propos narquois sur Tracey Emin[1], qui autrefois lui auraient hérissé le poil,

---

1. Artiste britannique née en 1963, célèbre pour ses performances provocantes.

n'empêchèrent pas Sara de passer un bien meilleur moment qu'elle ne l'aurait cru.

D'autres invités commencèrent à arriver par grappes. On enleva les tasses à thé pour les remplacer par des flûtes à champagne. On s'installa dans le salon où un iPod jouait *Reggatta de Blanc*[1] et où Carol avait lancé un diaporama retraçant la vie de Simon, ce qui eut le grand mérite de briser immédiatement la glace. Sara était à côté de collègues de Simon et ils se donnaient de petits coups de coude en souriant devant le défilement des photos : Simon hilare dans ses couches, Simon chez les scouts, ses deux incisives en moins, Simon coiffé d'un béret bizarre en train de brandir un billet pour le concert des Blow Monkeys, Simon avec à son bras Carol, sous une pluie de confettis et l'air heureux comme un roi, Simon en salopette rouge et lunettes 1990 improbables... Le défilé continua, chaque image apportant la preuve d'une vie heureuse et banale à la fois, pas très différente de celle de Sara, sauf que, là où Simon avait accepté son sort de privilégié avec bonhomie, Sara avait combattu le sien ; là où il avait joyeusement assumé les responsabilités d'époux et de père comme des défis à relever et qui nécessitaient de l'imagination, elle s'était sentie contrainte ; là où Simon n'avait jamais douté de lui-même au point d'avoir besoin de s'affirmer haut et fort, elle avait été à deux doigts de foutre toute sa vie en l'air pour affirmer sa personnalité.

Depuis le déménagement, elle parvenait de mieux en mieux à écrire. Les premiers temps, ce fut la seule chose qui lui permit de ne pas devenir folle, ça et promener le chien. Elle avait laissé tomber son roman, ne regrettant

1. Second album studio du groupe Police, paru en 1979.

finalement pas qu'Ezra n'en ait pas lu une ligne, et s'était tournée vers la nouvelle. Elle avait même été sélectionnée en vue d'une parution dans un recueil collectif. Son œuvre n'avait finalement pas été retenue, mais cela lui avait donné de l'espoir.

Le diaporama se poursuivit et les sujets de conversation commencèrent à manquer, si bien qu'elle fit mine d'aller se resservir un verre.

Depuis le salon impeccable de Carol, la maison de Lou et Gavin, si elle conservait son allure étrange, paraissait tout de même bien délabrée. Cela faisait bientôt trois ans et ils n'avaient toujours pas repeint les fenêtres. La bordure de lavande qu'elle avait plantée elle-même des années plus tôt pour délimiter les deux jardins était toute maigrichonne, aussi desséchée qu'un grillage. Si seulement, si seulement elle avait su comment se protéger contre ces envahisseurs, au lieu de les inviter chez elle !

Elle s'était montrée tellement naïve, tellement influençable, et prête à prendre toutes leurs failles pour de la force. Elle avait fait l'erreur de penser que l'aspect négligé de leur maison était une forme de choix esthétique et avait craint qu'en comparaison sa propre maison n'eût un aspect clinquant et superficiel. Même lorsque Lou l'avait félicitée pour ses compétences domestiques, Sara avait senti une certaine condescendance. Elle réalisait maintenant seulement que ce compliment était sincère et que pour Lou le mot « foyer » était aussi abstrait que pouvait l'être pour elle le mot « atelier ». Non que Lou et Gavin eussent fait exprès d'être négligents et profiteurs, mais ils avaient eu les yeux plus gros que le ventre. Pour eux, l'art passait avant tout le reste : leur maison, leurs enfants, leurs amis et peut-être même avant leur mariage. Peut-être y avait-il une certaine forme de grandeur là-dedans après tout.

Prêtant de nouveau attention à la soirée d'anniversaire, elle aperçut Neil à l'autre bout de la pièce, qui la contemplait, pensif. Il croisa son regard avec un sourire triste et, après avoir récupéré son verre, fit mine de la rejoindre. Mais, avant qu'il eût pu y parvenir, Carol fit entrer une nouvelle fournée d'invités dans la pièce.

— Bonsoir, Sara ! Comment vas-tu ?

Toby Warricker était un parent d'élève de leur ancienne école à Cranmer Road. Carol et Simon ne cessaient de parler de lui et de sa femme Alyson, qui venait justement de coincer Neil.

— Bonsoir, Toby, comment vas-tu ?

— Super bien ! On t'a dit que j'avais monté ma boîte de production, je suppose ? On est obligé de faire ça aujourd'hui si on ne veut pas passer sa vie à faire des documentaires chiants sur les Anglais des villes qui « vont se mettre au vert ».

Et il ajouta avec un geste d'excuse :

— Je ne dis pas ça pour vous, hein ?

— Ne t'en fais pas pour nous, répondit Sara, circonspecte.

— Comment ça se passe pour vous d'ailleurs ?

— Hastings ? Bien, très bien. On aime beaucoup. Neil a toujours voulu vivre au bord de la mer.

— Al se pose des questions depuis que vous êtes partis.

— Ah bon ?

Sara était surprise car elle n'avait jamais été proche d'Alyson, qu'elle ne croisait qu'une fois par an à la fête de Noël de l'école.

— Ben oui, tu sais comment ça se passe. Il suffit qu'un gamin se fasse un peu bousculer à l'arrêt de bus pour qu'aussitôt tout le monde veuille se barrer en pleine cambrousse.

D'abord Matt et Jude, ensuite vous. Moi, ça m'est égal, mais Al est très influençable.

Toby poursuivit son monologue tandis que le regard de Sara glissait vers la fenêtre. Il faisait nuit à présent et le mur de la maison d'en face lui renvoyait le reflet de sa propre image projeté tel un hologramme. Les rideaux y étaient à moitié fermés, mais on pouvait entrevoir la lueur bleutée de la télévision. Gavin devait être vautré dans un fauteuil Eames avec un verre de vin rouge, Lou se prélassant pieds nus sur le canapé. Sans doute étaient-ils en train de regarder un vieux film ou une émission quelconque. Sara n'avait aucun mal à imaginer la scène : le petit tapis élimé devant la cheminée, les effluves de pinot noir mêlés à ceux du feu de bois. Même après tout ce qui s'était passé, elle continuait d'éprouver de la fascination.

Depuis leur point de vue privilégié, la maison de Carol était un vrai bocal à poissons rouges, stores relevés, toutes lumières allumées. Il y avait déjà beaucoup d'invités à l'intérieur et d'autres gens arrivaient encore. Sara espérait qu'ils avaient remarqué. Elle espérait qu'ils souffraient d'en être exclus, mais c'était peu probable. De nouveau, son regard se posa sur son propre reflet, son visage fantomatique et flou sur la surface luisante de la vitre.

— ... Mais ça arrive très rarement, c'est ce qu'il faut se dire.

Toby la regardait en souriant, sans cacher son impatience et, très gênée, elle se rendit compte qu'elle n'avait pas écouté un mot de ce qu'il lui avait dit.

— Coucou ! fit-il en se penchant comme pour lui toquer sur le front. Y a quelqu'un ?

Remerciements

Merci aux membres de l'association des écrivains de Clifton Hill à Melbourne, pour leurs remarques constructives au début de ce projet, en particulier à Trish Bolton. Merci à Polly Jameson pour ses encouragements et ses corrections. Merci à Sallyanne Sweeeney de MMB Creative pour son soutien sans faille et à Kate Mills de HarperCollins, mon éditrice. Et surtout merci à Adam Goulcher, mon premier lecteur, critique exigeant et ami précieux.

Note de l'auteur

Depuis mon plus jeune âge, j'ai toujours été attirée par les mauvaises personnes. À l'école primaire, il y eut Jane Braidwood pour l'amour de qui je brisais en deux chacun de mes crayons en lui en donnant la plus grande moitié. Elle me remerciait en m'invitant à goûter avec deux autres de ses amies, puis s'enfermait avec elles et sans moi dans la chambre, où, assises sur le lit, elles élaboraient les règles d'un « club » dont j'étais exclue. L'en aimais-je moins pour autant ? Non, je l'adorais. Ce qui me sauva fut son départ de l'école, à l'âge de sept ans, pour en rejoindre une plus prestigieuse.

Pour moi, Lou et Gavin sont la version adulte de Jane Braidwood. L'amour que leur porte Sara et tous les agissements néfastes qui en découlent trouvent leur origine dans le même désir de faire partie de leur univers, quitte à être humiliée. Sauf que Jane Braidwood n'avait rien d'exceptionnel alors qu'eux sont artistes et, par là même, auréolés d'un certain prestige. Sara n'est pas sûre que ce soient de grands artistes, car elle ne se sent pas capable d'en juger, mais elle est fascinée et leur exemple la pousse à devenir artiste elle aussi. Le second thème que je voulais explorer est la question de savoir si les artistes vivent en imposant ainsi leurs propres règles à leur entourage et s'ils en ont le droit. Ce qu'exigent Lou et Gavin de leurs voisins dépasse les limites du supportable et pourtant, même à la toute fin du roman, lorsqu'elle considère les dégâts qu'ils ont causés, Sara n'a toujours pas la réponse à cette question. Pas plus que moi, d'ailleurs.

Composé et édité par HarperCollins France.

Achevé d'imprimer en mai 2018.

La Flèche
Dépôt légal : juin 2018.

Imprimé en France